Dictionnaire

des

Écrivains de la Mauricie

Les Écrits des Forges, fondés par Gatien
Lapointe, existent grâce à la collaboration
de l'Université du Québec
à Trois-Rivières

Le ministère des Affaires culturelles et
le Conseil des Arts ont aidé à la
publication de cet ouvrage.

Distribution

En librairie:
Diffusion Prologue
2975, rue Sartelon
Saint-Laurent, H4R 1E6

Autres:
Diffusion Collective Radisson
903, St-Thomas
C.P. 335
Trois-Rivières, G9A 5G4
(819) 379-9813

ISBN
2 - 89046 - 220 - X

Dépôt légal / Premier trimestre 1991
BNQ ET BNC

Couverture: Photographie de Gilles Roux

Réjean Bonenfant et Gérald Gaudet
directeurs de rédaction

Dictionnaire

des

Écrivains de la Mauricie

Répertoire bio-bibliographique, critique

et anthologique

SOMMAIRE

selon l'ordre d'inscription dans l'histoire littéraire

Merci

au Conseil des Arts du Canada
au Ministère des affaires culturelles
à la Société des Écrivains de la Mauricie
au Nouvelliste
à l'Université du Québec à Trois-Rivières
au Cegep de Trois-Rivières
et à la Société St-Jean-Baptiste de la Mauricie

qui ont rendu cet ouvrage possible.

et à
Paul Philibert
Pierre Picard
Yves Dubé
Claudette Tougas
Huguette Bertrand
Guy Marchamps
André Gaudreault
Dominique Brosseau
René Verrette
qui ont cru en ce Dictionnaire.

UN DICTIONNAIRE

De Clément Marchand à Paul Rousseau en passant par Louis Caron et Louis Hamelin, voici au sens plein du mot un **Dictionnaire des Écrivains de la Mauricie**, non pas un répertoire regroupant les seuls membres de la Société des écrivains ou ceux qui écrivent ou ont écrit dans la région, mais un recueil d'écrivains actifs qui sont nés en Mauricie ou qui y habitent pour signifier le monde, l'investir et en être le commentaire.

En 1981, Gaétan Brulotte, alors président de la Société des Écrivains de la Mauricie, avec l'aide de Bernard Pozier et d'Alexis Klimov, avait fait paraître un *dictionnaire bio-bibliographique, critique et anthologique* qu'ils avaient intitulé *écrivains de la Mauricie*. Comme cela se fait habituellement dans un pareil ouvrage, on pouvait retrouver une autoprésentation et une biographie, des renseignements d'ordre bibliographique (articles, spectacles, expositions, conférences, etc.), un relevé des principales critiques et une anthologie composée des phrases marquantes choisies dans l'oeuvre et de quelques inédits. Mais l'ouvrage - et cela est déterminant - ne rassemblait que les membres de la Société des Écrivains de la Mauricie, et cela sans distinction de genres, ce qui faisait qu'un auteur d'ouvrages pieux côtoyait sans distinction un poète, un philosophe, un historien et un monographe paroissial.

Réjean Bonenfant et moi avons décidé de distinguer deux volets, l'un, littéraire, réunissant les écrivains actifs nés en Mauricie ou y oeuvrant depuis plusieurs années, l'autre, extra-littéraire, sous forme d'essais, regroupant les chercheurs qui travaillent dans les domaines de l'histoire, du journalisme, de la sociologie, des sciences politiques, etc., en somme le mouvement des idées.

Soixante-cinq écrivains (essayistes, poètes, critiques littéraires, romanciers,...) ont été invités à faire partie de ce premier volet; cinquante-huit ont accepté. Chaque auteur est responsable de son dossier, même si, dans certains cas, nous avons dû solliciter un autre type de collaboration plus conforme à l'esprit de leur oeuvre et des objectifs de notre dictionnaire.

Car, dès le départ, nous voulions que ce dictionnaire soit *historique* et *critique*, c'est-à-dire qu'il offre à la fois une lecture significative de l'époque à ce tournant-ci de l'Histoire et un regard attentif, distancié, sur la démarche particulière de chaque écrivain qui essaie de la comprendre, de l'habiter et de se donner une identité. Chaque auteur y est présenté selon l'ordre de son inscription dans l'histoire littéraire et les morceaux d'anthologie qu'il a choisis dans son oeuvre livrent, croyons-nous, des éléments tout à fait précieux pour saisir les questions, les thèmes, les rêves et les angoisses qui semblent marquer notre moment historique, et à partir desquels chacun peut se rapprocher et se différencier dans l'aventure d'être vivant ici et maintenant. Des décennies se distinguent, signalent des générations d'écrivains, des transformations dans les choix de sociétés, des modifications d'interventions, de préoccupations, de thématiques.

Et ce *Dictionnaire*, pourquoi ne pas le dé-lire? Pourquoi ne pas le prendre comme le territoire d'un jeu qui mène continuellement en terrain étrange? On se surprend à avoir oublié un titre, un nom, une phrase. On a hâte de lire un ouvrage que l'on a raté, un auteur méconnu qui vient de nous charmer, l'oeuvre où s'inscrit l'inédit. On est ravi de joindre un visage à un écrivain aimé, de lire un commentaire qui vient éclairer d'un jour nouveau un livre cher. On s'étonne du choix critique que tel auteur a pu faire, des signatures et des lieux institutionnels qu'il a pu privilégier, de l'image qu'il veut imposer à (de) l'histoire littéraire, bref de ses colères et de ses affections, tout cela qu'il veut donner, presque malgré lui parfois, à comprendre de lui-même. Puis on se surprend de l'absence de tel passage qui avait marqué. On fait des recoupements, des ajouts, des permutations. On voit qu'un thème se développe, qu'un auteur nous offre un angle privilégié pour entrer en littérature et pour découvrir tous les autres. Et on se met à recréer, à relire, à réinterpréter. On refait des choix. On y place les auteurs, les sens et les morceaux qui nous ont particulièrement ébranlés. On refait son propre dictionnaire. On retrouve du sens. Le livre devient alors un lieu critique, vivant et significatif. Partout il y a l'étonnement de la rencontre avec le sens... d'une littérature et d'un moment d'existence. Puisqu'il y a cette possibilité d'une lecture en «stéréographie», dirait Barthes, celle qui se fait selon des volumes et des distances de sens extrêmement variés. Car l'écrivain, n'est-il pas celui qui fait le pari d'être le témoin ou l'agent des transformations les plus intimes comme les plus collectives?

Gérald Gaudet
novembre 1990

COMME UN MIROIR DU MONDE

Nul ne saurait prétendre qu'il faille promouvoir, en cette fin de siècle et de millénaire, la résurgence des cultures ou littératures régionalistes. L'heure n'est plus aux vains débats. Nous savons tous que la Seine est un fleuve universel, que la «Main» est devenue une artère planétaire, que la rue des Forges peut être le lieu de la conscience et de la lucidité où se confrontent le vil et le sublime, où s'affrontent le sacré et le profane, où la mémoire du monde s'imprime, à chaque instant, dans le regard des enfants qui s'apprêtent, incessamment, à changer de siècle.

Par sa sensibilité, sa culture, sa vision du monde, l'artiste le sait, lui, qu'il ne peut désormais se réclamer que de la mégapole planétaire, qu'il est devenu un provincial parmi les provinciaux qui se met au service de la beauté. Et cela, avec toutes les majuscules qu'on voudra bien y voir.

Du temps où la distance existait, nous n'avions pas le choix de nommer des lieux, de privilégier les uns par rapport aux autres, moins accessibles, plus secrets. Désormais, les lieux se superposent et n'importent pas tant par leur spécificité que par leur adéquation avec d'autres lieux, fussent-ils ceux de l'imaginaire. De plus, toute la mémoire du monde, incarnée dans les livres, fait partie d'un présent continuel où s'abolit le temps lui-même.

Une région, ce n'est peut-être, en définitive, que la portion sécurisante et prochaine qui nous permet d'appréhender le monde, la parcelle du miroir où l'humanité entière reflète son infini en miniature.

Mais la région, c'est aussi le lieu des origines, celui qui façonne et construit. C'est le lieu de l'accueil de l'étrange et de l'étranger, le lieu de l'ouverture aux autres. C'est aussi le lieu centrifuge des oeuvres qui partent à la conquête du monde. C'est aussi, enfin, un milieu de vie, «un» centre du monde où se joue et se déjoue, dans la quotidienneté, l'avenir de l'être humain.

Des gens sont partis qui n'ont pas appauvri le milieu des origines. Leur audience élargie n'a pu qu'être bénéfique à ceux qui sont restés.

Des gens sont arrivés qui ont élargi nos horizons et nous ont appris l'ouverture au monde et la saine confrontation des démarches personnelles.

D'autres gens sont demeurés ici, choisissant de se fixer dans le lieu des affections et des contraintes du travail, comprenant que le monde est là, en soi et tout autour, devinant que les technoloqies qui apportent le monde dans chacun de nos salons peut aussi, juste retour des choses, amener vers le monde l'humble travail que l'artiste crée dans la solitude de son atelier.

* * *

Puisque le présent ouvrage traitera de la littérature en Mauricie, il convient de démarquer, pour éviter toute confusion, la littérature régionaliste de la littérature régionale. Dans *la Revue d'Histoire du Québec et du Canada français* (n°3, hiver-printemps 1982, p. 10), René Dionne affirme que la littérature régionaliste «peint d'ordinaire avec sympathie et exactitude un milieu donné : ses paysages, ses habitants, sa vie sociale, etc.; (qu') elle est la plupart du temps l'expression, plus ou moins consciente d'une tendance, souvent instinctive, à conserver certaines traditions et coutumes particulières à un groupe, mais parfois aussi l'expression d'une volonté bien déterminée de mettre en valeur, dans un but politique, économique, touristique ou autre, un certain territoire». Cette définition témoigne éloquemment de l'état d'esprit du début de ce siècle qui eut son point culminant au cours des années trente, cette époque où l'on savait se quereller sur le nom même de la région (serait-ce la Laurentie, la Trifluvianie, la Kamouraskanie - selon le cri exaspéré d'Henri Bourassa - ou encore la Mauricie?) de même que sur le «contenu» patriotique et mystique du régionalisme.

Tout à fait en accord avec le mot d'Albert Tessier * qui disait que «si le régionalisme est la fatuité puérile des gens qui ne voient rien de beau ni de bon en dehors de leur patelin, on a raison de crier haro contre ce baudet», nous retiendrons alors la définition que René Dionne fait de la littérature régionale qui «est la somme des oeuvres se rattachant à une région par le lieu de naissance ou de travail de leurs auteurs ou encore par l'intérêt qu'un auteur étranger manifeste à cette région qu'il a visitée ou connue de quelque manière». Ainsi, nous aurions pu, dans la présente anthologie, évoquer ce qu'ont pu apporter à la région les

---

*Tel que rapporté dans le mémoire de maîtrise en études québécoises de René Verrette intitulé *le Régionalisme mauricien des années trente*. Le lecteur aurait avantage à consulter cet ouvrage pour une vue d'ensemble bien documentée de cette décennie.

séjours dans la Mauricie des Marie Le Franc, Daniel-Rops, Maurice Genevoix, Franc-Nohain et, plus récemment, Bernard Clavel, Georges-Emmanuel Clancier ou encore Eugène Guillevic. Et pourquoi pas François Hertel et Alfred DesRochers qui, venant de l'extérieur, sont venus étudier ici. On comprendra que, pour des raisons que nous avons expliquées dans la présentation, il nous a fallu nous limiter à ceux qui sont originaires de la Mauricie et à ceux qui sont venus s'y établir. Elargissant la portée du regard et du coeur, l'écrivain peut témoigner de son coin de pays à la face du monde en même temps qu'il sait accueillir et restituer le monde entier et ses multiples incarnations.

Nous pouvons être fiers d'appartenir à une région précise. Et pourquoi pas à la Mauricie? Au delà des clichés qui affirmeraient que la Mauricie est «une vraie pépinière» et sans prétendre à l'exhaustivité en jouant au «chien savant», et cela au risque de commettre des oublis dont nous nous excusons immédiatement, nous dresserons cependant ici le portrait de l'enracinement, nous tenterons de montrer l'émergence d'une tradition, sa vivacité, pour enfin découvrir, dans l'émerveillement à chaque jour renouvelé, l'effervescence de ce qui se fait ici et maintenant. À quelques exceptions près, nous limiterons notre champ d'investigation à la rive nord du Saint-Laurent, respectant en cela la frontière naturelle du fleuve plutôt que celle, administrative, qui englobe la Mauricie et les Bois- Francs dans la zone 04.

Réjean Bonenfant

LE CHAMP CULTUREL

LA FERVEUR ET LA CONTINUITÉ

La vision rétroactive et panoptique de l'histoire contemporaine de notre culture nous oblige à reconnaître en premier lieu le Tricentenaire de la ville de Trois-Rivières, en 1934, comme le premier grand mouvement d'ensemble qui a laissé des traces. Lors de ces Fêtes grandioses, ainsi que nous le fait remarquer Rémi Tourangeau dans son livre *Trois-Rivières en liesse,* (ouvrage répertorié dans ce dictionnaire), la fierté trifluvienne et mauricienne trouva aisément l'occasion de se manifester. Ces Fêtes, sous la direction de Léon Trépanier, culminèrent avec une suite ininterrompue de reconstitutions historiques et le dévoilement d'un monument, le vingt-neuf juillet 1934, à la mémoire des écrivains de la région. Inauguré par Mgr Camille Roy, recteur de l'Université Laval et critique littéraire, ce monument que nous pouvons voir au parc Champlain était dédié à la mémoire de Benjamin Sulte, d'Antoine Gérin-Lajoie, d'Edmond de Nevers, de Ludger Duvernay et du poète Nérée Beauchemin. Pour cette occasion, le congrès annuel de la Société des auteurs canadiens s'était tenu à Trois-Rivières.

Enjambant quelques décennies plutôt tranquilles qui, serait-ce là l'effet du hasard, coïncident avec le règne de Maurice Duplessis, un autre événement d'importance se produit en 1968. C'est l'érection de l'Université du Québec à Trois-Rivières. Désormais, nous habitons une ville universitaire. Avec la création du Cégep la même année, les jeunes de la Mauricie et d'ailleurs ont dorénavant la possibilité de poursuivre leur formation ici même et, éventuellement, de s'établir dans la région. C'est à cette époque que le département de français connaît son heure de gloire, devenant le département le plus achalandé de toute l'université.

Les départements de musique et d'arts plastiques dont nous ne tarderons pas à voir les résultats au niveau de l'animation de la cité sont également très populaires.

Le premier effet bénéfique de l'établissement de l'université fut sans doute l'arrivée du poète Gatien Lapointe qui, en 1971, fonda avec quelques-uns de ses étudiants, la maison d'édition les Écrits des Forges. Autour de ses ateliers d'écriture se nouèrent d'innombrables affections. D'abord vouée à la publication des textes des jeunes auteurs, cette maison d'édition a su évoluer et, ne reniant aucunement son ambition première, elle accueille maintenant les poètes de toute la francophonie. C'est presque devenu un lieu commun que de dire que cette maison est devenue la plus importante maison d'édition en poésie. La disparition subite de Gatien Lapointe en 1983 ne brisa pas l'élan de la jeune maison. Sous la gouverne de Gaston Bellemare de même que de Louise Blouin et de Bernard Pozier, les Écrits des Forges sont toujours prêts à relever de nouveaux défis.

Le 350ᵉ anniversaire de la ville de Trois-Rivières, en 1984, fut un autre événement où les rassemblements populaires sont venus rendre compte de la vivacité de la vie culturelle régionale *. L'année suivante, nous assistions à la naissance du Festival National de la Poésie. Après six ans, le Festival étant devenu international, la ferveur ne se dément pas. Une abondante couverture journalistique de même que la Soirée de la Poésie retransmise en direct par Radio-Canada à la grandeur du pays témoignent du caractère unique de l'événement, de sa qualité, des moments privilégiés que chacun de nous peut y vivre. Les salles de spectacle et les bars-restaurants accueillent, au cours de ce Festival, au-delà de quatre-vingt-dix manifestations poétiques mariant la poésie à la danse, à la peinture, au théâtre, à la chanson et à la musique.

Chacun de ces événements brièvement évoqués, et nous aurions pu en énumérer plusieurs autres, ont attiré les regards étrangers sur ce qui se fait ici et maintenant. N'ayons pas de fausse pudeur et sachons apprécier le fait de vivre à Trois-Rivières, cette capitale de la Poésie où le piéton, à la suite de Guy Mauffette lors de son passage au Festival, se laisse charmer par les randonnées au sein des magnifiques installations du vieux-port, se promène, enchanté, d'une galerie à une autre avant de

_____

* Depuis 1985, le Festival des Trois-Rivières a lieu chaque année, au début de juillet, permettant aux artistes et aux artisans d'exposer leurs oeuvres et de démontrer leur savoir-faire.

se rendre dans les cafés-terrasses pour rencontrer les amis créateurs. Nous commençons enfin à reconnaître que c'est par sa vie culturelle que Trois-Rivières est en train de devenir une ville rayonnante et touristique et cela, non pas en conviant l'étranger à l'admiration un peu béate des immeubles et des monuments mais en lui proposant de vivre des «événements» significatifs, de s'immiscer dans l'effervescence du quotidien des Trifluviens. Ainsi l'ont compris les différentes institutions commerciales et financières qui s'impliquent de plus en plus en subventionnant les diverses manifestations culturelles régionales, de même que la Jeune Chambre de Commerce qui organise, depuis 1989, un salon du livre dans la cité trifluvienne

Une fête pour l'oeil

S'il est un domaine qui a changé considérablement au cours de la dernière décennie c'est bien celui des arts visuels. Il y a maintenant des lieux de rassemblement et de rencontre, des lieux de travail pour tous ces artistes profondément solitaires. Nous pouvons remarquer qu'il y a de nombreux regroupements de créateurs.

En peinture, des artistes travaillent encore dans la solitude de leur atelier, comme le faisaient hier les Rodolphe Duguay, Raymond Lasnier ou François Desruisseaux. Nous pourrions évoquer ici maintes toiles où les visages de Réjane Sanchagrin, les yeux de Guylène Saucier, les trains de Serge Brunoni, les paysages colorés de Normand Boisvert et ceux, plus ésotériques, de Céline Veillette, les grands formats de Jocelyn Tousignant, les brunes visions du Vieux Trois-Rivières de Jean-Marc Gaudrault ou les feuilles d'or de Stelio témoignent de démarches personnelles où l'exigence et la haute teneur d'absolu envoûtent le promeneur attentif. Sans oublier de nombreux «jeunes peintres» tels Guy Rivar, Johane Gagnon, René Garceau, Jean-Pierre Hamelin ou Martial Després de qui on attend la poursuite d'une oeuvre qui s'annonce féconde.

D'autres peintres se regroupent en atelier communautaire. Il en est ainsi de Raymond Croteau et de Colette Cloutier, pour n'en nommer que deux, qui ont fondé le *Regroupement des artistes-peintres professionnels* (RAPP). Colette Cloutier a également fondé *Le chat qui peint*.

Tous ces peintres qui exposent parfois à l'extérieur et à l'étranger, sont bien servis par un réseau de galeries qui assurent la visibilité des oeuvres. En plus des galeries des Centres Culturels de Shawinigan, de Trois-Rivières et de Drummondville qui présentent continuellement des expositions, nous retrouvons les galeries du *Parc, Gala, Claude Matteau, Céline Veillette, Normand Boisvert, La Galerie* et *Art 8* à Trois-Rivières, *Gaby Lamothe* à Grand-Mère et *la Turlutaine* à Bécancour. Partout, les cimaises sont réservées pour un an à l'avance. Plusieurs galeries et ateliers dispensent également des cours de dessin, d'aquarelle ou de peinture.

Nous avons précédemment souligné la création d'atelier (le RAPP) pour les artistes peintres. Il existe à Trois-Rivières de nombreux autres ateliers tels *Presse-Papier* (pour la gravure) où se côtoient, sous l'habile leadership de Louise Lavoie-Maheux, les artistes Guy Langevin, Nelson Gagné, Alain Fleurant, Louise Hallé, Jo-Ann Laneville et plusieurs autres. Cet atelier communautaire qui regroupe les graveurs est avantageusement connu à l'échelle nationale.

Plusieurs sculpteurs dont Jean-Marie Gagnon, Roger Gaudreau, Jean Lebel et Laurent Bélanger se sont regroupés et travaillent à l'*Atelier Silex*. Nous devons aux membres de cet atelier plusieurs réalisations d'importance (Salle J.A. Thompson, Hôpital St-Joseph) dans le cadre du programme gouvernemental du 1 % octroyé pour embellir les édifices publics.

Les artistes du papier, Maryse Gosselin, Lyne Doré, Cécile Gosselin et Johane Masse évoluent à *l'Atelier Papyrus* tandis que plusieurs photographes, dont Gilles Roux, travaillent et enseignent aux *Ateliers photographiques*. Sans doute ce désir de se regrouper répond-il à un besoin vital pour plusieurs artistes qui, en plus de réduire leurs coûts de production, réussissent à se procurer des appareils de haute technologie pour la poursuite de leur art.

Ce tour d'horizon-éclair des arts visuels en Mauricie ne peut ignorer quelques autres créations : les sculptures sur bois de Léo Arbour; les gravures étonnantes de Denis Charland; les fins émaux de Mariette Cheney, châtelaine du Moulin Seigneurial; les travaux sur verre de Gilles Désaulniers et de Jacques Rivard; les batiks de Suzan Ward et de Louise Désaulniers; les céramiques de Michel Lemire; les dentelles de Thérèse Charbonneau-Bouchard qui se sont signalées en Europe; les tapisseries de Nicole Biscaro, de Carmel Gascon et de Louise Panneton; les réalisations avant-gardistes du couturier Michel Vaudrin; les bijoux de Pierre Brassard, de Jean Trépanier et de Judith Picard; les photographies des René Coulombe, Serge Mongrain, Pierre Dessureault, Marcelle Corriveau, Jean-Jacques Ringuette, Pauline Béland et Robert

Myrand; sans oublier les travaux des graphistes Nathalie Carpentier et Richard Normandin. La liste pourrait s'allonger quasi indéfiniment.

Cette promenade d'une galerie à une autre, d'un atelier à un autre, si elle renseigne l'amateur de beauté sur ce qui se fait maintenant, ne saurait être complète sans ce regard sur le passé que nous offrent les différents musées de la région. Et ils sont nombreux. À Trois-Rivières même, nous avons le *Musée d'archéologie* qui, sous la compétente direction de Messieurs René Ribes et René Verrette, nous offre des spécimens anciens de grande valeur. Ils reçoivent régulièrement des groupes d'étudiants. Ce musée, qui réalise maintes expertises pour différents ministères, n'en finit pas de se relocaliser en regard de son expansion toujours grandissante. Le *Musée des Ursulines* et le *Musée Pierre-Boucher* du Séminaire Saint-Joseph renferment des collections intéressantes pour l'amateur d'art.

En sortant de Trois-Rivières, de belles surprises nous attendent. Le *Musée Laurier* d'Arthabaska, le *Musée des religions* de Nicolet, le *Musée abénakis* d'Odanak et le *Musée du bûcheron* de Grandes-Piles sont dignes d'intérêt. Il ne faudrait pas oublier d'inscrire le *Moulin Michel* de Bécancour et le *Manoir de Tonnancour* de Pointe-du-Lac à l'itinéraire. Un autre musée, celui *des Arts et des Traditions populaires du Québec*, verra le jour sous peu à Trois-Rivières : ce musée ethnographique, en plus d'accueillir la collection Robert-Lionel-Séguin, se doublera d'un musée de l'univers carcéral.

Quand la musique chante et danse

Il ne suffira que d'évoquer deux noms pour reconnaître qu'il existe une tradition musicale en Mauricie. Le premier auquel on pense est J.-Antonio Thompson, compositeur de musique sacrée, qui a donné son nom à la salle de spectacle gérée par la ville de Trois-Rivières. Le deuxième nom qui nous vient est celui d'Anaïs Allard Rousseau, fondatrice des *Jeunesses Musicales du Canada* qui, elle aussi, a donné son nom à la salle de spectacle du Centre Culturel de Trois-Rivières.

Nous évoquerons maintenant certaines institutions qui font la fierté de notre région. Il y a d'abord le Conservatoire, dirigé par Michel Kozlovsky, de même que le département de musique de l'UQTR que dirige Michel Dussault. Gilles Bellemare, chef de l'*Orchestre Symphonique de Trois-Rivières* depuis quelques années déjà, nous propose des concerts hauts en couleur. En plus du *Groupe de musique ancienne de l'UQTR* qui se spécialise dans les oeuvres de la Renaissance, nous pouvons compter sur *l'Orchestre symphonique des Jeunes Philippe-Filion* de Shawinigan.

Claude Thompson, quant à lui, est à la tête des *Petits chanteurs de Trois-Rivières* qui se sont produits un peu partout, notamment en Belgique. Il s'agit là d'une école qui, dès le deuxième cycle de l'élémentaire, accueille les jeunes talents locaux. *L'École des Petits Artistes,* sous la direction de Lise Lesage Aubin, qui a publié de nombreux ouvrages sur la didactique de la musique, donne le goût musical aux jeunes enfants. L'art lyrique et le chant sacré sont également bien servis par l'*Orphéon, Pro-Organo,* la *Maîtrise du Cap-de-la-Madeleine* et par le *Choeur Bruckner.*

Il n'est donc pas étonnant de voir évoluer Micheline René sur les scènes internationales, de voir Pierre-Michel Bédard devenu organiste à l'église Notre-Dame-des-Blancs-Manteaux de Paris ou d'entendre Claudine Côté, soprano, chanter avec le grand Pavarotti. Bernard Buisson, pianiste de concert, a signé la musique des *Bons Débarras.* Pour sa part, Jacques Lacombe est devenu chef d'orchestre du Conservatoire de Montréal tandis que Claude Lamothe, violoncelliste, entreprend une carrière européenne très importante. Il convient de souligner enfin les oeuvres chorales d'Hélène Caya, disparue prématurément il y a quelques mois, dans lesquelles le sens du sacré et la recherche de la spiritualité constituent un véritable hymne à la gloire du monde.

Si les écoles de danse sont peu nombreuses à Trois-Rivières, il faut tout de même mentionner les *Ateliers de ballet Lise Lafleur,* les cours de ballet-jazz de Francine Brunet, de la défunte troupe *Nébrak* et les performances d'un Guy Croteau qui vient de s'exiler temporairement en Sicile pour enseigner la danse. Nous nous réjouissons que la jeune Martine Lamy soit la première Québécoise à être choisie comme première danseuse pour le Ballet National du Canada.

Au niveau de la chanson populaire, les Pauline Julien et Louise Forestier, originaires de la région, ont marqué la voie à de plus jeunes chanteuses telles Sylvie Bernard, qui «fait actuellement un malheur» sur scène, à Marie Olscamp qui interprète à merveille les textes de Anne Sylvestre dans les cafés montréalais et à Anik Saint-Pierre dont l'assurance étonne. Il n'est pas non plus surprenant de constater que, par quatre fois, des Trifluviens ont remporté les honneurs du *Festival de la Chanson* de Granby. Outre Sylvie Bernard, il y eut les interprètes Denis Barbeau et Lise Bellemare. Quant à l'auteur-compositeur-interprète

Jacques Thivierge, il a déjà fait la première partie du récital de Catherine Sauvage. En dernier lieu, signalons le patient travail de cet autre auteur-compositeur-interprète, Jean Laprise, qui anime des centaines d'ateliers-spectacles à chaque année dans les écoles élémentaires et cela, un peu partout en province. Jean Laprise a mis en musique les textes de nombreux écrivains de la région, notamment Alphonse Piché et Pierre Chatillon.

Permettons-nous de signaler enfin quelques autres personnes ou groupes qui animent la scène musicale : les ensembles *Chavigny-Pop* et *Ursule-Jazz* permettent aux étudiants du secondaire de découvrir le goût du jazz et de la comédie musicale; le groupe *Cabaret* interprète avec brio des airs d'opérettes et de comédies musicales alors que le groupe *Okazoo* évolue sur la scène du blues et du jazz ; finalement, les groupes *Bündock, Razzia* et *Paradox* se débrouillent bien sur la scène du rock.

La passion du jeu

Nous ne pouvons parler du théâtre en Mauricie sans évoquer l'importance qu'eurent les *Compagnons de Notre-Dame* sur la vie culturelle dans les années quarante et cinquante, à cette époque où Félix Leclerc écrivait expressément pour eux. C'est ici que Rita Lafontaine monta sur les planches pour la première fois. Après une disparition de quelques années, les *Nouveaux Compagnons* sont revenus en force avec le concours des Louis-Philippe Poisson, Rollande Lambert, Ginette Delmas, Serge Brosseau, André Roy et de plusieurs autres.

La fin des années soixante et le début de la décennie suivante furent en quelque sorte l'âge d'or des scènes trifluviennes. C'était l'époque du *Zip* avec Jean Beaudry, des *Grands Voyous* avec François Bruneau et Marie-Claude Lacourse, de la troupe *Athanor* avec Joseph Mignolet et Jean Laprise de même que l'époque de la troupe du *Point-Virgule* avec Pierre Baril et Carmen Jolin. Puis, il y eut la création du Théâtre de Face qui, en plus de présenter des pièces du répertoire de l'absurde, a fait découvrir toute une littérature sud-américaine. Cette troupe, sous la direction de Gilles Devault, a présenté de nombreuses adaptations d'oeuvres romanesques sur scène. Nous devons à cette troupe plusieurs spectacles-montages avec les textes des écrivains de la région, de même qu'une bonne demi-douzaine de créations. Le *Studio Praxis,* qui prend de plus en plus d'importance sur les scènes trifluviennes, se sert du théâtre comme outil de réinsertion sociale.

La Mauricie est fière des nombreux comédiens et comédiennes originaires de la région qui évoluent sur les scènes montréalaises de même qu'à la télévision. Outre Rita Lafontaine, nous apprécions les talents de Mariette Duval, Claude Landré, Louise Matteau, Marcel Leboeuf, Liliane et Carmen Jolin, Manon Gauthier, Claire Jacques, François Bruneau, Normand Gélinas, Jacques Leblanc, Luc Arseneault, Danièle Panneton, Chantal Baril, Marie Brassard et Michel Forgues. Et du mime Vincent Marcotte. Et du clown Dézo. Plusieurs d'entre eux, en plus de jouer ici et à l'étranger, notamment en Australie, en Angleterre, en Belgique et en France, ont fait aussi leurs preuves en tant que metteurs en scène de même qu'à la réalisation de vidéo-clips.

Nous hésitons à nommer ici les humoristes Daniel Lemire et Pierre Verville comme étant des artistes de la Mauricie mais... les Bois-Francs sont si près de nous. À ce propos, il existe un phénomène étrange, celui de l'appropriation du lieu d'origine des artistes aimés. En plus de Daniel Lemire et Pierre Verville, plusieurs Mauriciens croient que Dominique Michel est originaire de la Mauricie. C'est également la même situation pour la comédienne Andrée Lachapelle, à qui nous parlions récemment et qui se dit ravie que la population de la Mauricie, de même que celle des Cantons de l'Est, croit qu'elle vient de leur région. «Abolir les frontières, disait-elle, c'est peut-être un signe que nous avons réussi quelque chose dans la vie. C'est peut-être la façon qu'ont les gens de nous dire qu'ils nous aiment.»

Au cinéma, dont le maître-d'oeuvre régional demeure sans conteste Albert Tessier, il faut souligner particulièrement l'oeuvre d'animation de Léo Cloutier, ex-membre du jury du Festival de Cannes, qui a fondé ici, il y a vingt-quatre ans, un ciné-club exemplaire, *Ciné-Campus*, qui forme des cinéphiles avertis et exigeants.

Deux cinéastes élaborent actuellement une oeuvre prometteuse. Il s'agit de Michel Audy (*La maison qui empêche de voir la ville, Luc ou la part des choses*) dans les films duquel débuta la comédienne Danièle Panneton et de Jean Beaudry qui, avec la collaboration de François Bouvier, nous a offert un premier film étonnant de gravité, *Jacques et novembre*. Il a déjà deux autres films à son actif. On ne pourrait clore cette page sur le cinéma sans évoquer l'apport de la comédienne Carole Laure, originaire de Shawinigan, tant au niveau du cinéma québécois que français.

Les médias

Les diverses réalisations des travailleurs de la culture, en plus des créneaux habituels de diffusion, jouissent à l'occasion de l'apport des divers médias d'information. Certes, on n'entend plus sur les ondes radiophoniques trifluviennes les voix de Félix Leclerc, d'Adrienne Choquette, d'Yves Thériault et de Lise Payette comme il y a quelques décennies. Mais il y en a d'autres. Plus significatives pour Trois-Rivières sont les pertes de ses deux stations de radio-MF de même que le départ de Radio-Québec. Tout cela est regrettable.

Il existe tout de même une certaine bonne volonté au niveau de la diffusion de la culture. Que ce soit à CHLN, à CIGB, à CHEY-FM, à CKSM ou à CJTR; que ce soit à CFKM-TV, à CHEM-TV ou à CKTM-TV, il arrive qu'il y ait des chroniques, des entrevues et des comptes-rendus qui apportent aux auditeurs et aux téléspectateurs des informations nécessaires sur les oeuvres. Il ne faudrait pas croire cependant que les médias locaux limitent leurs interventions aux réalisations mauriciennes.

En plus de la *Gazette populaire* et des hebdomadaires régionaux qui, dans plusieurs localités, donnent l'heure juste au niveau de la culture, il y a le quotidien *le Nouvelliste*. Il fut un temps où l'espace culturel de ce quotidien dépassait celui d'un journal comme *la Presse*. Bien qu'il n'en soit plus ainsi, il y a là une couverture plutôt systématique des oeuvres littéraires et des travaux en arts visuels des créateurs de la région et cela, sans pour autant négliger ce qui vient d'ailleurs. Lors des colloques, des spectacles, et particulièrement lors du Festival de la Poésie, il faut souligner la couverture impressionnante que *le Nouvelliste* fait de ces événements.

Outre la radio, la télévision et les journaux, il existe d'autres intervenants médiatiques dont l'action est nécessaire et répond à un besoin. Nous voulons évoquer ici ces rampes d'essai que constituent les revues : l'*APLF*, sous la gouverne des Écrits des Forges, publie les textes des ateliers de création; *Les cahiers En vrac*, le bulletin de la Société des Écrivains de la Mauricie, est un organe de liaison où, en plus de la création, il y a toujours un dossier de presse considérable; enfin, *le Sabord* qui se spécialise en littérature et en arts visuels et dont le rayonnement national ne fait plus de doute. Nous pourrions également mentionner deux autres revues qui ne sont pas trifluviennes mais dont les animateurs le sont : il s'agit de la revue de science-fiction *Imagine*, dirigée par Jean-Marc Gouanvic et *estuaire*, une revue de poésie animée par Gérald Gaudet.

25

Pour acheminer les textes vers le public lecteur, il faut également des éditeurs et des imprimeurs. La région en est bien pourvue. Au niveau des imprimeries, il y a les *Arts graphiques, Saint-Patrice, le Bien Public* ainsi que *l'Imprimerie Gagné*. Quant aux éditeurs, si de petites maisons telles le *Sextant* et *Mouche à Feu* sont disparues, si d'autres, telles *Blanche Fleury* ou le *Zéphyr* se font très discrètes, on peut affirmer que les *Écrits des Forges* ont le vent dans les voiles, publiant au-delà d'une trentaine de titres de poésie par année, étant sûrement la maison québécoise qui réalise le plus de co-éditions avec la France actuellement.

Revenir au littéraire

Si nous avons quelque peu délaissé la littérature au cours des dernières pages pour nous attacher plus spécifiquement à la culture en général, il ne faut pas y voir un manque d'intérêt : nous lui réservions peut-être «le dernier mot».

Le lecteur de ce dictionnaire consacré à la création littéraire (un deuxième volet portant sur les journalistes, sociologues et historiens devrait vraisemblablement paraître dans un avenir rapproché) sera agréablement surpris de constater la vivacité de la littérature d'ici. C'est qu'il y a une tradition littéraire en Mauricie. À côté d'oeuvres moins connues, il y a celles, colossales, des Louis Fréchette, Rodolphe Girard, Nérée Beauchemin, Ringuet, Adrienne Choquette, Félix Leclerc, Jacques Ferron et Gatien Lapointe qui ont marqué la littérature québécoise. Félix Leclerc est considéré comme «le père» de la chanson québécoise tandis que Gratien Gélinas peut revendiquer la paternité du théâtre québécois contemporain.

Plusieurs écrivains de la Mauricie sont devenus des célébrités éponymes. Le prix du Québec pour le cinéma porte le nom d'Albert Tessier, le prix de la Société Saint-Jean-Baptiste porte celui de Ludger Duvernay, le prix de la meilleure thèse de maîtrise sur la culture porte celui d'Edmond de Nevers. De plus, Adrienne Choquette a donné son nom au prix de la nouvelle tandis que le Prix Alphonse-Piché couronne de jeunes lauréats en poésie pour une première oeuvre. Toutes ces distinctions sont d'envergure nationale.

Un des prix littéraires les plus prestigieux, le Prix de la Fondation les Forges, couronne chaque année un poète québécois dans le cadre du Festival de la Poésie.

26

D'autres prix, régionaux, invitent le grand public à la création littéraire. Il s'agit du Prix de la Société des Écrivains de la Mauricie et de celui de la Bibliothèque Hélène B.Beauséjour. Quant à lui, le Prix littéraire de Trois-Rivières attire l'attention sur l'oeuvre d'un auteur de la région 04.

Il existe ici une association d'écrivains (SEM) qui regroupe soixante-treize membres dont trente-cinq sont également membres de l'UNEQ. Incidemment, à l'UNEQ, cinq membres d'honneur sur seize proviennent de la région mauricienne. Nous pourrions continuer sur cette lancée et nous glorifier d'avoir «fourni» trois ministres des Affaires culturelles depuis les vingt dernières années et un président au CRTC, d'avoir remporté à deux reprises le «Félix» au gala de l'Adisq pour la meilleure salle de spectacle au Québec. Nous ne le ferons pas.

Ce panorama serait incomplet sans l'évocation du travail, souvent méconnu, des animateurs culturels. Qu'il s'agisse de Lise Quessy-Pinard avec ses ateliers d'écriture, de Johanne Bélanger avec ses rencontres culturelles de la *La femme et l'art*, d'Alexis Klimov avec le *Cercle de Philosophie Gabriel-Marcel*, de Guy Marchamps avec ses rencontres littéraires au Zénob ou son rôle à la *Société de développement des Périodiques culturels québécois*, de Jean Laprise à la revue *le Sabord*, de Jean Lemay au *Ciné-Campus,* de Pierre Morin, Lucie Beaumier ou Benoît Saint-Aubin dans les librairies, de Gérald Gaudet à *estuaire* ou de Madeleine Bessette à la Bibliothèque Municipale, qu'il s'agisse enfin des différents *Cercles d'études et de conférences* ou de l'action d'André Valois à la Société Saint-Jean-Baptiste locale, tous sont animés d'un feu sacré qui donne la certitude qu'il se passe quelque chose ici et maintenant.

Même si chacun de nous aurait bien aimé publier un roman en 1902, 1907 ou 1911 (années où aucun roman ne fut publié au Québec) et avoir tous les phares sur son oeuvre, il demeure que la profusion oblige au dépassement, que la saine émulation garantisse la lente mais sûre constitution d'une oeuvre qui est là pour durer.

Le promeneur dans la ville

Le fervent promeneur que nous avons évoqué au début de cette étude est infatigable. Après avoir circulé de l'atelier à la galerie, du musée à la librairie, après avoir assisté à un spectacle au Centre culturel, à la salle J.A. Thompson ou au Conservatoire, il assistera à une lecture publique à l'Embuscade ou au Zénob en prenant un café au lait.

Puis, il se mettra de nouveau en marche, cherchera le Conseil Régional de la culture et ne le trouvera pas. Il continuera son périple au coeur de la ville et y lira les vingt poèmes-affiches que le conseil municipal a installés sur les édifices publics. Il arpentera les six cents rues de la cité et il sera surpris, lisant tous les noms de rues que seulement sept artistes aient donné leur nom à une rue dont trois écrivains : Nérée Beauchemin, Sylvain, Ringuet.

Il décidera de traverser le pont pour se rendre, dans la fraîcheur du soir qui tombe, à l'île Saint-Quentin. Tout en se dirigeant vers ce fleuve chanté par Gatien Lapointe, il sera surpris de constater que cette rue demeure toujours anonyme après des décennies d'existence. Alors, il imaginera qu'il déambule sur la rue Gatien-Lapointe, qu'il arrive à l'embouchure des trois rivières, qu'il atteint enfin le fleuve où il entendra «le monde battre dans (son) sang».

Réjean Bonenfant

LE CHAMP LITTÉRAIRE

DANS LA CONSCIENCE DU MONDE

Depuis quelque temps déjà, il se publie chaque année pas moins d'une vingtaine d'ouvrages écrits par des auteurs nés en Mauricie qui semblent porter avec eux la mémoire vive de notre époque inquiète. La protestation, plus que jamais, par nécessité, dirait-on, semble se tramer à l'intérieur de leur activité créatrice comme si, dans l'urgence de l'heure, sans s'être pourtant donnés le mot, ils exigeaient que dans la fiction la conscience s'active davantage, fraye un passage aux oublis de l'histoire et dénonce les particularismes nationaux et régionaux pour mieux élever le débat et souligner la médiocrité d'une civilisation qui n'en finit pas de perdre ce «petit supplément d'âme» qui, seul, donne un sens à l'aventure d'être vivant. Aussi, cette incroyance radicale, ce «crépuscule des dieux», cet effondrement des certitudes, bref cet inassouvissement du désir ou de la rencontre, si bien analysé par François Ricard dans *la Littérature contre elle-même*, on le perçoit à l'oeuvre, avec insistance, dans la majorité des livres publiés au Québec et dans le monde ces dernières années comme si l'énergie créatrice qu'ils affichaient et faisaient circuler, frivole ou fiévreuse, demeurait la seule capable d'affronter le désastre qui mine de l'intérieur nos ferveurs les plus essentielles.

La mémoire des choses

Clément Marchand (*Courriers des villages*, 1938), le premier, fut et demeure ce témoin trop discret de notre époque tourmentée, conscient plus que nous tous des luttes qu'il faut mener contre les

29

infortunes du hasard et contre les pièges de l'Histoire. D'autres comme Gratien Gélinas, Gérald Godin et Marcel Godin ont été comme lui associés à la transformation du Québec. Gratien Gélinas, l'auteur de *Tit-Coq* (1949), s'est fait l'observateur des illusions et des intolérances d'une société qui n'a pas toujours reconnu à chacun le droit à l'existence. Avec des personnages qui ont le sens de l'humain et qui luttent contre le mensonge, son théâtre, dans sa moralité, veut conserver «du rose dans (les) idées noires». Gérald Godin, en homme conscient des pouvoirs politiques, sociaux et psychiques du langage, a décrit et dénoncé le mal qui le ronge depuis des millénaires et, comme dans une rage provocatrice, a porté le désir de souveraineté jusqu'aux limites d'un réel encrassé. Marcel Godin, quant à lui, l'auteur de *Après l'Éden* (1986), non sans humour ni provocation, dénonce une certaine réalité québécoise et ne renonce jamais. Par peur de ne plus avoir de lendemains, il tient aux manifestations exubérantes de la vie comme à un corps chaud sous les convulsions. Son écriture va de la fatalité au hasard en passant par l'ésotérique, le charnel et le mythique.

Louis Caron, Aurore Dessureault-Descôteaux, Jean Pellerin et Paule Doyon, vont eux aussi puiser dans l'histoire de leur coin de pays le souffle large qui donne aux aventures des héros le sens d'une humanité soucieuse de ses origines et des luttes généreuses et inquiètes que les pionniers ont dû mener contre un réel qui n'offrait pas toujours la meilleure part de lui-même. Aurore Dessureault-Descôteaux, avec son téléroman *Entre chien et loup*, restitue un monde sans masquer les travers des gens. À montrer l'illicite des rencontres et des itinéraires, elle refuse au passé une force idyllique et révèle que le péché n'est pas une institution récente, que, si on l'a cru, c'est que les accrocs dans l'histoire personnelle restaient cachés. Jean Pellerin (*Gens sans terre*, 1988), fortement tenté par l'ampleur des héros et du conte, redonne l'humour et la saveur de vivre à des gens qui, malgré l'exil et la misère de l'émotion, auraient toutes les raisons de s'enfermer dans le désespoir. C'est par une «belle et fraîche révolte» contre ce monde, au temps de la colonisation, que Paule Doyon (*Au bout du monde*, 1987) redonne au fait d'exister sa ferveur créatrice.

Quelques-uns veulent encore davantage se dégager de la solitude créatrice et choisissent d'accomplir un travail de «chercheurs dans l'âme humaine», selon le mot de Marie-Claire Blais, en circulant, avec leurs chansons, leur musique à bouche, leur animation ou leur poésie, dans leur milieu pour l'écouter, le surprendre et l'émouvoir. Sens de la communauté fraternelle dans la nécessité du poème et de la présence chez Guy Marchamps (*Blues en je mineur*, 1990); goût de l'enfance, de la conscience et du rêve chez Jean Laprise; attachement aux tableaux de la vie quotidienne des petites gens chez Jacques Thivierge : autant de façons de dire un monde qui s'expose et se met en procès.

Et c'est à partir de cette urgence de résister à ce qui tend à rapetisser l'humain que l'oeuvre de Louis Caron (*le Canard de bois*, 1981) reçoit toute sa pertinence dans une histoire qui chercherait à retracer les divers moments d'une lutte pour la dignité. Le romancier, on se le rappelle, venge ceux que l'on a exclus de l'histoire en démontrant la grandeur de leur combat contre la peur. Comme si cela allait répondre au défi que constitue l'énigme d'être vivant encore et toujours, et leur rendre la part surhumaine qui leur a été enlevée.

Des chercheurs comme Guildo Rousseau, Gilles de La Fontaine, Rémi Tourangeau et Jean Panneton, par ailleurs, ont préféré l'histoire littéraire pour circonscrire des aspects majeurs de l'imaginaire québécois. Guildo Rousseau, en s'intéressant aux écrits de Jean-Charles Harvey, aux romans du XIXe siècle et aux *Images des États-Unis dans la littérature québécoise* (1981), entre autres, a pu percevoir à l'oeuvre une pensée en quête de permanence, d'ouverture et d'indépendance. Gilles de La Fontaine s'est attardé au conteur et fabuliste français La Fontaine tout comme à l'oeuvre d'Hubert Aquin et à celle d'Adrienne Choquette (*Adrienne Choquette, nouvelliste de l'émancipation*, 1984) et a cru dessiner les liens entre le littéraire et le politique, entre l'écriture et la vie. Rémi Tourangeau, spécialiste de l'histoire du théâtre québécois, y a montré l'importance de l'Église catholique et a pu rédiger des pages révélatrices sur le sens de la fête d'un tricentenaire comme celui de Trois-Rivières. Jean Panneton, neveu de Ringuet, auteur d'un essai sur lui, dira l'attachement de l'auteur de *Trente Arpents* pour le siècle de Voltaire et rappellera sa présence dans un Québec qui s'urbanisait.

Pendant ce temps, d'autres comme Réjean Beaudoin, Marie-Andrée Beaudet et Pierre Milot s'efforcent de décrire les processus d'institutionnalisation de la littérature québécoise. Réjean Beaudoin s'est arrêté d'une façon particulière sur l'importance du messianisme dans l'avènement de la littérature québécoise au XIXe siècle. Marie-Andrée Beaudet, dans ses essais sur la langue et la littérature tout comme dans son étude sur André Langevin (*L'ironie de la forme*, 1985), porte l'histoire du nationalisme dans le champ littéraire au coeur du récit conflictuel dans notre quête collective d'appropriation d'un territoire, d'un paysage et d'une mémoire. Pierre Milot (*La camera obscura du postmodernisme*, 1988), dans un intérêt jamais démenti porté aux questions relatives à la création du «capital symbolique», a voulu décrire et dénoncer le parcours institutionnel de quelques figures majeures de la modernité : André Beaudet, François Charron, Claude Beausoleil, Nicole Brossard, entre autres.

L'absurde en procès

Négovan Rajic (*Service pénitentiaire national*, 1988) pour qui la guerre fut une blessure intolérable écrit pour protéger la mémoire de ceux qui souffrent ou de ceux qui sont morts dans les camps de concentration. Comme Alexis Klimov (*De l'abîme*, 1985), l'homme pour qui la vie est une éthique et une esthétique de la conscience, il se fait «veilleur de nuit» dans un univers sans cesse menacé de perdre le sens de la beauté. Écrire demeure une façon de lutter contre l'inconscience et l'oubli, contre l'horreur et le vide puisqu'en aucun lieu (ici ou dans les pays totalitaires), il ne serait question de devenir complice des bourreaux.

Curieusement, c'est dans une telle atmosphère, proche de Kafka et de Borgès, que plusieurs jeunes écrivains, souvent des nouvellistes, ont inscrit leur confiance dans l'acte créateur. On discute, on marche, on baise, on rentre chez soi ou au bar après le travail. On est surtout préoccupé par le temps. Le ton est celui de l'humour ou de l'ironie douce. Gilles Pellerin (*Ni le lieu ni l'heure*, 1987) puise dans les hasards et l'insolite de la vie urbaine tout ce qu'il lui faut pour rencontrer ses doubles et pour tenter de déplacer légèrement la notion d'art. Jean-Paul Beaumier (*L'air libre*, 1988), comme lui, fait de l'imprévisible le ressort majeur d'une écriture photographique qui cherche à «défoncer le décor» en se fascinant pour l'irréversible. Réjean Beaudoin s'en prend au ton métaphysique, grave et ampoulé, de la démarche poétique dans une quête morale de séduction. Jean Pierre Girard (*Silences*, 1990), par la diversité de ses styles, aborde le tragique, pour sa part, avec toute la légèreté dont est capable l'observation directe des choses.

Gaétan Brulotte (*Ce qui nous tient*, 1988), de son côté, s'aventure dans le quotidien étrange pour précisément déculpabiliser l'acte de créer, en éprouver tous les plaisirs. Son écriture, qui est écriture du vertige, donne aux identités un caractère insaisissable qui leur assure cet espace de mystère sur lequel les systèmes ne peuvent avoir de prises.

Pendant ce temps, Guylène Saucier (*Motel Plage St-Michel*, 1986) adopte la voie romanesque et s'attache aux gens comme aux mouvements de leur geste et de leur sensibilité. Le monde ressemble à un théâtre. Tout arrive par l'oeil chez elle. Tout se donne à voir. Mais les personnages ont le goût du large et du vivant dans cette écriture toute en retenue et en évocation, proche de la poésie. Louis Hamelin (*la Rage* , 1989), loin de s'inscrire dans le minimal comme les nouvellistes, se situe dans la lignée de Ferron et de Victor-Lévy Beaulieu, a-t-on dit, et propose un premier roman au souffle immense. Aussi décapante que l'arrivée de Christian Mistral dans le paysage littéraire, «la rage» chez lui est là comme «objet d'étude», comme science de l'homme. Yvon Rivard (*les Silences du corbeau*, 1986), proche de Borgès et de Cortazar dans une certaine mesure, creuse cette part d'ombre que la conscience affiche quand elle se trouve confrontée à la création, à la recherche et au désir de l'essentiel.

D'autres, en des écritures plus personnelles, font de l'acte du regard trouble une façon de dire le mystère, intime ou social. Monique Juteau (*Regards calligraphes*, 1986), comme en quête d'un «original» d'elle-même, fouille les signes de ce qui s'est imprimé sur sa conscience pour «réécrire son histoire» à même l'univers inquiétant ou fantastique des objets quotidiens. Michelle Roy (*En importunant la dame*, 1976) se tient à la fenêtre pour mieux résoudre les conflits du triangle amoureux comme s'il lui était nécessaire de bien percevoir les éclats du paysage et de raconter ce qu'elle a vu. Jeanne L'Archevêque-Duguay (*Passage du temps*, 1987) s'intéresse aux choses simples et familières, comme appelée par le silence chaleureux, du chant, de la méditation et du partage créateur au sein de la famille et de la tradition. Madeleine Ferron (*le Grand théâtre*, 1989) se tient l'oeil à la fenêtre pour dévisager le troublant et l'insupportable. Attentive aux gestes de l'affection tendre et fière, elle a la tentation du plus simple. Et Normande Élie (*L'ordinateur est amoureux*, 1982) demande à la nature sauvage de lui raconter ce que le monde ne sait pas toujours lui dire de l'amour et de la haine, non sans une certaine fascination pour l'ésotérisme et le féminin singulier.

La poésie comme des «troglodytes ébahis devant le réel»

Au début des années 1970, Roger DesRoches, avec des recueils comme *Corps accessoires* (1970), *L'enfance d'yeux* (1972) et *Autour de Françoise Sagan indélébile* (1975), accompagnant Nicole Brossard, André Roy et Claude Beausoleil dans ce sens, a participé aux grandes transformations de la poésie québécoise en la libérant des thèmes nationalistes qui avaient marqué les deux décennies précédentes. Depuis ce temps, son écriture de recherche s'efforce d'ouvrir le sens, de dégager la textualité, de discuter la forme et de jouer avec le récit. En travaillant la matière et la sexualité, le corps et les jeux de langage, ses mots, tentés autant par l'économie que par le trop-plein, sont comme «des troglodytes ébahis devant le réel».

L'intime et les signaux d'alarme

Louis Jacob (*Des noirceurs du corps*, 1987) poursuivra jusqu'à un certain point sa démarche, mais davantage sur le plan d'une conscience planétaire, en explorant le langage dans l'événement de sa narration. Aussi, lance-t-il des signaux d'alarme, comme pour l'urgence des constats et des terreurs. C'est qu'il lui faut, entre le quotidien et l'universel désastre, transcrire «à la limite du possible et de l'impossible» les multiples visages des désirs ou des nerfs pour aller au bout de ce réel envoûté par les états de guerre. Ses parcours d'intensité contre l'absurde selon les lignes brisées de la pensée qui grince, Serge Mongrain (*L'oeil de l'idée*, 1988) les prolonge à sa manière en faisant du poème «une parole photographiée». Dans une poésie où il s'agit de retrouver goût à l'existence après avoir connu les naufrages, Marcelle Roy (*L'hydre à deux coeurs*, 1986) ose l'univers pluriel du langage à travers un corps à corps avec les «traces» du passage de monstres intérieurs.

Chez Yves Boisvert (*Gardez tout*, 1987), l'inadmissible s'affirme sur fond de révolte radicale à même un malaise qui déconcerte et traque presque dérisoirement le tragique sans perdre pour autant ses exigences de vérité, de splendeur et d'humour. Ses deux corps, le corps de souffrance et le corps d'amour, s'affrontent entre le constat et l'horrible pour afficher ce qui retient dans le passé et ce qui porte vers le futur. Alphonse Piché (*Dernier profil*, 1983) arrache à son cri d'angoisse devant la mort ou devant le vieillissement la force nécessaire pour trouver dans l'érotisme exact de son âge d'autres parcelles d'extraordinaire.

Un désir de beauté

Si Denuis Saint-Yves (*Clandestin comme l'enfance*, 1988) rêve d'un partage, d'une compréhension, cette «perfection de l'être», puisque «parler ne s'entend pas», s'il réclame cela en traversant la logique affreuse, en pervertissant le quotidien de l'intérieur ou en accompagnant le travail de la terre, c'est qu'il lui faut en poésie arriver à l'incroyable et à la démesure. Tout comme Daniel Dargis (*Continents neufs*, 1989) qui, dans son projet de s'accorder à la nature, à même «la parole sarcleuse» de l'expérience d'aimer, parcourt une identité encore à faire advenir. Ou comme un Pierre Chatillon (*Le violon Soleil*, 1990) qui, sur le fond de l'horreur et de la mort, inscrit les signes de la beauté et de la fantaisie comme si écrire c'était, pour lui, faire sortir «les fleurs du mal». Ou encore comme Joseph Bonenfant (*Grandes aires*, 1984) qui, dans la distance et la simplicité ou dans le corps lyrique des choses naturelles, se tient tout près des voix familières comme dans un acte de tendresse.

Amour, jeu et douleur

«Jubilation du verbe» chez Pierre-Justin Déry (*Topographies*, 1979, 1983) tout proche de l'écriture délirante de Marc Gariépy (*la Mort aurorale*, 1986). Animation de la phrase comme geste nécessaire et enjoué dans «l'espace perdu» du désir et de l'identité chez Huguette Bertrand (*Par la peau du cri*, 1988). Amour et douleur de la terre chez François de Vernal (*Hypnose*, 1989). Nécessité de dire «l'étrange bonté» chez Marcel Nadeau (*Astrolabe*, 1977).

Activation des ressources du corps clandestin chez André Dionne (*Demain d'aujourd'hui*, 1977) selon les lignes fracassées et neuves d'un imaginaire qui fait de l'urbain un originaire. Parole bousculée par les sauts et les assauts de la révolte chez Francine Déry (*le Tremplin* , 1988) où, à même une poésie narrative, l'écriture devient comme un hommage aux vertiges fondateurs de la pulsion de créer. Jeunesse et humour de la forme chez Simone Murray (*Blues indigo*, 1986), ses variations, sa musique. Fraîcheur d'un érotisme souriant dans le déploiement d'un imaginaire cosmique chez Madeleine Saint-Pierre (*Sèves*, 1983). Travail de l'intelligence de la matière chez Bernard Pozier (*Un navire oublié dans un port*, 1989) où l'humour et la «mécanique jongleuse» se joignent parfois à une poésie qui n'a pas craint en cours de route de se coller aux réalités contemporaines de la chanson, de la théorie et des machines américaines. Poésie du corps et des choses chez Marcel Olscamp (*À gauche du mystère*, 1986) où le quotidien devient terreur et énigme, prenant, non sans la nostalgie des «premiers matins», la dimension d'un cosmos pensant.

La hauteur du rêve

Au fond, ce qui semble se dessiner à travers ce parcours rapide, hypothétique, lacunaire, forcé, impersonnel, c'est la marche contrariée de l'être humain qui, comme chez Jacques Rioux (*Un jour à Vaudor*,

1988), à ce tournant de l'histoire, affronte l'étrangeté qu'il porte en lui et hors de lui puisque plus rien ne se trouve à la hauteur de ses rêves. En lui, se retrouve toute une époque au coeur d'un désir précis, mais souverain, de démesure et d'infini. Dans ce monde clandestin où les identités flottent, Réjean Bonenfant (*la Part d'abîme*, 1987) demande à l'éphémère la part envoûtée qui ne veut rien perdre de ce que le rêve, la révolte et le désir ont de mieux à offrir à l'intelligence et aux sens. Et Paul Rousseau (*Micro-textes*, 1990) scrute et dénonce les images et gestes d'une certaine Amérique médiatisée comme pour détourner la violence qui risque à chaque fois de se retourner contre elle.

Pour Jocelyne Felx (*les Pavages du désert*, 1988), les caresses du réel ne cessent de manquer ou de refuser de se prolonger. Tout comme le sourire. Aussi, elle avance dans la mémoire créatrice là où, dans la matière des choses, elle rencontre Léonard et Pascal, Ophélie et Mona Lisa. À travers ces «excès de conscience», elle cherche à surprendre des gestes en une «inquiétude pétrifiée», dirait Benjamin, comme pour mieux dérober une chaleur au vide, de l'extraordinaire à l'insignifiance.

Écrire

Écrire, n'est-ce pas alors pour tout écrivain une façon de débusquer la force secrète du monde? Une façon de la donner à voir et à sentir depuis une étrangeté, un exil ou une perte? Une façon de laisser entendre l'énergie qui nous place dans un courant où il n'y a pas lieu de se décourager d'être humain et vivant, ici et dans le monde?

Gérald Gaudet

CLÉMENT
MARCHAND

Né le douze septembre 1912 à Ste-Geneviève de Batiscan, bachelier ès arts de l'Université Laval (1932), Clément Marchand a longtemps travaillé comme journaliste et comme éditeur, surtout aux Éditions du Bien Public, où il a publié entre autres Saint-Denys Garneau et Rina Lasnier. Parmi ses nombreuses distinctions, on peut compter : le Prix David, en 1939, pour son recueil de poésie *les Soirs rouges* et, en 1938, pour son recueil de nouvelles *Courriers des villages* ; le Prix Benjamin Sulte, en 1974, pour son travail de journaliste; le Grand Prix littéraire SSJB en 1981 et le Prix littéraire de Trois-Rivières en 1985. Il est membre de la Société royale du Canada depuis 1947, président d'honneur de la Société des écrivains de la Mauricie, membre d'honneur de l'Union des écrivains québécois. Il a été décoré de l'Ordre des Francophones d'Amérique en 1984 et de l'Ordre des Hebdos régionaux en 1985. Ses principales collaborations : *Candide, l'Ordre, la Renaissance, le Bien Public, le Mauricien-Horizon, le Nouvelliste, le Droit, le Devoir, Radio-Canada AM et FM, Gants du ciel, le Jour, Amérique française, Reflets, Liaison, l'Action Catholique, l'Action Nationale, la Revue Populaire, la Revue Dominicaine, Paysana, le Canada français, l'Enseignement secondaire, Écrits du Canada français, Trois, le Beffroi, estuaire, Moebius* et *En Vrac*.

BIBLIOGRAPHIE

Courriers des villages (nouvelles), Montréal, Éd. Stanké, Coll. «10/10», 1986, 256 p.

Les Soirs rouges (poèmes), Montréal, Éd. Stanké, Coll. «10/10», 1986, 224 p.

Nérée Beauchemin (présentation, choix de poèmes, annotations), Montréal, Éd. Fides, Coll. «Classiques canadiens», 96 p.

Le choix de Clément Marchand dans l'oeuvre de Clément Marchand, Québec, Les Presses Laurentiennes, 1983, 80 p.

«Le choc des idéologies», in *De la philosophie comme passion de la liberté* (hommage à Alexis Klimov), Québec, Éd. du Beffroi, 1984, 72 p.

EN TRADUCTION

Courriers des villages, traduction anglaise par David Homel, 1990, Montréal, Éditions Guernica.

PRINCIPALES ÉTUDES SUR L'OEUVRE

Baillargeon, Samuel. *Littérature canadienne-française*, Montréal, Éd. Fides,1957, p. 416-420.

Beausoleil, Claude. *Les Livres parlent*, Trois-Rivières, Les Écrits des Forges, 1984, p. 168-169.

Blais, Jacques. *De l'Ordre et de l'Aventure*, Québec, PUL, 1975, p. 177-181.

Boulizon, Guy. *Lectures*,Montréal, novembre 1948, p. 172-175.

Giguère, Richard. *Exil, révolte et dissidence*, Québec, PUL, 1984, p. 39-45.

Grignon, Claude-Henri. *Les Pamphlets de Valdombre*, Sainte-Adèle, novembre 1940, p. 226-238.

Guilmette, Armand. *Dictionnaire des oeuvres littéraires du Québec*, vol. III, Montréal, Éd. Fides, 1982, p. 919-922.

Laurendeau, André. *L'Action nationale*, Montréal, janvier 1941, p. 72-80.

Le Franc, Marie. *Liaison*, Montréal, février 1948, p. 88-90.

Thiffault, Jeannine. *Style et valeurs expressives dans les Soirs rouges*, mémoire de Maîtrise ès arts (Lettres), Trois-Rivières, U.Q.T.R., 1983, 220 p.

EXTRAITS DE LA CRITIQUE

« Mais Marchand , à moins d'un cataclysme, est destiné à se ranger parmi les premiers poètes du pays. »

Alfred DesRochers, *Almanach trifluvien*, 1932.

« J'entre dans la poésie de Clément Marchand comme dans une sorte d'écho. J'y entends les rumeurs nostalgiques qui évoquent le passé , réservoir idyllique à tout jamais tari. Mais j'y entends surtout le fracas annonciateur des images de la ville, images rouges comme la passion, le quotidien et l'extrême tension qu'il y a à vivre les nouveaux mythes. »

Claude Beausoleil, «Préface» in *les Soirs rouges*, p. 7.

« Ah! mon doux, quel bonheur! Clément Marchand nous conduit avec ses *Courriers des villages* dans un véritable paradis littéraire. »

Claude-Henri Grignon, *les Pamphlets de Valdombre*, janvier 1938.

« Poésie vigoureuse et mâle, qui passe comme un vent puissant et courbe tout sous son poids. »

Alphonse Piché, *Le Bien Public*, 1948.

« La sensibilité de Marchand, toujours frémissante, s'exprime avec force et un style dense, personnel. On trouve peu de pages dans notre littérature qui aient cette plénitude et ce mouvement, peu de morceaux aussi admirablement composés, et qui pourtant ressemblent par la nouveauté de l'image et le raccourci à un grand récit de primitif. »

André Laurendeau, *L'Action catholique*,
27 novembre 1940.

« Clément Marchand annonce les préoccupations sociales et la maturation formelle qui vont transformer de fond en comble notre tradition littéraire. Son oeuvre marque la phase initiale et par là décisive d'une telle transformation. »

Réjean Beaudoin, *Relecture*, Radio-Canada, 1981.

« Tous nous admettons dans notre galerie intérieure des figures plus ou moins mythiques, qui sont comme des images embellies de ce que nous sommes ou de ce que nous voudrions être. Clément Marchand, pour moi, est de celles-là. »

François Ricard, *Lettres québécoises*, automne 1985.

« Cette belle langue rythmée, qui a du souffle, qui chante et vous donne envie de lire à haute voix. »

André Gaudreault, *le Nouvelliste*, 12 novembre 1983.

« En homme attentif qui ne se lasse pas d'apprendre l'humain (...), il nous livre cette passion de notre littérature qui veut découvrir les secrets de l'heure et s'intégrer à l'universel. »

Gérald Gaudet, *le Nouvelliste*, 11 mars 1989.

« Clément Marchand reste un des acteurs importants de notre histoire littéraire. »

Jean Royer, «Préface» in *Courriers des villages*,
1986, p. 7.

LES PROLÉTAIRES

Là-bas, aux noirs retraits des quartiers, hors des bruits,
Au long des vieux pavés où la gêne chemine,
Voici leurs toits groupés en essaim, que domine
Le jet des gratte-ciel immergés dans la nuit.

Voici leurs galetas dégingandés, leurs seuils
Que chauffe le soleil et qu'évide la suie,
Et leurs perrons boiteux où les marmots s'ennuient
Leurs portes qui, s'ouvrant, grincent mauvais accueil.

Glauques, à flanc des murs, les fenêtres ont l'air
De sourciller devant le roide paysage
Qui, tacheté du vert rarescent des feuillages
S'inscrit sous le ciel gris en graphiques de fer.

Ces horizons barrés de pans d'aciers sont leurs.
Et cet amas compact de murs roux, c'est l'usine
Où, chaque jour, aux doigts crocheteurs des machines,
Ils laissent un lambeau palpitant de leur coeur.

Les Soirs rouges, 1932.

INÉDIT

BEAUCHEMIN L'OUBLIÉ

Au tournant du siècle dernier, l'oeuvre brève mais quintessenciée de Nérée Beauchemin, toute d'émotion discrète et de sensibilité, marque une phase décisive dans l'évolution de notre poésie. Avec lui, la muse canadienne s'affranchit d'un certain didactisme et commence, à travers des thèmes autrement inspirés, sa lente progression vers l'universel. L'auteur des *Floraisons matutinales* (1897) ferme donc chez nous l'ère de l'épopée, du long poème impersonnel et froid pour ouvrir celle d'un lyrisme intime, exemplairement économe de fâcheux effets. Beauchemin a compris que la poésie est peut-être avant tout une question de langage. Si l'on excepte, dans ce premier recueil important quelques pièces d'inspiration patriotique où l'influence des romantiques persiste encore, sa manière rappellera assez peu celle de ses devanciers.

Dans ce recueil majeur qu'est *Patrie intime* (1928), l'art de Beauchemin apparaît détaché de l'emphase déclamatoire dans laquelle s'est épuisé le souffle des pionniers. Tout de fraîcheur et de musicalité, il coule de source, bellement imagé. Il se veut en même temps sincère et vrai, surtout authentiquement humain. Le style de ce poète tout nouveau, dépouillé de sa raideur, adhère subtilement à la pensée. Et la langue naguère si pauvre, au vocabulaire si étriqué, retrouve ici sa cohérence et atteint à une étonnante expressivité.

Le premier en Amérique française, Beauchemin regarde la vie autour de lui avec des yeux dessillés. Il ne pense plus en termes sublimes, et la rhétorique est tenue à distance. Sous l'empire d'un sentiment délicieux de la beauté, il s'emploie plutôt, mais avec quelle justesse de ton, à peindre son milieu. Désormais la maison, les saisons, les travaux et les jours formeront la trame de cette poésie.

L'oeuvre de Nérée Beauchemin est peu abondante; quelques milliers de vers se partagent les loisirs de cette longue existence de médecin de campagne. Le chantre octogénaire d'Yamachiche n'a pourtant rien du dilettante que dénonceraient à l'observation superficielle la sphère enveloppée de sa vision et la tonalité parfois menue de son chant. Toute sa vie méditative est vouée à l'approximation poétique —comme en font foi ses calepins. Malgré de fréquents silences il ne cesse de s'absorber dans l'étude morphologique du poème et de s'interroger sur la façon d'intégrer sa pensée dans la forme. Le métier, il en arrive à le rendre invisible. L'expression hardie lui semble naturelle. C'est pourquoi son oeuvre, malgré des proportions restreintes, s'impose par la pureté extrême de ses contours et les prestiges d'une facture quasi parfaite.

Mais de quoi est donc faite cette poésie à l'étourdissante virtuosité? Sûrement pas d'inquiétude, d'inconfort métaphysique, d'angoisse insurmontée devant un monde absurde, encore moins de révolte. L'heure est à la foi profonde et non à l'existentialisme. Beauchemin accepte sans sourciller la condition humaine. Son intelligence prudente tient à distance tout ce qui peut subvertir son unité spirituelle. Sur le plan poétique, il exprimera plutôt, mais avec quelle finesse sensorielle, sa joie naïve, presque enfantine devant les mystères de la vie. Avec sa façon toujours gracieuse, il chantera dans l'allégresse et la terre et ses gens. Visage agreste de la petite patrie, âme vibrante de ses traditions, aspect idéalisé de ses coutumes et légendes, voilà l'emploi de ce poète imprévu qui vient à son heure ouvrir et fermer aussitôt un cycle, par rapport à un monde qui restera mythique.

Malgré leur âge émotif si éloigné du nôtre, que l'on relise - prises au hasard dans *Patrie intime* - des pièces comme «Hantise», «Nocturne», «Une sainte», «La branche d'alisier chantant», «Le vent qui souffle du couchant», et l'on constatera à quel point reste vivant cet art savamment dépouillé dont l'heureux naturel et l'absence d'école ne laissent aucune prise au vieillissement. A partir de données aussi simples que la vie villageoise et la sérénité des rites paysans, il articule une célébration impressionnante de spontanéité et de grâce champêtre. Qu'il magnifie la petite Canadienne «à la beauté d'idylle naïve», qu'il rappelle «le ber à quenouilles», qu'il nous entraîne à sa suite «au grand soleil des champs» ou qu'il décrive avec attendrissement la coquetterie émouvante de «la veille danseuse», le thème importe peu; l'art souverain de Beauchemin triomphe toujours par la magie d'une métrique déliée, parfaitement maîtrisée, sans laquelle, semble-t-il, on ne saurait atteindre pareille perfection de l'écriture et musique du langage. Sans cesse l'inspiration recherche le niveau d'une émotion réelle, et ce n'est qu'à cette hauteur d'âme que le chant se déploie sans affectation et parvient à la plénitude, à la rondeur de l'expression.

À partir de Beauchemin, considéré à l'époque par certains comme un impressionniste audacieux, l'invention poétique ouvre ici ses ailes. En même temps que lui ou presque, des poètes du quotidien et de l'intime s'expriment : Lozeau, Dantin, Delahaye pour qui la poésie est un moyen de connaissance. On est préoccupé de tendresse humaine, mais on pense qu'on doit aussi témoigner des choses invisibles, poser les questions angoissantes et s'intéresser de près aux phénomènes de l'inconscient.

Dès le début du siècle une sève nouvelle a déjà circulé dans l'oeuvre géniale de Nelligan. Le chant de ce visionnaire halluciné a changé la nature même de notre poésie. Elle ne sera jamais plus comme avant. Beauchemin, quant à lui, de par sa nature même, est resté étranger au spleen baudelairien; il n'a encore rien d'urbain dans sa conception de l'individu; le prolétariat naissant lui est inconnu. Mais il démontre quand même, par ses qualités d'analyse, qu'il est un poète du renouveau, contemporain de Laforgue, Rimbaud, Corbière, Jammes, Samain, Noailles et des symbolistes belges avec lesquels il se sent des affinités. Son esthétique soucieuse de modernité ne peut être qualifiée d'avant-gardiste, il est vrai, mais il a quand même liquidé le vers prosaïque et chevillé, les lourds développements et surtout le prosodisme trop affirmé des derniers parnassiens : Leconte de Lisle, Hérédia. «Beauchemin est le moins barnumesque de nos poètes», remarque Asselin avec malice. On est en présence d'un art parvenu à maturité et capable de rivaliser avec ceux d'autres cultures évoluées. Personne avant Beauchemin n'avait écrit d'aussi beaux vers français en Amérique. «J'ai toujours éprouvé la plus grande admiration pour l'esprit profondément français de vos oeuvres», lui confiera avec respect Paul Morin. «Je trouve vos vers si frais, d'un mouvement si français», de dire René Bazin (oncle d'Hervé) dans une lettre complimenteuse. Une petite élite en était convaincue. Mais point la critique officielle qui a peu parlé de lui si ce n'est en termes condescendants car, fonctionnant comme toujours avec des oeillères, elle n'avait pas identifié dans son oeuvre un important mouvement de conversion qui fait de Beauchemin, chez nous, l'introducteur d'une écriture artiste, un précurseur des formes nouvelles et non un continuateur des devanciers que sa notion récuse. On n'a pas perçu qu'avec lui s'ouvraient enfin des perspectives sur l'inutilité pragmatique et la gratuité foncière de l'acte créateur, au déni de toute motivation utilitaire. On ne s'est pas rendu compte que Beauchemin, en écrivant ses poèmes, se livrait tout bonnement à «un exercice qui ne sert communément à rien», au jugement si juste de Valéry. On ne tolérerait plus, sous forme de compliment, d'être traité de probe artisan du vers, alors que cette conception gendarmée de la poésie avait fait son temps.

Oublions le décalage historique qui fait qu'en France on en avait déjà terminé avec le surréalisme quand, au Canada français, paraissaient les vers souples et finement ouvragés, strictement centrés sur la fiction humaine, de *Patrie intime*. Beaucoup de ces poèmes auraient mérité la célébrité; pourtant on les cherche en vain dans de récentes anthologies. Encore aujourd'hui, soixante années après leur publication, ils restent à peu près inconnus. Ils le seraient sans doute tout à fait, si Armand Guilmette n'avait insisté, au prix d'intenses efforts, pour replacer une oeuvre d'une aussi grande valeur dans une perspective moins cavalière*. Peut-être, dira le snob, ces vers que vous jugez fameux sont-ils nés démodés, sentent-ils trop le terroir ou manquent-ils d'hermétisme ou de pauvreté? Je pense plutôt que, vivant à l'écart des cénacles ou pontifient les critiques influents, Beauchemin s'est de lui-même exclu du contexte littéraire de son époque. Il a manqué le train de la «nouveauté» qui passait non loin de sa porte. De plus, il faudrait peut-être noter que, par une certaine intransigeance de puriste, il a mis beaucoup de distance entre lui et les situations de contre-culture et d'antipoésie. Loin du stunt publicitaire qui régit la chose littéraire, loin du bluff, il s'inscrit le plus authentiquement du monde dans ce que Seghers appelle «la ligne de coeur de l'humanisme».

Dans sa solitude inspirée, Nérée Beauchemin, l'enchanteur perpétuel, le parfait musicien du verbe, préludait quand même à une période de rupture des liens, de délivrance et d'ouverture sur le monde qui vit Morin, DesRochers, Choquette, Saint-Denys Garneau, Grandbois, en moins de deux décennies, prendre essor au-dessus des vieux thèmes et s'élever des particularismes nationaux jusqu'à l'universel.

Ne reprochons plus à l'auteur de *Patrie intime* d'avoir parfois modulé sur un mode inartificieux et simples des vers d'une humanité pathétique, comme dans «Une sainte», qu'on me permettra de citer :

Chère défunte, pure image
Au miroir des neiges d'antan,
Petite vieille au doux visage!

Petite vieille au coeur battant
Des allégresses du courage,
Petite vieille au coeur d'enfant!

Auguste mère de ma mère,
Ô blanche aïeule, morte un soir
D'avoir vécu la vie amère!

Figure d'âme douce à voir
Parmi l'azur et la lumière
Où monte l'aile de l'espoir!

47

Beauté que nul pinceau n'a peinte!
Humble héroïne du devoir,
Qui dans le Seigneur t'es éteinte!

Je t'invoque comme une sainte.

Derrière cette apparente sérénité faite d'acceptation se cache un trouble indicible. «Je chante pour ne pas pleurer», gémit-il dans un dernier poème. «La poésie, même la plus calme en apparence, notait Reverdy, est toujours le véritable drame de l'âme.» Pour les seuls vrais poètes, s'entend.

Le purgatoire de Beauchemin sera-t-il éternel? Ses éminentes qualités humaines, la fraîcheur de ses images, la note juste de son chant ne lui méritent-ils pas d'en sortir?

Armand Guilmette consacra à l'oeuvre de Beauchemin sa thèse de doctorat ès lettres en 1969 et, un peu plus tard, il travailla, souvent en collaboration avec son épouse Bernadette, à sa «monumentale et définitive» édition critique des oeuvres du poète, en trois volumes (Montréal, P.U.Q., 1974).

**JEANNE
L'ARCHEVÊQUE-
DUGUAY**

Jeanne L'Archevêque-Duguay est née à Montréal le vingt-huit juin 1901. Après des études classiques, elle étudie la littérature française et la philosophie à l'Université de Montréal. Mariée à Rodolphe Duguay, artiste-peintre, elle est mère de six enfants.

Elle a commencé à écrire en 1932. Elle a collaboré régulièrement à *la Terre de chez-nous, le Droit* (1935-1940), *le Bulletin des agriculteurs, le Bien public, le Canada Français, Vidéo-Presse* et à *Collège et famille.*

BIBLIOGRAPHIE

Écrin (poèmes), Trois-Rivières, Le Bien Public, 1932.

Cantilènes (poèmes), Montréal, Éditions Beauchemin, 1936.

Offrande (poèmes), Montréal, Éditions Fides, 1942.

Mater (poèmes), Éditions La Famille, 1946.

Dans mon jardin (poèmes), Montréal, Éditions Fides, 1951.

Jeune fille et Marie (essai, illustré par Rodolphe Duguay), Montréal, Éditions Fides, 4ᵉ édition.

Épouse et mère (essai, illustré par Rodolphe Duguay), Montréal, Éditions Fides, 3ᵉ édition.

Éduquer Paul et Marie (essai, illustré par Rodolphe Duguay), Montréal, Éditions Fides, 3ᵉédition.

Ton père (essai, illustré par Rodolphe Duguay), Le Pélican, 1964.

Reflet des saisons (chronique), Montréal, Éditions Paulines, 1977.

La porte entr'ouverte (chronique), Montréal, Éditions Paulines, 1982.

Passage du temps (chronique), Montréal, Éditions Paulines, 1987.

EXTRAITS DE LA CRITIQUE

« *Cantilènes,* livre de plaine. Plaine pays de l'homme pays d'échanges, de réciproque sollicitude. La terre sollicite l'effort de l'homme et le lui rend en fruits. La connaissance de la plaine, plus que d'un choc et l'appréhension de présences surgies qui s'imposent, naît d'un long usage qu'ont fait les yeux de cet espace et des mouvements de la journée. La plaine contient un appel à la méditation.

« *Cantilènes* nous offre un paysage analogue au paysage de plaine. Par une certaine qualité du regard habituel sur les choses et les êtres; qualités de calme, de simplicité et de constante sollicitude que soutient la féconde chaleur du dévouement : connaissance aimante qui accueille tout ce qui se passe et le reporte au lieu d'un recueillement.

« Un livre de plaine. Un livre de femme. Ou plutôt qu'un livre, c'est une vie. C'est fait avec le goût charmant que peut seule mettre une femme à faire les choses ordinaires. Une femme seule peut faire de la vie même un art. Les mouvements du coeur appellent un chant, un rythme, l'usage attentif des paroles qui nous portent aux autres et nous les livrent, appelle un poème et donne connaissance d'une certaine musicalité des syllabes et les yeux qui se posent avec la dévotion de l'amour sur le spectacle alentour des êtres, de la nature et de tout ce qui nous accompagne rapportent une moisson d'images simples. Non pas un don créateur qui transfigure le monde. Plutôt une «disponibilité» pour la Beauté. Une extraordinaire «unité d'intention». »

Hector de Saint-Denys Garneau, *la Relève,* janvier 1937, p. 89.

(à l'occasion du lancement du *Passage du temps,* juin 1987). «Madame Jeanne L'Archevêque-Duguay m'autorisera, je crois, à affirmer, selon le titre d'un article du journal *le Devoir*, du 30 mai dernier que tout comme Françoise Dolto, elle est «une vieille dame qui n'a jamais déserté son enfance», ce qui explique sa perpétuelle jeunesse. Aussi ne cesse-t-elle «de s'étonner» et de «nous étonner».

Le passage du temps, qu'elle vient de publier, s'inscrit de plein fouet dans le sillon ouvert par *Écrin* en 1932. Ses quelque dif-neuf ouvrages publiés depuis, ses milliers d'articles (...) nous renvoient à l'univers profond des valeurs qui l'habitent et que reflètent les seuls titres de ses livres.

Par la jeunesse de son regard sur nos réalités quotidiennes, sur le sens à donner au «temps» qui passe et nous fonde tout à la fois, l'auteur a «pris parole», comme on prend maison. Écrire, c'est prendre parole. Mais aussi et encore «donner» parole à sa sensibilité, donner conscience à son inconscient.

Maurice Carrier, allocution, juin 1987.

EXTRAITS DE L'OEUVRE

LA RIVIÈRE DE CHEZ-NOUS

Ce matin, le vent pousse les vagues à l'encontre du courant.
Et l'eau agitée se colore d'un bleu de turquoise.
Une frange d'argent borde les rives, contourne les îlots
Semés ici et là jusqu'au lac Saint-Pierre
Et le soleil étend sa traîne d'or, d'un rivage à l'autre.

Ce soir, paisible sous cette vapeur mauve qui voile
Sans les dérober, les montagnes au nord, notre rivière
Repose embellie de tous les reflets du crépuscule
Près du pont, elle se dépouille de ses teintes pastel
Devient une rivière de bronze. Deux chaloupes glissent sur ce bronze.
Quand je regarde à la fenêtre, c'est toi que je vois ma rivière
Avant le village, avant la campagne, tes bras tendus
Charmeuse en robe d'argent, en robe bleue, en robe pourpre
Voilée de brume, drapée de brocart ou de moire
chère rivière de chez-nous.

Cantilènes, 1936, p. 36.

ÉPANCHEMENTS

Quand le calme envahit la maison, la campagne
Quand les petits rêvent et que le bruit s'éteint
Quand le silence nocturne, nous causons tout bas.

Tu me dis les recherches ébauchées sur la toile
Tes découvertes d'harmonies nouvelles;
Un pas de plus vers la lumière ou un recul...

Tu n'étais pas disposé, aujourd'hui, mauvaise palette
Ou la gouge a fait de la bonne besogne, un bois terminé depuis le matin.
Et je reprends à mon tour, tu sais sur quel sujet,
        toujours le même intarissable!
Les gentillesses, les étourderies des petits,
        leurs progrès ou leurs maladresses.

L'été, sur la galerie, à l'ombre du rideau de lierres
Que pénètre le seul regard de la lune
L'hiver dans l'intimité de la chambre
Où la dernière-née dort paisiblement.

Tu me causes de l'avenir, des espérances qui s'annoncent
Nous parlons des amis dispersés, des souvenirs de Paris,
alors que les intimes prenaient le thé dans ton studio
Et je t'énumère mes travaux de la journée, mes sujets d'écriture
Nous devisons sur les événements qui agitent le monde et notre pays.
Le programme du lendemain élaboré ensemble, toujours!

Nous nous taisons. Les paroles deviennent superflues
Pourquoi altérer notre amour sous des mots inutiles?

Nous demeurons dans le silence goûtant
En sa plénitude le bonheur simple d'être ensemble.

Cantilènes, 1936, p. 82.

EN MONTAGNE

À l'heure fixée, la cousine Virginie attend Nathalie et Jacques. Après la visite traditionnelle à son fleuve, elle ne voudrait pas manquer cette randonnée en montagne que lui proposent ses enfants.

Journée ensoleillée de septembre, des couleurs flamboyantes, sous une lumière chaude. Après un arrêt à Québec, commence cette chevauchée d'un mont à l'autre qui envoûte la vieille dame d'un besoin d'absolu.

Entre les vallées où reposent des villages accroupis dans la solitude, des montagnes en désordre semblent glisser les unes sur les autres, dans l'élan sauvage d'un âge glaciaire.

La cousine ne trouve pas de parole. Elle se tait, écoute tous ces sons du silence que lui renvoient le bruissement des cîmes, les craquements du vent, le frémissement de la lumière. Ce langage du silence se répercute d'un mont à l'autre et se ressent au plus profond de l'âme, tous ces murmures, ces cris perdus dans la forêt, une hallucinante musique.

Jamais cette voix ne se fait entendre avec autant de vérité ailleurs que dans ce décor de commencement du monde. La cousine Virginie ne peut exprimer ce qui se passe en elle, ni à sa fille, ni à son gendre, pas même à Dieu. Mais avec Lui, la parole est inutile, elle reste un alléluia, au plus profond du coeur.

Après quelques jours passés dans ce sanctuaire de la montagne, les voyageurs reprennent la route vers la plaine. Ils entendent avec quelle acuité les bruits lourds qui envahissent les grandes routes, la course des hommes avec le temps. Quel contraste!

Revenue dans sa maison, entre la ville et les champs, la cousine Virginie retrouve ses arbres, ses oiseaux, les choses familières. Elle ne regrette rien mais la vieille dame doute que sa nature pourrait s'habituer dans cet élan éternel de la montagne, devant «ces gestes désespérés de la terre vers l'inaccessible».

Née dans la plaine, Virginie a toujours parcouru les routes droites, nivelées. Peu importe que ce soient les sommets ou la ligne d'horizon de la plaine, la nature se perd au même moment dans l'infini, y attire tout l'être.

Cette fois, la vieille dame s'aperçoit que son coeur supporte mal une trop grande altitude, elle réalise qu'à son âge commence la descente de l'autre versant de la montagne... L'escalade des cîmes est réservée à la jeunesse.

Le passage du temps, 1987, p. 73.

INÉDIT

LES FLEURS DE LA VIEILLE DAME

La tempête s'apaise. Les derniers flocons de neige s'étirent tout doucement. Le vent épuisé de combattre contre les arbres qui lui résistent et semblent se moquer de ses colères, se retient peu à peu et reprend le chemin des nuages vers le sud. Les oiseaux reviennent à leur mangeoire. Des rayons encore timides du soleil se laissent deviner au firmament.

La tempête est finie et la vieille dame reprend son calcul. C'est toujours ainsi. Le Temps des Fêtes écoulé, elle compte les semaines puis les jours, elle espère le printemps. Pour elle, c'est la jeunesse de la terre et la jeunesse attire la vieillesse. Quand le sang se retire de ses veines, elle sent le besoin de la sève. Elle aspire à voir fleurir de nouveau son coeur, la vieille dame.

Des fleurs d'amitié, de tendresse, d'amour, oui, d'amour, elle sait qu'il lui reste encore des racines vivantes que le soleil printanier revivifiera. Mais elle est seule la vieille dame, et le monde autour d'elle semble tellement occupé!

Elle tend sa main ridée en un geste amical, on passe sans la voir, on est si pressé... Elle voudrait tellement caresser la tête amusante et candide de ce petit garçon, avec tendresse, mais il s'enfuit emporté dans des cabrioles vers ses jeux.

Elle voudrait tellement exprimer, à son enfant, cet amour qui ne s'est jamais tari depuis qu'elle l'a mis au monde! «Maman, je n'ai pas le temps, on m'attend. Je reviendrai!...»

ROMÉO FLAGEOL

ALPHONSE PICHÉ

Né à Chicoutimi le quatorze février 1917, le poète Alphonse Piché est membre d'honneur de la Société des écrivains de la Mauricie, de l'Union des écrivains québécois et du Centre de recherche en études québécoises de l'Université de Toronto. Il a collaboré à de nombreux livres d'art, à plusieurs revues littéraires et à diverses lectures publiques. En 1947, il recevait le Prix de la Province de Québec, en 1966 le Grand Prix littéraire de la Société Saint-Jean-Baptiste, en 1977 le Prix du Gouverneur général du Canada, en 1986 le Prix littéraire de Trois-Rivières; en 1988, un Doctorat Honoris causa de l'Université du Québec à Trois-Rivières et, conjointement avec Guy Langevin, le Prix Loto-Québec; en 1989 le Prix Ludger-Duvernay. Certains de ses poèmes ont été traduits en plusieurs langues dont l'anglais, le roumain, le russe et le chinois. Quatorze de ses poèmes ont été mis en musique par le compositeur français Lino Léonardi, compositeur choisi par le poète Louis Aragon pour la mise en musique de sa cantate «La messe d'Elsa». Nombre de ses poèmes ont également été mis en musique par des chansonniers d'ici, tels Tétreault, Laprise, Milette et Thivierge. En 1989, au Salon du Livre de Québec, on créait le Prix de poésie Alphonse-Piché qui est désormais remis à chaque année, dans le cadre du Festival international de la poésie, à un poète pour sa première oeuvre.

BIBLIOGRAPHIE

Ballades de la petite extrace (poèmes), Montréal, Éd. Pilon, illustrations d'Aline Piché, 1946.

Remous (poèmes), Montréal, Éd. Pilon, 1947.

Voies d'eau (poèmes) , Montréal, Éd. Pilon, 1950.

Poèmes (1946-1950), Trois-Rivières, Éd. du Bien Public, 1950.

Poèmes (1946-1968), suivi de *Gangue*, Montréal, Éd. de l'Hexagone, 1968 , Coll. «Rétrospective».

Dernier profil (poèmes), Trois-Rivières, Les Écrits des Forges, 1982.

Sursis (poèmes avec un dessin d'Aline Piché-Whissel), Trois-Rivières, Les Écrits des Forges, 1987.

Le choix d'Alphonse Piché dans l'oeuvre d'Alphonse Piché, Québec, Éd. Les Presses Laurentiennes, 1987.

Fables, Montréal, Éd. de l'Hexagone, 1989, 77p.

Eros et Thanatos, (livre d'art, dessins de Guy Langevin) Trois-Rivières, Atelier Presse-Papier, 1989, s.p.

EXTRAITS DE LA CRITIQUE

(à propos de *Dernier profil*) « M. Alphonse Piché trouve dans le paysage de tous les jours la matière de sa réflexion poétique; ce sont des saisons qui passent, les oiseaux qui soudain s'immobilisent, la neige qui transforme l'hiver en un squelette déjà tout blanchi. On pense à Villon. N'est-ce pas là le compliment absolu que l'on puisse faire à ce poète. (...) Mais comme autrefois on chantait les louanges de la Croix qui nous avait offert Jésus en son martyre, ainsi je me demande si le thème de la mort n'est pas le plus beau, qui produit un pareil chant! »

Jean Éthier-Blais, *le Devoir,* 30 avril 1983.

« Je n'ai jamais lu de poèmes québécois aussi précis, aussi hallucinants sur la question (la mort). On lit les textes avec la certitude de leur effet.

Ils entrent en nous comme des miroirs de «Crépuscule», des incisions sur un réel dont on parle peu finalement. »

Claude Beausoleil, *Les livres parlent,* 1984.

(à propos de *Sursis*) «Ceux qui vieillissent sont voués à la boucherie, au dépeçage. Pourtant -et c'est l'audace de ce livre de mettre dans la page autant d'inavouable-, des «paradis artificiels», «l'alcool», «les grottes d'Onan» viennent libérer de la tension, offrir quelques consolations. (...) Le désir d'aller «débusquer/ épaule contre épaule / ce dieu perdu dans ses arcanes»(...). »

Gérald Gaudet, *le Devoir,* 12 décembre 1987.

(à propos de *Sursis* et du *Choix d'Alphonse Piché dans l'oeuvre d'Alphonse Piché*) « Je pourrais citer longtemps... beaucoup... j'aurais envie de citer presque tout au lieu de commenter ces poèmes, tant ils sont beaux et se passent de commentaires, parce que c'est parfaitement clair, c'est parfaitement limpide. (...) Eh bien, je dirai que cet homme «dont le nom rime avec psyché» est, depuis quarante ans, un de nos meilleurs poètes. Il faut le lire. »

Robert Melançon, Radio-Canada-MF, 2 février 1988.

« L'anthologie que nous propose de son oeuvre Alphonse Piché réunit un choix de ses premiers poèmes et des plus récents, de même que des inédits. Est-il besoin de rappeler que M. Piché reste un des plus importants poètes de notre littérature, non seulement par ses recueils des années 1940 et 1950, où il est un artisan incomparable du vers, mais aussi par ses livres récents, *Dernier profil* et *Sursis,* publiés aux Écrits des Forges, où sa voix clame l'horreur de la vieillesse et de la beauté qui se défait? »
Jean Royer, *le Devoir,* 19 mars 1988.

« Dignement, inlassablement, le poète poursuit son tour de la mort en solitaire. Spectacle foudroyant! Intolérable par moment, en tout point essentiel. »
Jean Laprise, *le Sabord,* hiver 1988.

« Comme Villon, Baudelaire, Verlaine, Rimbaud, Piché n'est jamais le poète de la circonstance. Il donne à tout ce qu'il aborde le cachet de l'universel (...). Son verbe, dru, direct, ne répugne pas à la crudité, mais sans complaisance. »

Roland Héroux, in *le Nouvelliste,* 1 er octobre 1988.

EXTRAITS DE L'OEUVRE

LETTRE À JEAN LAPRISE

Cher Jean Laprise,

Vous m'invitez à collaborer à la chronique bien particulière de votre revue le Sabord : «Livre de voûte»; c'est-à-dire, si je comprends bien, que vous me demandez d'exposer, en quelques paragraphes, mes relations avec un livre qui aurait été, pour moi, d'une importance capitale. En somme, je dois tenter de définir cette osmose qui serait la clef de voûte d'une partie des ogives de ma production poétique.

Vous admettrez, mon cher Laprise, que, pour un poète, c'est une tâche assez ardue que de dessiner son profil littéraire à ce niveau; et qu'un tel *strip* de l'âme implique une introspection poussive qui n'est pas le mode usuel de mes fouilles, de mes recherches.

Je trouve plutôt mes aises dans le raccourci poétique et ses substrats intuitifs; ce que Henri Bergson nommait : «la voie de l'intuition»; ce qui signifie, à peu près, l'a-perception immédiate interne et qu'il précise en ces termes : «il s'agit de se livrer à une auscultation intellectuelle qui permet de sentir palpiter l'âme même de la vie». Le mouvement du moi qui se laisse vivre.

Pratiquant peu les processus rationnels et la longue patience qu'exige cette belle-mère acariâtre qu'est la prose pour révéler ses dessous affriolants, je m'efforcerai quand même de ne vous point décevoir. Donc, allons-y de ce coup de sonde dans les abysses, et que Dieu me soit en aide.

C'est à la suite du désenchantement, de la débâcle financière et des drames engendrés par la crise économique des années 1929, 30, 31 et autres que je ressentis en mes flancs la blessure de la poésie, cette écorchure qui persiste, qui ne pardonne pas, qui, sans répit, suscite ses purulences et ses humeurs, ses triomphes et ses défaites jusqu'aux portes de la dernière auberge. Et toute cette misère collective avait établi les bornes, les amers d'une route familière à mes propensions littéraires : l'absurde et la pitié. C'est à cette époque que parurent, dans la flore clairsemée de mon jardinet, *les Fleurs du mal* de Charles Baudelaire; et c'est ce reliquaire universel de l'essentiel poétique, cette bible de tout poète, qui vint confirmer ma vocation pour une vie recluse en poésie. Ce choc qui fit saigner mon âme et qui débrida ma sensibilité en butte aux critères religieux et laïques de l'époque, conserve toujours cet impact que ni le temps ni l'âge n'ont pu atténuer.

Baudelaire fut ce grand adulte civilisé, dont la vie fut une ascèse indicible, aux ramifications atroces, despotiques, qui provoquèrent sa mort prématurée dans l'aphasie et la décrépitude, mais qui nous valurent, en retour, une oeuvre de génie. Comment ne pas citer ce verset singulier, dans l'annonce de Pâques, à l'Office du Samedi-Saint : «Bien heureuse la faute qui nous valut pareil rédempteur!» Quelle analogie!

> Je te donne ces vers, afin que si mon nom
> Aborde heureusement aux époques lointaines
> Et fait rêver, un soir, les cervelles humaines,
> Vaisseau favorisé par un grand Aquilon...

Baudelaire, «mon semblable, mon frère», repose en paix dans ton étreinte de terre, le puissant Aquilon que, dans la solitude, tu souhaitais à tes hautes voiles, a bien répondu à ton attente, et ton puissant navire au grand largue, poursuit toujours ses conquêtes de rivages en rivages, et n'aura de cesse que le jour où cette lourde, obstinée et courageuse humanité sera ensevelie dans la masse de ses déjections, dans son implacable bêtise.

Pardonnez-moi ce couplet, cher Laprise, je me devais de payer mon obole à Charon.

Au début de mes incursions littéraires, j'ai, bien entendu, fait provision de «la poussière grecque et de la cendre latine», mais, pour, bientôt, me complaire dans le compagnonnage des Rutebeuf, Villon et autres crapules de génie qui ont chanté la misère, la faim, le froid, la neige, la femme, l'amour et le reste...

Puis vinrent les austères fréquentations des classiques, Boileau, Racine, Corneille, La Fontaine et autres «grands» de l'époque, qui ont assaisonné aux épices françaises, les drames et histoires pigés un peu partout dans les littératures étrangères.

Puis, toujours dans l'ordre poétique, ce furent l'arrivée et le tumulte des hordes romantiques, cheveux au vent et souleurs à l'âme, qui vinrent impressionner nos primes amours de leurs longs pleurs commodes et de leurs résistantes agonies. L'homme, sa vie, ses détresses, ses vices, ses vertus, ses rêves, ses conquêtes comme ses défaites, furent les aliments propices à ma sensibilité qui fraternise avec celle qui a inspiré les poèmes des *Fleurs du mal* ; cette sensibilité exacerbée, qu'on dit même maladive, et qu'un rien éveille, et qu'un rien peut affaler; qui peut inspirer des accents pathétiques et des vers déroutants lors des faits les plus imprévus, comme la vue d'une charogne qui pourrit au soleil au bord du chemin, ou la rencontre d'une petite vieille qui, tôt le matin, va à ses choses, frileuse et renfrognée. L'esthétique des *Fleurs du mal,* leurs leitmotive m'ont révélé des correspondances secrètes avec ma conception de la flore poétique, du milieu où elle croît, où elle vit et où elle meurt; mais je dois avouer que ma rencontre avec l'éthique baudelairienne fut déroutante à souhait : ce Dieu cruel, vengeur, ce Dieu janséniste, entaché des défauts des hommes, et avec qui on doit traiter dans la colère et le blasphème.

«Saint-Pierre a renié Jésus, il a bien fait!»

En toute vérité, les haut cris et les poings vers le ciel de notre poète sont plutôt des actes de foi, ceux d'un être enlisé dans la désespérance humaine, de ces actes qui faisaient dire à Stanislas Fumet, dans son livre *Notre Baudelaire* : «Personne, mieux que Baudelaire, ne me fait fait faire un signe de croix».

Quant à moi, je ne sais point d'autres vers pour me mieux indiquer les franges de l'Absolu, de l'Eternel, que ce quatrain du célèbre poème : «Les Phares».

Car c'est vraiment, Seigneur, le meilleur témoignage
Que nous puissions donner de notre dignité
Que cet ardent sanglot qui roule d'âge en âge,
Et vient mourir au bord de votre éternité.

Quel conseiller discret, chaleureux, quel ami de tous les instants qu'un livre où sont réfléchies nos joies, nos larmes, nos détresses, nos passions. Avec le temps, les êtres, les moeurs ont changé, les modes, les décors sont devenus surannés. Les formes poétiques n'ont plus les mêmes exigences, mais l'essentiel, la poésie surgie de ces entrailles disséquées, de ces mondes enfuis, subsiste toujours, immortelle, et peut encore prendre dans ses mains de ciel, comme un oisillon tombé du nid, nos âmes frileuses et névrosées. Quel baudelairien, à la vue de la mer, soudain apparue, n'a pas entendu chanter en lui, comme un écho sonore, les beaux vers :

Homme libre, toujours tu chériras la mer;
La mer est ton miroir, tu contemples ton âme,
Dans le déroulement infini de sa lame...

Mon cher Laprise, croyez bien que c'est en toute humilité que j'établis certains parallèles, que je souligne certains rapports entre mes intentions poétiques et celles qui ont inspiré *les Fleurs*. Je n'ai pas l'habitude de telles réflexions que m'interdit *la pudeur* de l'auteur et ce n'est que pour apporter un peu de lumière à ce *profil* requis par votre lettre que j'ouvre la barrière... Les relations incestueuses de ma muse avec celles de C.B. ne sont, quant à moi que choses vénielles qui ne nécessitent même pas le confessionnal : un bon acte de contrition peut très bien nettoyer le tout, advenant quelques remords.

Non, je ne suis pas l'homme d'un seul livre, d'une seule discipline : une telle limite serait fatale, mais il n'en demeure pas moins que chaque poète a son auteur préféré, son frère d'ombre, et que ce jumelage peut être salutaire, dans les déserts que traversent, leur vie durant, les écrivains.

Ballades de la petite extrace, mon premier recueil, suivait à la trace le réalisme lyrique des Villon, Rutebeuf et autres, bien entendu, avec les moyens du bord, et cette série de poèmes en vers octosyllabiques, sur les petites gens de nos petits quartiers, fut pour moi un exercice initiatique, un peu comme le musicien débutant qui fait ses gammes, et qui étonne ou embête le voisinage.

Lors de mes parutions subséquentes, *Remous,* (quelques sonnets classiques exceptés), *Voie d'eau, Gangue, Dernier profil*, j'ai tenté de m'exprimer dans cette prose ductile dont rêvaient Baudelaire et nombre d'écrivains, et qu'il nous révélait ainsi : «Quel est celui de nous, qui n'a pas, dans ses jours d'ambition, rêvé d'une prose poétique, musicale sans rythme et sans rime, assez souple et assez heurtée pour s'adapter aux mouvements lyriques de l'âme, aux ondulations de la rêverie, aux soubresauts de la conscience?»

Cher Laprise, vous m'avez fait l'honneur d'une étude très poussée, très chaleureuse, sur la symbolique de l'eau dans ma poésie; étude à haute tension qui souligne et valorise mes tentatives, et parfois mes découvertes dans ces terres inconnues qui se profilent aux horizons perlés de la poésie, où les hommes, un peu comme les taupes, sans doute, rêvent d'espace et de lumière. Et je suis heureux et fier de constater que cette réflexion sur l'eau vous met en collégialité avec le philosophe des poètes, Gaston Bachelard, spécifiquement par son livre *L'eau et les rêves*, où il est question des forces imaginatives à travers une symbolique des éléments. «L'être voué à l'eau est un être de vertige», écrivait-il.

Fixer des vertiges, noter des silences, traduire l'indicible, investir l'absolu, voilà, entre autres, quelques tâches impossibles que se réservent les poètes, condamnés qu'ils sont, telles les Danaïdes, à remplir des tonneaux sans fond. La grandeur de l'homme réside beaucoup plus dans ses tentatives que dans ses découvertes. Emmanuel Kant disait que le but de la philosophie n'est point d'étendre nos connaissances du monde, mais d'approfondir notre connaissance de l'homme. Je crois qu'il en est ainsi de la poésie.

En toute amitié,

Alphonse Piché

Le Sabord, automne 1986, p. 6-7.

CRÉPUSCULE

Frêle mobile sur le pan incliné de ma vie
Imagerie au profil des songes courbés
Quelque écho noir
de la margelle coutumière de pierre
saigne sur mon coeur et meurt d'infini
Voilà le temps des crépuscules sur les os de l'échine
Vers quelque Horn féerique désastre
grand largue
Les grands voiliers sont disparus dans les mauves
de la nuit

Les entrepôts géants
sonores de la marche des mondes
béent au vent du large
espace capté les treuils réintégrés
Les murs les bois les cuivres
errance figée
dressent leurs amers dans la mouvance du passé

Solstice de vieillesse
la cour arrière des décrépitudes
le jardinet pantelant
broutilles et roses douloureuses

Immobile et de craie le visage
sur les religiosités à tranche d'or
pour l'arythmie des heures de peur

Dernier profil, 1982.

INÉDIT

SAILLIE

Surprise de fruit
à l'écorce de ma vie
ton amour dodeline
dans les abats de mon être
et mes fauves salivent
mordant
les treillis ancestraux
cris gutturaux
rythmes affalés
la horde
de nos ébats de terre
dans le jour blond
encalminé au long des grandes aires
vertes de l'été

GRATIEN
GÉLINAS

Gratien Gélinas est né à Saint-Tite-de-Champlain le huit décembre 1909. Il a étudié au Collège de Montréal et à l'Ecole des hautes études commerciales. Auteur, comédien et metteur en scène, il a commencé à jouer dès 1929. Huit ans plus tard, il crée le personnage de Fridolin pour *les Fridolinades,* revue de l'actualité qu'il livrera au plublic de 1938 à 1946. Suivront alors les pièces*Tit-Coq, Bousille et les justes, Hier les enfants dansaient* et, plus récemment, *la Passion de Narcisse Mondoux.*

Gratien Gélinas a oeuvré au sein des conseils d'administration de l'Office National du film, de l'Union des Artistes, du Centre du Théâtre canadien et du Conseil des Arts de Montréal. En 1957, il fonde la Comédie-Canadienne et, trois ans plus tard, il participe à la fondation de l'Ecole nationale de Théâtre. Pendant près de dix ans, il a été président de la Société de Développement de l'industrie cinématographique (SODIC).

Il a reçu plusieurs prix dont le Grand Prix de théâtre Victor-Morin. Membre de la Société Royale du Canada, Gratien Gélinas a reçu des doctorats honorifiques des universités de Montréal, de Toronto, de Saskatchewan, McGill, du Nouveau-Brunswick, de Trent, d'Ottawa et de l'Université Mount Allison. En 1985, il a reçu l'Ordre national du Québec et, deux ans plus tard, il reçoit, à Calgary, un diplôme d'honneur de la Conférence canadienne des Arts.

BIBLIOGRAPHIE

Tit-Coq (théâtre) Montréal, Éditions Beauchemin, 1949, 194 p. Réédition : Montréal, Quinze, Coll. théâtre 10 / 10, 1981, 194 p.

Bousille et les justes (théâtre) Québec, Institut littéraire du Québec, 1960, 206 p. Réédition : Montréal, Les Éditions de l'Homme, 1960.

Hier les enfants dansaient (théâtre) Montréal, Éd. Leméac, 1968, 160 p.

Les Fridolinades, 1945-1946 (comédie musicale) Montréal, Éd. Quinze, 1980, 265 p.

Les Fridolinades, 1943-1944 (comédie musicale) Présentation de Laurent Mailhot. Montréal, Éd. Quinze, 1981, 345 p.

Les Fridolinades, 1941-1942 (comédie musicale) Montréal, Ed. Quinze, 1981, 363 p.

Les Fridolinades, 1938-1939-1940 (comédie musicale) Montréal, Éd. Quinze,

La passion de Narcisse Mondoux (théâtre) Montréal, Éd. Leméac, 1987, 133 p.

EN TRADUCTION

Ti-Coq, (traduit par Kenneth Johnson), Toronto, Clarke & Irwin Co., 1967.

Bousille and the just, (traduit par Kenneth Johnson), Toronto, Clarke & Irwin Co., 1961, 104 p.

Yesterday, the children were dancing, (traduit par Kenneth Johnson), Toronto, Clarke & Irwin Co., 1967, 76 p.

ÉTUDE SUR L'OEUVRE

Gratien Gélinas : dossiers de presse, 1940-1980, Sherbrooke, Bibliothèque du Séminaire, 1981, n.p..

EXTRAITS DE LA CRITIQUE

(à propos des *Fridolinades*) «Personne, je crois, mieux que M. Gélinas,
n'a senti et exprimé l'atmosphère et les caractères de certains milieux
populaires. Mais au lieu de se contenter d'une satire sèche et désolée, il
y a mis une indulgence souriante, une sorte de tendresse amusée. Qu'une
revue, genre essentiellement frivole et transitoire, ait pu s'assurer un
succès aussi durable, cela est un signe du talent de l'auteur. »

Alexis Gagnon, le Devoir, 6 février 1945.

« L'observation satirique de Fridolin est un remède à plusieurs de nos
illusions et il est sans doute la plus grande influence que subit le Canada
francais. »
Paul Toupin, Amérique française, mars 1945.

« Gratien Gélinas nous offre, cette année, une profondeur de pensée que
jamais encore il n'a atteinte. Et cela tout en faisant rire la salle aux
larmes. Quelle intéressante revue! Quel bel esprit que celui de Fridolin! »

Jean Desprez, Radiomonde, février 1945.

(à propos de *Tit-Coq*) « C'est peu contestable, *Tit-Coq* a inauguré une
ère nouvelle, au Québec, dans la production dramatique. Comme si un
embâcle s'était soudain brisé sous l'effet d'une décharge de dynamite,
le succès de Gratien Gélinas, avec une pièce strictement canadienne,
produisit un réel déblocage chez nos dramaturges, qui s'élancèrent dans
le courant enfin libre. »

Georges-Henri d'Auteuil, Histoire de la
littérature française au Québec de Pierre de
Grandpré, t.4, p. 181.

« *Tit-Coq* est une forte, une belle pièce, d'un accent humain irrésistible.»
Jean Béraud, 350 ans de théâtre au Canada
français, p. 226.

(à propos de *Bousille et les justes*) « *Bousille* est supérieur à *Tit-Coq* à presque tous les points de vue. *Bousille,* dans sa simplicité, est mieux réussi. Ses répliques innocentes, qui, à son insu, mettent en lumière l'égoïsme et l'hypocrisie des Grenon, sont d'un effet à la fois touchant et comique. (...) »

G. Bessette, L. Geslin et Ch. Parent, *Histoire de la littérature canadienne-française,* p. 651.

(à propos de *Hier les enfants dansaient*) « Dans *Hier les enfants dansaient,* l'auteur fait s'affronter deux générations qui ont chacune leur propre échelle de valeurs et situe le conflit dans l'atmosphère de la querelle surgie du désir de l'indépendance québecquoise. Homme de théâtre complet, lui-même metteur en scène et souvent interprète, Gélinas connaît à fond les trucs du métier, l'art de piquer la curiosité du public et de maintenir son intérêt. »

Roger Duhamel, *Manuel de littérature canadienne-française,* p. 155.

(à propos de *la Passion de Narcisse Mondoux*) «Habilement cons-truite, cette pièce de Gratien Gélinas restera sûrement un témoignage émouvant d'une soif de vivre que lui et sa compagne, Huguette Oligny, savent si bien nous faire partager. De Fridolin à Tit-Coq à Narcisse, il y a un homme ordinaire qui s'avère être un extraordinaire analyste de sa condition et de son milieu. »

André Dionne, *Lettres québécoises,* n° 46, p. 48.

EXTRAITS DE L'OEUVRE

LE RÊVE DE TIT-COQ

Le Padre

Tu n'as pas été tenté de l'épouser, ta Marie-Ange, avant de partir?

Tit-Coq

Tenté? Tous les jours de la semaine! Mais non. Epouser une fille, pour qu'elle ait un petit de moi pendant que je serais parti au diable vert? Jamais en cent ans! Si mon père était loin de ma mère quand je suis venu au monde, à la Miséricorde ou ailleurs, ça le regardait. Mais moi, quand mon petit arrivera, je serai là, à côté de ma femme. Oui, monsieur! Aussi proche du lit qu'il y aura moyen.

Le Padre

Je te comprends.

Tit-Coq

Je serai là comme une teigne! Cet enfant-là, il saura, lui, aussitôt l'oeil ouvert, qui est-ce qui est son père. Je veux pouvoir lui pincer les joues et lui mordre les cuisses dès qu'il les aura nettes; pas le trouver à moitié élevé à l'âge de deux, trois ans. J'ai manqué la première partie de ma vie, tant pis, on n'en parle plus. Mais la deuxième, j'y goûterai d'un bout à l'autre, par exemple!... Et lui, il aura une vraie belle petite gueule, comme sa mère.

Le Padre

Et un coeur à la bonne place, comme son père?

Tit-Coq

Avec la différence que lui, il sera un enfant propre, en dehors et en dedans. Pas une trouvaille de ruelle, comme moi!

Le Padre

Alors, c'est pour être près de ton enfant dès sa naissance que tu pars...?

69

Tit-Coq

... vierge et martyr, oui.

Le Padre

C'est une raison qui en vaut bien d'autres.

Tit-Coq

Probable.

Le Padre

La Providence a été bonne pour toi, sais-tu?

Tit-Coq

Oui. Elle a été loin de se forcer au commencement, mais, depuis quelques mois, elle a assez bien fait les choses. Et je ne lui en demande pas plus. (*Intensément*) Savez-vous ce qu'il me faudrait, à moi, pour réussir ma vie cent pour cent?

Le Padre

Dis-moi ça.

Tit-Coq

Vous allez peut-être rire de moi : si on comprend de travers, ç'a l'air un peu enfant de choeur.

Le Padre

Il n'y aura pas de quoi rire, j'en suis sûr.

Tit-Coq

Moi, je ne m'imagine pas sénateur dans le parlement, plus tard, ou ben millionnaire dans un château. Non! Moi, quand je rêve, je me vois en tramway, un dimanche soir, vers sept heures et quart, avec mon petit dans les bras et, accrochée après moi, ma femme, ben propre, son sac de couches à la main. Et on s'en va veiller chez mon oncle Alcide. Mon oncle par alliance, mais mon oncle quand même! Le bâtard tout seul dans la vie, ni vu ni connu. Dans le tram, il y aurait un homme comme les autres, ben ordinaire avec son chapeau gris, son foulard blanc, safemme et son petit. Juste comme tout le monde. Pas plus, mais pas moins! Pour un autre, ce serait peut-être un ben petit avenir, mais moi, avec ça, je serais sur le pignon du monde!

Tit-Coq, 1949, p. 92-94

L'INTIMIDATION DE BOUSILLE

Henri (*l'observant du coin de l'oeil*)
Une damnée affaire que ce procès-la, hein, Bousille?

Bousille
Je te crois. J'y ai pensé toute la nuit, les yeux grands comme la pleine lune.

Henri
Oui, une damnée affaire!

Bousille
Mais, d'après ce que l'avocat déclarait hier soir, Aimé aurait des chances de s'en tirer pas trop échaudé, malgré tout.

Henri
Bah! Il voulait tout simplement nous mettre un peu de rose dans les idées noires. Je suis sûr que tu as été assez intelligent pour le comprendre.

Bousille
Non, en toute franchise.

Henri
Moi, je te le dis tout net, au risque de t'énerver : de la façon dont le moteur s'embraye, Aimé peut faire un voyage de cinq ans au pénitencier!

Bousille
Tu penses?

Henri
N'importe quoi peut arriver. Un juge sur le banc, mon vieux, c'est aussi capricieux qu'un arbitre sur la patinoire. Suffit que celui-là ne lui aime pas la fiole.

Bousille
Évidemment.

Henri
Ce serait terrible pour la famille. Je me demande si la mère s'en remettrait.

Phil

Avec la pression qu'elle a dans la bouilloire, moi, je ne réponds de rien!

Bousille

Ce serait dommage au possible.

Henri

Une femme qui t'aime gros. Laisse-moi te l'apprendre, si tu te le demandes encore.

Bousille

Ah! je le sais : moi aussi j'ai de l'affection pour elle.

Henri

Tu n'as pas grand mérite, après toutes les bontés qu'elle a eues pour toi.

Bousille

C'est clair.

Henri

Va jamais lui faire de la peine!

Bousille

Je serais bien mal venu.

Henri

Disons le mot : tu serais un ingrat.

Bousille

Elle me bougonne des fois, mais...

Henri

Ta propre mère en aurait fait autant.

Bousille

Peut-être. Je l'ai à peine connue : quand elle a été enterrée, j'avais quatre ans.

Henri

C'est pourquoi tu es, comme qui dirait, notre petit frère adoptif.

Bousille

Ah! je m'ennuierais encore davantage loin de vous autres, pour sûr.

Henri

Prends Aimé par exemple : il ne pouvait pas faire un pas sans toi, ce gars-là.

Bousille (*sans arrière-pensée*)

Certains soirs, surtout.

Phil

Jusqu'aux enfants à la maison : te rends-tu compte de l'attachement qu'ils ont pour toi, ces chers petits coeurs-là? Quand on sort, le soir, et qu'on leur dit que c'est encore toi qui vas les garder, c'est bien simple, ils sautent de joie.

Bousille (*touché*)

Sérieusement?

Phil

Ils t'aiment! Ah! je te l'avoue : moi, leur père, il y a des fois que je suis jaloux de toi.

Bousille

Ça me fait grand plaisir que tu me le dises. Moi aussi, je les trouve de mon goût, mais il me semble que ... (*Il hésite*)

Phil

Quoi?

Bousile

Qu'ils riaient souvent de moi, dans mon dos.

Phil

Qu'est-ce que tu vas chercher là, toi? Que tu es donc «complexé»! C'est triste -pas vrai, Henri?- de voir un gars équilibré comme lui, belle éducation, un an à se cultiver chez les Frères après la petite école, se tourmenter à ce point-là!

Henri

Oui, quand toute la famille fait l'impossible pour lui montrer de l'estime.

Bousille

Ah! ce n'est pas votre faute.

Phil

Non, certain!

Bousille

Je dois être méfiant de nature : depuis que je suis haut comme ça, j'ai toujours la frousse de recevoir un coup de fourche dans les reins.

Henri

Reviens-en : ton père est mort depuis longtemps. Et le bedeau lui a enlevé sa fourche des mains avant de refermer la tombe.

Bousille et les justes, 1960.

LE HARCÈLEMENT

Lui Un simple exemple : un brave paroissien, sorti directement du confessionnal peut-être, marche dans la rue, sans se douter qu'un danger terrible l'attend au prochain coin. Une fille est là, sacoche à la main, cigarette au bec, accotée contre un poteau de téléphone, mine de rien, l'air innocent comme une automobile piégée. Il passe à côté d'elle : pow! il est fini, le misérable homme! Il s'en remettra peut-être jamais.

Elle Ce serait plus prudent pour lui de ne pas trop s'approcher de la tentation.

Lui Allez donc dire à une pincée de limaille de pas aller se coller contre un aimant. Ah! c'est pas de notre faute : c'est le bon Dieu qui nous a organisés de même. Lui, je suis pas mal sûr qu'il nous comprend, vu qu'il est un homme.

Elle Il vous rendra ça dans l'autre monde.

Lui On l'aura donc bien mérité!

Elle Vous allez avoir une belle place au ciel... à côté de la sainte Vierge.

Lui   J'aimerais mieux à côté de Marie-Madeleine.

Elle   Je vous le souhaite : sait-on jamais!

Lui   L'idéal évidemment, ce serait d'être assis juste à côté de vous.

Elle   Ça ferait jaser. De toute facon, ça aurait pas d'importance, vu que dans l'autre monde on n'aura pas de corps.

Lui   Pas de corps?

Elle   Il paraît qu'on sera tous de purs esprits.

Lui   Dites pas ça : ça me déprime. (*Avec intention:*) Pour ce qui est de l'autre harcèlement...

Elle   Celui des hommes auprès des femmes?

Lui   Oui... que tout le monde en parle comme d'un super-crime... Il y a des femmes qui sont contre, envers et mordicus! Mais il paraît qu'il y en a d'autres qui sont... plus humaines, plus compréhensi- ves... pour...

Elle   ... pour les hommes qui savent pas trop quoi faire de leurs mains... (*Elle est elle-même occupée à son travail manuel.*)

Lui   Oui... Votre opinion à vous, là-dessus, en toute franchise?

Elle   (*prudente*) Vous savez, à mon âge, c'est un problème qui devient de plus en plus mineur.

Lui   (*tout près d'elle*) Ah! je dirais pas ça, moi. Pas besoin d'être un connaisseur en belles femmes pour déclarer que vous êtes en- core... harcelable.

Elle   Voyons donc!

Lui   Ah! harcelable en doux jésum! Pour la plus grande souffrance des hommes normaux qui ont le bonheur de vous approcher d'un peu trop près.

Elle   Taisez-vous donc!

Lui   Devant un individu honnête... qui serait mortellement tenté de vous harceler, pour la bonne cause... seriez-vous du genre, vous, à crier au meurtre puis à appeler la police?

Elle   La police? Un beau samedi soir, c'est pas facile à atteindre.

Lui   Disons : en général... n'importe quand dans la semaine?

Elle   Vous savez, une femme peut toujours se défendre, avec un peu de fermeté... et une bonne paire de ciseaux... (*qu'elle a dans la main*).

Lui   (*prenant vaguement ses distances*) Ben sûr. Mais faut dire que, pour vous autres, c'est plus facile de résister à la tentation, vu qu'un homme, c'est tellement moins ragoûtant qu'une femme.

Elle   Je dirais pas ça.

Lui   N'empêche que c'est tout un calvaire, pour un homme, que de se retrouver tout fin seul dans la vie!

Elle   Vous voulez dire : pas de femme?

Lui   Ouais. La pression monte... la soupape colle.

Elle   Vous avez jamais songé à vous remarier?

Lui   Oui : j'avoue que la question m'a, certains soirs, effleuré la réflexion. (*Bombant le torse*) Oui, parce que, malgré mon âge disons...

Elle   ... respectable?

Lui   ... oui, je pense, humblement, que je suis encore... recyclable. J'ai même la ferme conviction que je suis en plein dans le moyen âge.

La passion de Narcisse Mondoux, 1987, p. 57-59.

MICHEL GRAVEL

JEAN
PELLERIN

Jean Pellerin est né à Grand-Mère le vingt-six janvier 1917. Après ses études primaires en Nouvelle-Angleterre, il étudia au Séminaire Saint-Joseph de Trois-Rivières. Journaliste et écrivain, il a collaboré à *Esprit,* fut le rédacteur d'*Alerte,* collaborateur puis directeur de *Cité libre,* collaborateur à maintes revues et journaux dont *l'Analyste, l'Action nationale, le Nouvelliste, le Bien public, le Devoir, Notre temps.*

Jean Pellerin fut éditorialiste à *la Presse* de même que réalisateur à Radio-Canada pour les émissions d'affaires publiques. Il a écrit de nombreux romans, essais et pièces de théâtre. Il travaille actuellement à un essai sur le journalisme nord-américain : *Pleins feux sur les médias.*

BIBLIOGRAPHIE

Le combat des élus (allégorie en trois tableaux), Trois-Rivières, Éditions du Nouvelliste, 1950.

Clarella (épisode de la vie de Claire d'Assise), Trois-Rivières, Éditions des Compagnons, 1952.

Le diable par la queue (roman), Montréal, Cercle du livre de France, 1957.

L'escroc prodigue (téléthéâtre), Radio-Canada, 1957.

Les oiseaux de nuit (pantalonnade en un acte, prix du festival dramatique de l'Est en 1958, remaniée en téléthéâtre), Radio-Canada, 1959.

Un soir d'hiver (roman), Montréal, Cercle du livre de France, 1963.

La faillite de l'Occident ou le Complexe d'Alexandre (essai), Montréal, Éditions du Jour, 1963.

Le grand duc (trois épisodes d'une série), Radio-Canada, 1964.

Ti-Jean Caribou (dialogues d'une série de 37 émissions), Radio-Canada, 1965-66.

Le calepin du diable (fables et aphorismes), Montréal, Éditions du Jour, 1965.

D'Iberville (album-jeunesse), Montréal, Éditions Radio-Canada / Leméac inc., 1967.

D'Iberville (dialogues d'une série de 36 émissions, Radio-Canada, 1967-68.

La jungle du journalisme (essai), Montréal, Éditions Lidec, 1967.

Le Canada et l'éternel commencement (essai), Tournai (Belgique), Éditions Casterman,1967.

Lettre aux nationalistes québécois (essai), Montréal, Éditions du Jour, 1968.

D'Iberville (roman), Montréal, Éditions Ici Radio-Canada / Éditions du Jour, 1968.

Le XXIe siècle est commencé (essai), Montréal, Éditions du Jour, 1971.

Le phénomène Trudeau (essai), Paris, Éditions Seghers, 1972.

Au pays de Pépé Moustache (roman), Montréal, Éditions internationales Alain Stanké, 1981.

Journal de mon bord (essai), Montréal, Éditions La Presse, 1983.

Jean-Paul II au Canada (essai), Montréal, Éditions La Presse, 1984.

Gens sans terre (roman), Montréal, Éditions Pierre Tisseyre, 1988.

ÉTUDES SUR L'OEUVRE

Grandpré, Pierre de, *Dix ans de vie littéraire au Canada français,* Montréal, Éditions Beauchemin, 1966, p. 118.

O'Leary, Dostaler, «Situations de notre roman» , in *Conférences : Saison artistique 1957-58,* p. 130.

O'Leary, Dostaler, *le Roman canadien-français,* Montréal, Cercle du livre de France, 1954.

EXTRAITS DE LA CRITIQUE

(à propos de *Au pays de Pépé Moustache*) « (...) il y a un accent de vérité dans ce livre qui émeut presque, ne serait-ce que parce qu'il rappelle une époque après tout récente mais en même temps très ancienne (...) *Au pays de Pépé Moustache* c'est la chronique généreuse de la vie quotidienne de ceux qui font les pays, les enfants et leurs enfants; c'est la séquence des saisons, le jeu pas toujours innocent des passions et ses conséquences tragiques ou comiques; c'est la remontée reconnaissante vers la source vive du temps qu'on était jeune, vers ceux qui ont su donner aux enfants l'émerveillement qu'elle mérite. »

Réginald Martel, *la Presse,* 28 mars 1981.

« (...) Il fait bon emprunter avec Jean Pellerin les chemins à odeur de sapin et d'épinette et de se faire rappeler les contes d'autrefois. Ces contes que seuls un grand-père comme Pépé Moustache ou nos anciens bûcherons savaient créer à partir de la plus petite des aventures que vivaient les gens de leur patelin. »

Benoit Routhier, *le Soleil,* 4 avril 1981.

(à propos de *Gens sans terre*) «C'est un bien beau roman qui raconte les douze années de douleurs et d'humiliations d'un groupe de braves gens, privés, du jour au lendemain, de leurs terres, séparés les uns des autres, exilés pour toujours. (...) Il y a des moments de grande émotion dans le roman de Jean Pellerin. »

Guy Brouillet, *l'Analyste,* 24 / hiver 1988-89, p. 81.

« Il vient, en effet, de publier un merveilleux roman qui constitue une riche contribution à notre littérature québécoise. (...) Pellerin nous présente cette fresque historique d'une façon extrêmement vivante et émouvante. Le style est alerte et le vocabulaire étonnant de précision. Les descriptions sont si imagées qu'on a l'impression de voir les scènes et les personnages comme s'ils étaient dans un film. »

Vincent Prince, *la Presse,* 19 décembre 1988.

« (...) l'écriture est si journalistique et les faits racontés si froidement que nous devons nous créer nos émotions nous-mêmes au fil de la lecture, mais les occasions de le faire ne manquent pas. »

Louis B. Champagne, *le Devoir,* 26 novembre 1988.

EXTRAIT DE L'OEUVRE

L'EMBÂCLE

- Regardez-le sauter d'un *billot* à l'autre. Un vrai feu-follet.

Renaud cherchait visiblement à faire oublier ses ennuis. En multipliant prouesses et acrobaties, il espérait distraire l'attention de ceux, trop nombreux maintenant, qui le traitaient d'Amoureux d'chien bleu. Mais il avait beau faire, on le sentait triste et tourmenté.

Un jour, un tronc buta, comme il arrive souvent, contre un récif et devint la clé d'un barrage peu ordinaire. L'eau, la glace et les billes continuant à descendre précipitamment, un amoncellement gigantesque se forma aussitôt.

Ti-Chariste, le maître du chantier, accourut précipitamment. La montagne grandissait à vue d'oeil : une vraie tignasse de *pitounes* à demi écorcées.

- Faut trouver la clé, lança Ti-Chariste.

Renaud, et à sa suite, plusieurs spécialistes de ce genre d'opération tentèrent de dégager, à coups de gaffes, le tronc clé. Ce fut peine perdue. La montagne de billes bouchait maintenant complètement le *crique.*

- Ça prend de la dynamite, lança le vieux Sam Savoie.
- Pas si vite, protesta Ti-Chariste. Du bois de première classe... j'ai pas envie d'en faire des éclats. On essaye les crochets.

On fixa au tronc clé deux gros crochets qu'on avait préalablement attachés au milieu d'un cable, après quoi, des deux côtés du *crique,* des chevaux attelés au cable halèrent à pleins colliers. Les énormes bêtes pataugeaient, impuissantes, dans la vase et la mousse *frimassées.* A regret, Ti-Chariste dut faire appel à celui qui passait pour l'expert de la dynamite, c'est-à-dire, nul autre que l'Amoureux d'chien bleu.

Renaud ne demandait pas mieux que de se dévouer. Marchant au pas de celui qui en a vu bien d'autres, il monta sur la montagne de troncs avec le grément nécessaire. Il fixa les bâtons de dynamite et la mèche au bout d'une perche qu'il piqua dans les cavités du vaste amoncellement.

- Feu! cria-t-il.

Ti-Chariste mit le feu à l'autre bout de la mèche, tandis que les hommes s'écartaient et que Renaud redescendait sans hâte de la *meule* de bois. Il ne prit pas la peine de se retourner. L'explosion secoua la lourde masse et, dans un jet d'eau et de glace, des troncs s'élevèrent comme une poussière dans le ciel. Les hommes poussèrent un cri de joie et lancèrent leur *tuque* en l'air, sauf le père Savoie. Le bonhomme venait d'apercevoir une *pitoune* qui filait comme une libellule en direction de Renaud.

- Renaud! hurla-t-il.

Il était trop tard. La libellule avait fracassé le pauvre garçon contre un arbre.

- Renaud! Renaud! hurlait toujours le père Savoie.

Terrifié, le vieux *draveur* s'approcha du corps inerte. Les autres ramassèrent leur *tuque* et s'approchèrent à leur tour d'un pas mal assuré. Le bonhomme écarta les branchages. Stupéfaction.

- Il n'a plus ressemblance de monde, dit Fanfan, pris soudain d'épouvante.

Comme abasourdi, le jeune homme se mit à courir en tout sens en criant et en se tenant la tête à deux mains. Léonide Ricard le prit à bras-le-corps et l'immobilisa.

- Malheur de malheur! fit de son côté Ti-Chariste d'une voix où se mêlaient la colère et la terreur. Qu'on aille chercher une *couvarte* de laine.

L'énorme montagne de *pitounes* commençait à se désagréger. Les billes se précipitaient dans le courant au rythme de puissants glouglous. On roula le corps dans la couverture et on le porta au *campe* . Conformément à la coutume, le vieux Savoie enleva les bottes du défunt et s'en fut les clouer à l'arbre contre lequel le malheureux Renaud venait d'être fracassé.

Les hommes mangèrent en silence et sans appétit ce soir-là. Après le souper, Arthème repartit pour Mékinac avec son lugubre fardeau. La soirée fut longue et triste. Comme à l'accoutumée, Ti-Chariste sortit du *forepick* à neuf heures et annonça :

- Chapla!

D'ordinaire, ce commandement provoque un remous qui n'a rien de délirant. Les hommes secouent en grognant leur pipe, puis, se prosternent paresseusement le long des *bèdes*. Leurs réponses aux ave se traduisent généralement par un sourd vagissement, et parfois même, par des ronflements éhontés.

Mais ce soir-là, le commandement produisit un effet immédiat et spontané. Les réponses au chapelet se firent, non seulement intelligibles, mais même ferventes. La mort avait visiblement ébranlé tous ces durs à cuire.

Au pays de Pépé Moustache, 1984, p. 226-228.

LA MORT DE BERTINE

Entassés dans l'entrepont, les déportés avaient les nerfs en boule. La promiscuité les rendait irritables, et puis, le froid et l'humidité de l'interminable mois de décembre devenaient de plus en plus exaspérants. Chacun s'efforçait de se creuser un nid chaud au flanc d'un balluchon. Mais le peu de chaleur qu'on parvenait à se faire éveillait aussitôt la puanteur qui imprégnait l'entrepont et la cale. Le froid persistait. On avait beau bouchonner de jute et de guenille les claires-voies, garder le taud tiré sur l'écoutille, impossible de retenir la moindre chaleur dans cette coque remplie de courants d'air.

Un matin, tout le monde fut tiré du sommeil par des cris déchirants venus des profondeurs de l'entrepont.

- Bertine! Non! Bertine! Réponds-moi!

Le vieil Antonin tremble de tous ses membres. Il se prend la tête à deux mains et n'arrête pas d'appeler sa femme.

- Bertine! Bertine! Non, non... C'est pas vrai!

Et il se mit à sangloter comme un enfant. Marchant à quatre pattes, La Piraude s'est précipitée. Raide et froide comme une statue de marbre, Bertine a encore les yeux entrouverts. Son visage est étrangement serein. Elle s'est éteinte comme un petit oiseau, sans un cri, sans bouger, au milieu de la nuit. La Piraude lui ferma les yeux puis hocha tristement la tête.

- Mon pauvre Antonin, c'était trop pour elle. Crois-moi, elle est plus heureuse que nous autres astheure.
Antonin suffoque.
- Elle est morte à mes côtés, et il fallait que je dorme, moi qui a le sommeil si léger. Elle est partie. Elle me laisse tout seul.
- Mais non, mais non, t'es point seul Antonin, dit La Piraude. T'as encore Janick, pardi...

Rond et gauche comme un ours, Janick venait de monter de la cale. Les traits tendus, l'oeil cave, il s'approcha gravement de la dépouille.

- Maman, fit-il à mi-voix.

Hébété, il regarda longuement cette petite vieille qui gisait, droite et blanche, sur le tillac. Gauchement, il s'approcha de son père qui sanglotait et lui glissa le bras autour des épaules, ne trouvant rien à lui dire. Louison accourut à son tour, et demeura, lui aussi, muet comme une carpe. La Piraude fit un grand signe de croix et récita le *Pater*. L'assemblée marmotta à voix sourde le *Donnez-nous aujourd'hui*.

Après un long silence entrecoupé de pleurs et de reniflements, un murmure grandit parmi les captifs. C'est sûrement le froid qui a fait mourir Bertine. Le froid et ce voyage infernal.

Deux matelôts descendirent dans l'entrepont avec une bâche.
- Allez-vous-en! hurla Antonin. Allez-vous-en! Vous la jetterez pas à la mer.

Les matelots écartèrent Antonin et s'empressèrent de rouler le cadavre dans la bâche. L'immersion eut lieu dans l'après-midi, après que Jacques Poirier eut entonné d'une voix étranglée l'*Ave Maris Stella*.

Gens sans terre, épisode inédit.

FLAGEOL

PIERRE CHATILLON

Né à Nicolet le six janvier 1939, Pierre Chatillon détient une Maîtrise ès arts de l'Université de Montréal et un Diplôme d'Études Supérieures de l'Université d'Ottawa. Professeur à l'Université du Québec à Trois-Rivières depuis 1968 où il anime des ateliers de création, Pierre Chatillon a remporté le Prix littéraire de Trois-Rivières en 1987.

Il a collaboré à *Livres et auteurs québécois, XYZ, Écrits du Canada français, estuaire, Châtelaine, Osiris, le Sabord* et à *En vrac*.

BIBLIOGRAPHIE

Les cris (poèmes), Montréal, Éditions du Jour, 1968, 100 p. Réédition en 1969.

Soleil de bivouac (poèmes), Montréal, Éditions du Jour, 1969, 96 p. (Édition remaniée en 1973).

Le journal d'automne (récit), Montréal, Éditions du Jour, 1970, 112 p.

Le mangeur de neige (poème), Montréal, Éditions du Jour, 1973, 128 p.

La mort rousse (roman), Montréal, Éditions du Jour, 1974. Édition remaniée : Montréal, Éditions Stanké, collection «Québec 10/10», n° 65, 1983, 305 p.

Le fou (roman), Montréal, Éditions du Jour, 1975, 108 p.

L'île aux fantômes (contes, précédés de le *Journal d'automne)*, Montréal, Éditions du Jour, 1977. Édition remaniée : Montréal, Éditions Stanké, collection «Québec 10/10», 1988, 308 p.

Philédor Beausoleil (roman), Paris, Éditions Robert Laffont; Montréal, Léméac, 1978. Édition remaniée: Montréal, Éditions Libre Expression, 1985, 186 p.

Poèmes (rétrospective des poèmes (1956-1982) regroupant *les Cris, le Livre de l'herbe, le Livre du soleil, Soleil de bivouac, Poèmes posthumes, Blues, le Mangeur de neige, le Château fort du feu, Le beau jour jaune, le Printemps, Nuit fruit fendu, l'Oiseau-rivière, Amoureuses)*, Saint-Lambert, Éditions du Noroît, 1983, 349 p.

La fille arc-en-ciel (contes et nouvelles), Montréal, Éditions Libre Expression, 1983, 217 p.

Le violon vert (poèmes), Trois-Rivières, les Écrits des Forges, 1987, 95 p.

L'arbre de mots (poèmes), Trois-Rivières, les Écrits des Forges, 1988, 82 p.

La vie en fleurs (contes et nouvelles), Montréal, XYZ Éditeur, 1988, 144 p.

Le violon soleil (poèmes), Trois-Rivières, les Écrits des Forges, 1990, 86 p.

EN TRADUCTION

Trois poèmes, trad. en anglais par Alexandre Amprimoz, The Tamarack Review, Toronto, 1977.

Quatre poèmes, trad. en chinois par Haizhen Zhou, Panorama des poèmes mondiaux, Shangaï.

EXTRAITS DE LA CRITIQUE

(à propos de *les Cris*) « De cet exorcisme auquel le poète s'est livré devant nous est née une poésie qui rejoint le niveau du puissant lyrisme des siècles. »

Gilles Leclerc, préface de *les Cris,* Éd. de l'Aube, 1957.

« Il y a dans ces *Cris* un immense talent. Un don particulier pour les images fortes, et avant tout de l'inspiration. »

Gérald Godin, *le Nouvelliste,* 16 mai 1959.

« Une des premières et des plus belles fêtes des sens de notre poésie si timide, on le sait, devant la vie. C'est un cri pur et radieusement païen. Plusieurs passages tremblent et flambent. »

Gatien Lapointe, *le Soleil,* 25 janvier 1969.

(à propos de *Soleil de bivouac*) « La poésie de Pierre Chatillon est une poésie écrite et qui, par sa perfection et son intensité, le demeurera longtemps. »

Roch Carrier, *Livres et auteurs québécois,* 1969.

« Certainement l'un des plus beaux textes de poésie que j'aie lus depuis longtemps. «Ma mort, dit le poète, est incurable.» Tant mieux, seuls les poètes destinés à l'immortalité meurent de cette mort-là. »

Suzanne Paradis, *le Soleil,* 11 octobre 1969.

(à propos de *le Journal d'automne*) «Cette fois je crie dans le piège : impossible de trouver le ton, les mots qui sauraient exprimer sans ambiguïté ni fausse note pourquoi j'aime ce livre. Envoûtement, voilà. »

Suzanne Paradis, *le Soleil,* 13 février 1971.

(à propos du *Mangeur de neige*) « Sans doute le tome capital de l'oeuvre de Pierre Chatillon.»

Louis Caron, *Courrier-Sud,* 9 décembre 1975.

« Ce beau texte poétique marque sans aucun doute une date importante dans notre littérature. »

Robert Giroux, *Livres et auteurs québécois,* 1973.

(à propos de *la Mort rousse*) « Ce roman, hymne à l'amour, se situe d'emblée parmi les plus beaux de l'année. »

François Hébert, *Études françaises.*

« Texte somptueux, ce roman est certainement l'oeuvre d'un écrivain authentique, puissant et varié (...) d'un grand poète surtout. »

Paul Gay, *le Droit,* 16 novembre 1974.

« C'est la réhabilitation de l'homme-coeur. (...) Une fascinante épopée ancrée dans la réalité de chaque être humain. Vécue par tous mais rarement exprimée avec une telle puissance. »

René Lord, *le Nouvelliste,* 14 décembre 1974.

« *La Mort rousse* se révèle un immense poème de couleur, de chaleur, de soleil et de beauté. Une authentique oeuvre d'écriture. »

André Gaudreault, *le Nouvelliste,* 17 décembre 1983.

(à propos de *l'Île aux fantômes*) «Pierre Chatillon possède un sens inné de l'image et nous donne ici quelques-unes des plus belles pages de la littérature québécoise actuelle.»

Gilles Gemme, *le Canada français,* 28 septembre 1977.

(à propos de *Philédor Beausoleil*) « Peu d'écrivains québécois possèdent le sens du merveilleux au même degré que Pierre Chatillon. (...) Un univers où règne la plus totale des libertés, des licences poétiques qu'un auteur peut prendre avec les formes narratives. (...) Il passe dans ce livre un grand vent de folie heureuse, chose rare en littérature québécoise. »

Michel Lord, *Nuit blanche.*

« Récit plein d'humour, (...) sorte de rêve éveillé qui se lit avec beaucoup de bonne humeur et de plaisir. »

Jean Sarrazin, Radio-Canada, 26 octobre 1978.

« Cette superbe geste québécoise devra prendre une place de choix dans notre littérature. »

René Lord, *le Nouvelliste,* 21 décembre 1978.

(à propos de *Poèmes*) « La parution de *Poèmes* marque sans aucun doute une date importante dans la vie littéraire du Canada. »

Kenneth W. Meadwell, *Canadian literature/Littérature canadienne.*

(à propos de *la Fille arc-en-ciel*) « Pierre Chatillon sait raconter les paysages, décrire les beautés d'un site avec un enthousiasme tel qu'on a envie aussitôt de la visiter, mais surtout il a l'art de brosser des portraits de femmes. »

Alice Parizeau, *la Presse,* 16 juin 1986.

«Le lecteur le plus exigeant trouvera dans ce recueil admirablement bien construit de quoi satisfaire son imagination. (...) Le style est soigné, la langue impeccable. »

Alain Gendron, *Québec français,* no 51, octobre 1983.

« La langue de l'auteur est d'une exceptionnelle richesse. (...) Ces contes, comme un hymne à la nature et à la femme, prennent sous sa plume la forme de l'oeuvre d'art. »

André Gaudreault, *le Nouvelliste,* 9 avril 1983.

« C'est peut-être cette oeuvre qui survivra à l'usure du temps. »

Michel Lord, *Lettres québécoises.*

EXTRAIT DE L'OEUVRE

L'HOMME AURORE

Brise l'oeuf du soleil
et libère les ailes du feu
prends ton vol ivre dans la flèche éclair
ne reviens pas dans cette vie, va plus loin
va vers la cible ailleurs
sois le brilleur
naître naître à chaque instant
efface la mémoire du souffreur
broie la terre dans ton poing
je n'ai plus souvenir
de ma planète de malheur
mets le feu dans la paille des étoiles
crée du neuf
ne te fane jamais, nais
nais avec des yeux de fleurs
ne t'arrache au sommeil
que pour voir des merveilles
chaque jour pose-toi sur un astre nouveau
écris NON au fer chaud
sur la peau du temps
jette la charogne de son corps en pâture
aux corbeaux rouges de ta rage
écris LUMIÈRE sur la mort
avec l'encre d'or du soleil
souffle sève dans la tige de tes os
joue de la flûte sur tes os
prends tous tes os en gerbe dans ta main
chaque os coiffé du gland d'une tulipe
ne plante pas ta tente dans le connu
nouveau-né éternel
lance la fusée de ton berceau dans l'infini
lance ton coeur au bout de l'univers
sois un arbre qui vole
plumes feuilles au vent
sur ses longues racines d'ailes
sperme feu dans le ventre d'azur
nais du ciel
sois le brilleur
sois l'homme aurore
aux ailes de soleil

Le violon vert, 1987, p. 91-92

INÉDIT

L'OISEAU

Ils filaient en canot sur la rivière, pagayant en cadence. En un lieu désert. Un goéland parfois planait au-dessus d'eux. La rivière, ondulant entre deux rives montueuses, ressemblait à une femme couchée entre les cuisses d'un géant. Il émanait de ces deux amants un désir de chair si intense qu'on eût presque pu le palper dans l'air. C'était un de ces jours de juillet où les yeux des fleurs sauvages pétillent de plaisir.

Ils accostèrent sur une batture luisante comme une lèvre. La jeune femme y courut, caressant de la main une fourrure de salicaires roses déployée là tel le poil d'une bête tendre et féerique. Dans les buissons, elle cueillit, rieuse, une poignée de framboises. Il vint vers elle, la dépouilla de ses légers vêtements, se laissa tomber à genoux devant elle, cueillit avec sa bouche le fruit de son sexe. Il la coucha sur le sable, s'allongea sur elle et, lorsque la fête de sa sève la remplit de joie, elle eut un tel besoin de posséder en elle toute la beauté du jour que la rivière pénétra dans son ventre et trois grands saules et des papillons jaunes et toute la fourrure des salicaires.

La jeune femme ouvrit ses bras qui devinrent des ailes et, portant sur elle son ami, elle s'éleva loin, loin, au-dessus de la terre, s'éloigna dans l'espace, loin, loin, hors de notre système solaire. L'homme, se dégageant d'elle, pétrissant le bleu du ciel, parvint à lui donner la consistance d'une sorte de nid d'azur. Ils s'y couchèrent, nu à nu, comme en un doux lit volant.

Du ventre de la jeune femme sortirent la rivière, les trois saules, les papillons jaunes, les salicaires. Et parce qu'ils avaient été portés en ce sein, ils renaissaient inaltérables, investis du pouvoir d'échapper à jamais aux modifications et aux flétrissures du temps. Puis la jeune femme pondit douze oeufs d'où se dégagèrent douze oiseaux d'or qui devinrent immenses et qui se mirent à irradier de la lumière.

Alors, autour de leur nid bleu où coulait une rivière, où se dressaient trois saules, où voletaient des papillons, l'homme disposa les salicaires de façon à constituer un sompteux anneau de fleurs roses. Les douze oiseaux immenses prirent place autour de cet anneau, formant une sorte de couronne d'or. Et cet étrange lit d'amour, loin, loin, loin de la terre, devint le soleil d'un nouvel univers.

**SIMONE
G. MURRAY**

Simone Gélinas-Murray est née à Shawinigan. Elle a obtenu un baccalauréat en musique de l'Université de Montréal et a suivi des cours en
élocution française de l'Université de Montréal et du Conservatoire
Lasalle. Fondatrice des Jeunesses Musicales du Canada (centre Shawinigan), fondatrice et directrice du Centre d'Art de Shawinigan (1960-
67), directrice de plusieurs ensembles musicaux, elle remporta le trophée Marly-Polydor avec Lionel Daunais en 1948.

Simone G. Murray fut également professeur de musique de 1941 à 1965
dans une institution privée, professeur au Camp des Arts des Jeunesses
musicales du Canada au Mont Orford de 1954 à 1960 de même que
professeur de musique au Séminaire Sainte-Marie de Shawinigan de
1965 à 1970. Outre la musique, Simone G. Murray écrit de la poésie et
du théâtre. Elle a remporté la Rose d'Or de l'Île des Poètes (Lyon,
France) en 1968. Ses collaborations : *la Menure* (Paris, France), *Livre
d'Or de la poésie française contemporaine, APLM, APLF, Passages,
le Sabord* et *En Vrac*. Sa pièce *Un jour eut sa nuit*, diffusée à Radio-
Canada MF, a été choisie en 1989 pour représenter le Canada au Prix
Paul-Gibson .

BIBLIOGRAPHIE

Clairs-obscurs (poésie), Monaco, Éditions Regain, 1956, 94 p.

Chants d'argile aux étoiles (poésie), Québec, Éditions Garneau, 1969, 82 p.

Blues indigo (poésie), Trois-Rivières, Écrits des Forges, 1986, 71 p.

À tir d'elles (poésie), Trois-Rivières, Écrits des Forges, 1990, 67 p.

EXTRAITS DE LA CRITIQUE

(à propos de *Clairs-obscurs*) « Forme lapidaire. Fantaisie, humour, don de brosser un portrait. La mesure variée du vers, son harmonie et une merveilleuse inspiration ravissent le lecteur. »

Albert Laberge, *la Patrie,* 26 mai 1957.

« Exotisme, érotisme discret, profusion d'images. Oeuvre farcie de merveilleuses réussites. »

Ronald Després, *l'Evangéline,* 26 janvier 1957.

« Reflets changeants d'une vive sensibilité. Une pointe d'humour perce çà et là et ne gâte rien.»

P. Th., *la Tribune de Genève,* 13 juillet 1957.

« Poussées en tous sens, beaucoup de dons, remarquable agilité dans l'ironie. »

Pierre G., *la Libre Belgique,* 10 décembre 1956.

(à propos de *Chants d'argile aux étoiles*) « Une poésie dépouillée et concise qui se caractérise par l'emploi constant de l'ellipse, qui se rapproche de plus en plus d'elle-même, insaisissable, mystérieuse en soi, telle la vie. C'est beau, assez extraordinaire. »

Jacques Ferron, *le Petit journal,* 27 juillet 1969.

« Poésie exotique, originale, avant-gardiste. Verve d'âge atomique. »

Rénald Massicotte, *le Nouvelliste,*1969.

(à propos de *Blues indigo*) «Un style, des images réduites à l'essentiel de la beauté. Un blues coloré, éclaté. »

René Charest, *Moebius,* été 1986.

« L'écriture de ce recueil nous transporte en un rythme étonnant. Surréaliste d'influences; un humour rappelant Henri Michaux, et le rythme incendié d'un Paul-Marie Lapointe. »

Claude Paradis, *Québec français,* octobre1986.

« Quelle vigueur! Le soleil dévore. Les ivoires perlent. C'est un livre de parfum. »
Louise de Gonzague, *Arcade,* février 1987.

« Une oeuvre forte, fine et jeune. Dans l'économie des mots pour s'exprimer en quelques phrases lapidaires, Simone Murray choisit les plus beaux, les plus musicaux pour décrire le périple de son existence. »

Michelle Roy, *le Nouvelliste,* 26 avril 1986.

« Pureté totale de l'expression, du mot précis, de la note juste, de l'image neuve. Le vers a la rigueur d'une musique. »

Roland Héroux, *En Vrac,* juin 1986.

EXTRAITS DE L'OEUVRE

UNE FEMME QUI RÊVE...

Nénuphar rose et blanc,
Sirène au corps frémissant
Trempant son col dans un étang...
Tableau que parachève
Le soir voilé d'indigo,

Diaphane rideau
Baigné d'un clair de lune
qui jaspe l'eau brune
De barriolages d'or
Essentiels au décor...

Tout au fond, une grotte
À stalactites de saphir

D'où nous flotte
Une musique à ravir
Les damnés.

De la harpe magique,
Cabalistique,
Les sons mélodieux et perlés

Des arpèges

Sèment partout les sortilèges

Et nul ne se défend
Contre cet envoûtement...

Clairs-obscurs,   1956.

OFFRANDE

Sur ce rayon de lune
que j'étire étire
à la finesse d'un cheveu

une à une j'enfilerai
cette poignée d'étoiles

afin de composer
la mélodie d'un collier

qui rira par cascatelles
        autour du cou
de mon enfant à deux ailes.

Aux étoiles j'ajouterai
l'alto d'un modeste médaillon
        incarnat

                deux lobes
                une pointe

que j'enrichirai
de paillettes d'arcs-en-ciel

car rien n'est trop beau
pour mon enfant à deux ailes

        à deux ailes

                Chants d'argile aux étoiles, 1969.

L'INTRUSE

Toi qui franchis les portails
        en bousculant la garde

grande indésirable au repas de famille
effroi de tous les convives

pique-assiette éhontée

jamais hors-d'oeuvre
toujours en entrée

qui rôtis le dindon du plat de résistance
et le dévores -goinfre insatiable-
        en piétinant les actions de grâce

qui dépouilles du fromage et du fruit
Job comme Crésus

qui surgis du gâteau-surprise
répugnante dans tes oripeaux
d'effeuilleuse

MORT

aux majuscules d'os
ossifiante et putréfiante

MORT

seule immortelle dans la salle des condamnés

MORT

vieille vache

Blues indigo, 1986, p. 70-71.

INÉDIT

UN JOUR EUT SA NUIT

Personnages : LA MÈRE, ultra possessive, enrobe dans les plis d'une religion faussée ses pensées les plus inavouables. LE FILS, un déséquilibré de qui elle a exigé une promesse impossible. LE NARRATEUR situe le décor.

- Viens, relate à ta mie les péripéties de cette journée pas comme les autres. Il s'agit *d'elle*, pas vrai?

- Ah, la mère, c'est pas de ma faute, ça me commandait. La solitude lui fut toujours insupportable. Une bête noire à fuir avec effroi.

- (aparté) Lorsqu'on a une conduite aussi déréglée que la sienne, on a raison d'avoir peur, car on a peur de soi-même.

- À mon arrivée chez elle, l'accueil me fut souriant. Je sus immédiatement que *l'autre,* son compagnon d'alors, était parti.

- (sarcastique) En attendant le suivant.

- Dieu, qu'elle était belle! L'idée me vint alors de lui demander d'endosser... sa robe de mariée. Dès cet instant, la mère, un démon s'empara de moi. Subjugué, incapable d'opposer la moindre résistance, je la saisis dans mes bras et me mis à la couvrir de caresses... à l'embrasser à m'en saouler! Un monstre me possédait. J'étais *agi,* la mère, *agi.* Ce n'était plus moi.

- Ah, passion maudite! (...) Vois-tu, fils, les choses de la chair... cela est sale, vulgaire, bestial. Admissible seulement pour fins de reproduction. C'est ce qu'en pensaient les saints. (...) Lorsqu'elle te quitta, tu ne l'avais pas souillée... déflorée?

- Rassure-toi. Je t'obéis à la lettre, *tel que tu me l'avais fait promettre.* Et la vertu de chasteté dont tu m'as inculqué la vénération demeure à mes yeux d'une valeur inestimable...

- Le Seigneur soit glorifié!

- Mais cette fois c'était la démence. Dans ma frénésie lubrique, je tentai d'assouvir mon appétit... sexuel, et d'aller jusqu'au bout de l'acte! Heureusement, elle me repoussa. «Pas toi, pas toi», qu'elle disait.

- (perfide) Tout de même... à quel titre te refusait-elle ce qui te revient de par la loi quand elle l'accorde si facilement à ceux qui n'y ont aucun droit?

- Ne songe pas à cela, voyons! Tu aurais dû l'entendre! «Je ne suis plus digne de toi», qu'elle me dit. «Me rejettes-tu à cause de ma laideur?», que je lui dis. «Au contraire, qu'elle me dit, c'est moi la hideuse. Toi tu es beau en-dedans. Tous ces hommes auxquels je me livre... c'est dans ma nature. Mes sens ont la faim vorace d'une tumeur rongeuse de cellules. Nous sommes aux antipodes, toi et moi, pas faits l'un pour l'autre. Je suis une tarée. Et cette vie répugnante que je mène, rien ni personne ne peut m'en soustraire. Parfois... je me prends à souhaiter de sombrer dans un sommeil dont je ne reviendrais jamais. Car la mort... est souvent moins effrayante que la vie.» Tu vois, résidait en elle un idéal de pureté, telle une humble mais touchante veilleuse. Dès lors, la mère, il y eut en moi une sorte de bris, comme le bruit sec d'une porcelaine cassée. Un cancer lui dévorait l'âme, me faisant pâtir autant qu'elle. Faute d'action de ma part pour la sauver selon ses aspirations, nous allions tous subir un supplice d'enfer. Il n'est qu'une

101

solution, que je me dis. Alors... alors mes deux mains remontèrent vers son visage que je caressai longuement. C'était de la soie... Son coeur était mon propre coeur, et j'allais marcher dessus! Comprends-tu, la mère, comprends-tu?

- Ne pleure pas, fils, je te comprends.

- Elle s'éteignit comme un petit poussin, en ayant l'air de me dire merci, lorsque mes doigts cessèrent de presser sa gorge.

> *Un jour eut sa nuit,* extrait d'une dramatique présentée au Théâtre du Lundi de Radio-Canada MF, le 13 février 1989 et sélectionnée pour le Concours des télévisions francophones pour représenter le Canada.

**FRANCOIS
DE VERNAL**

Né à Dijon, France, le vingt-neuf décembre 1933, François de Vernal réside au Québec depuis 1955. Il a étudié en droit à Aix-en-Provence et en Lettres à l'Université d'Ottawa. Après un séjour de cinq ans en Afrique où il fut responsable d'un projet de coopération avec l'Agence Canadienne de Développement international, il devint professeur au Cegep de Shawinigan où il fait de l'animation littéraire.

Poète, scripteur radiophonique et dramaturge, il a remporté la Médaille d'Or de l'Ecole Supérieure de culture française contemporaine de Paris en 1983. Correspondant depuis 1970 de la *Revue indépendante* (organe littéraire du Syndicat des journalistes et écrivains de France), il a écrit au-delà de cinq cents textes dramatiques et documentaires pour la télévision et le réseau MF de Radio-Canada.

BIBLIOGRAPHIE

Pour toi (poésie), Montréal, Éd. du Soir, 1956, 46 p.

La villa du mystère (roman), Montréal, Éd. Beauchemin, 1959, 96 p.

Le jardin de mon père (poésie), Montréal, Éd. Leméac, 1962, 79 p.

Textes choisis de Radio-Canada (en collaboration), Montréal, Éd. Radio-Canada, 1965.

D'amour et de douleur (poésie), Paris, Éd. P.J. Oswald, 1967, 86 p.

Jean le lâche (théâtre), Paris, Éd. P.J. Oswald, 1967, 86 p.

Vivre ou mourir (nouvelles), Paris, Éd. P.J. Oswald, 1970, 58 p.

Grands poètes du monde: de Walt Whitman à Patrice de la Tour du Pin (essai),Trois-Rivières, Éd. Bien Public, Coll. «Études poétiques», 1981, 116 p.

Hypnose suivi de *Pulsion*, (poésie), Shawinigan, Éd. Les Glanures, 1989, 128 p.

EXTRAITS DE LA CRITIQUE

« Recueil de trente-sept poèmes en vers libres dont le rythme rappelle la comptine, la chanson et la ballade, *le Jardin de mon père* paraît en 1962. Les rêveries du poète prennent racine dans les images terrestres: jardin du père, terre d'appartenance, terre du souvenir. Deux mouvements animent ces poèmes : l'un est nettement angoissé face à la menace de la guerre, de la solitude et de la mort. Le sol est alors une tombe profonde. L'autre mouvement, plus gai celui-là, près de la vie et de l'enfant, présente la terre comme un immense jardin où il fait bon chanter et danser. (...) Ces préoccupations religieuses reviennent avec plus d'ampleur dans le recueil *D'amour et de douleur.* Ici, le poète raconte, en une suite de poèmes en vers libres ou simplement en prose, que l'existence humaine est faite de vie, d'amour et de mort. Encore une fois le bestiaire est utilisé, notamment la figure du cheval, pour représenter les instincts de vie. Mais cette poésie exprime davantage la douleur, et les images du sang reviennent souvent. »

France-Nazair Garant, *Dictionnaire des oeuvres littéraires du Québec,* vol IV, 1960-1969.

« Le spirituel et l'affectif se confondent chez François de Vernal : il chante *à pierre fendre* — et souvent dans la même page — son amour et sa douleur, l'humain et le divin. Ce poète n'est pas de ceux qui écrivent pour ne rien dire. Ses vers éveilleront dans le coeur du lecteur ami de la poésie un frémissant écho. »

François Bourdages, «François de Vernal poète de l'amour et de la douleur et poète de Dieu», in *Credo,* 24 février 1968, p. 13.

« (...) François de Vernal est de ces êtres pour qui écrire est une nécessité vitale; de ces êtres qui trans-muent la vie en paroles et qui du quotidien et de l'anodin retiennent la subtantifique saveur: ceux-là sont des poètes. (...) Ne traduit-il pas les aspirations les plus urgentes de notre siècle? Il y a en effet ce phénomène encore inexpliqué qui veut que les poètes prédisent la sensibilité de l'univers et soient comme l'ombre, une ombre qui précède celui qui marche. »

Kéléfa, «François de Vernal, chantre de la fraternité», in *l'Unité africaine,* Dakar, Sénégal, 27 juillet 1967, p. 8-11.

EXTRAITS DE L'OEUVRE

Et le temps fuyait et j'ai eu peur de la mouche morte qui était en moi.
Après une ville, il y eut une autre ville.
En perpétuelle recherche, je créais un champ d'action
                    au gré de mes désespoirs.
Nous sommes partis, nous étions victimes, nous étions incompris.
Stoppeur des mondes pervers, passager clandestin, c'est dans le Midi
que j'ai trouvé un premier phare à mon existence.

J'entrai dans ses remparts, pieds nus.
Le premier soldat que je vis s'avança et de sa lance me barra le passage.
« Où vas-tu, manant? »
J'ai ri, il a reculé. J'ai pris sa lance et, sur mon genou gauche, en deux
je l'ai cassée.
Je lui ai tendu le bout pointu, aiguisé,
Et j'ai murmuré doucement :
« Prends-le, ami, une demi-lance tue aussi bien qu'une entière... »
Il a grogné des paroles lourdes et inarticulées.

Il s'est précipité pour me transpercer.
Des badauds regardaient
Et je riais, et les badauds riaient, et le soldat a ri.
Au bout de la lance figée au sol, nous avons mis nos chapeaux,
Seul, le soldat n'osait pas mettre le sien,
Cela se comprend, sans chapeau il n'est rien.
Un enfant insolent le lui a arraché.
Le crâne était chauve.
Il paraissait vieux et malheureux.
Je lui ai tendu le mien, il le tournait au bout de ses gros doigts.

Vivre ou mourir, 1970, p. 30.

NOUS PRENONS NOS SILENCES

Nous prenons nos silences pour une prison,
Nous prenons nos angoisses pour du génie,
Nous croyons en notre dédoublement,
Et nous pleurons devant une feuille vierge.

Notre poésie est douleur,
Elle serpente,
Elle est blanche.

Non; crie le magicien au loin, la poésie est rouge.
Nous croyons à la rédemption par le verbe.
Et pourtant
Nos mains,
Nos pieds sont immobilisés.

La poésie est violette,
Elle s'écrit à l'encre.

Sur le tapis fané, pelé comme un chien,
Sur le mur poisseux,
Oh! Blasphème
Le poète écrit son alphabet.

Hypnose suivi de *Pulsion,*1989, p. 116.

SUBSTITUTION

Pour tout lecteur, navigateur du verbe, un livre c'est un certain nombre de feuilles de papier, mélange d'un style et d'une histoire.

Il y a ceux qui demandent le rêve et l'évasion et d'autres qui sont à la recherche d'un vécu où l'auteur finalement, vaincu par sa propre recherche de la vérité, se laisse prendre à l'histoire de sa vie et souffre une deuxième fois aux souvenirs transformés de sa propre errance.

À travers les lignes, l'écrivain, à l'âme poétique, prophétisera l'avenir. Son propre avenir ou un devenir qui se confond avec certains rêves. Tout écrivain sincère est à la fois homme d'action et de contemplation. Homme solitaire, il refuse de s'intégrer définitivement à la communauté et à travers son personnage répété sans cesse, comme un mythe, le héros prendra son envol : un pays, une ville, une maison, une famille.

Première image d'un destin d'homme, le bruit de la guerre sur l'Europe, bruit de tonnerre, écho dans les souvenirs, il paraît monstrueux. Brusquement, il éclate. Il est là terrible, odieux, frémissement dans la chair; alors il s'agit de jeter ses souvenirs aux orties. Transformation de l'histoire : Gérôme est né un certain mois de décembre frileux, incertain, où l'hiver et la guerre, confondus dans le même frisson, font entendre le bruit mat et fou d'une armée qui viole un pays. La terre, elle-même, est devenue sacrilège.

MARCEL GODIN

Marcel Godin est né à Trois-Rivières le dix mars 1932. Après des études primaires au Jardin de l'Enfance, à l'Ecole Dupuis et à l'Académie de La Salle, il a fréquenté les collèges classiques de l'Assomption et de Saint-Alexandre-de-Limbour, le Lycée Paul-Valéry, l'Ecole des Beaux-Arts de Québec ainsi que le New-York School of Interior Design.

Journaliste, il a oeuvré à *la Presse,* au *Nouveau Journal,* au *Monde Professionnel,* à *la Patrie* et au *Magazine Maclean.* En plus de la radio de Radio-Canada, il a travaillé comme conseiller, recherchiste et rédacteur en chef à la télévision, notamment pour les émissions *Aujourd'hui, Format 30, Ce soir* et *l'Observateur.* Il a été conseiller littéraire de plusieurs maisons d'édition.

Marcel Godin a été fondateur et directeur de la SARDEC et de l'UNEQ. Finaliste au Prix David en 1965, il a remporté le Grand Prix du roman de l'Union des écrivains québécois en 1986 pour son roman *Maude et les fantômes.* Il a collaboré à *Liberté, Tamarack Revue, Nous, Revue de Poche, Situation, Études françaises, Brèves, Écrits du Canada français, Exchange, Châtelaine, Maintenant, Perspectives,* ainsi qu'à plusieurs quotidiens dont *la Presse, le Devoir* et *le Soleil.*

109

Marcel Godin est membre de l'Union des Artistes, de la CPAC, de la Société des Gens de Lettres ainsi que du PEN Club international.

BIBLIOGRAPHIE

La cruauté des faibles (nouvelles), Montréal, Éditions du Jour, Coll. Les Romanciers du Jour, 1961, 125 p.; réédition aux Éditions de l'Hexagone, coll. Typo, 1985.

Ce maudit soleil (roman), Paris, Éditions Robert Laffont, 1965, 190 p.

Une dent contre Dieu (roman), Paris, Éditions Robert Laffont, 1969, 211 p.

Danka (roman), Montréal, Éditions de l'Actuelle, 1971, 173 p.

Confettis (nouvelles), Montréal, Éditions Stanké, 1976, 179 p.; réédition Éditions HMH, 1978.

Manuscrit (poèmes), Montréal, Éditions Stanké, 1978, n. p.

Maude et les fantômes (roman), Montréal, Éditions de l'Hexagone, 1985, 153 p.

Après l'Eden (nouvelles), Montréal, Éditions de l'Hexagone, 1986, 97 p.

Les anges (roman-document), Paris, Éditions Robert Laffont, 1988, 235 p.

Le jardin de l'enfance (titre provisoire), roman à paraître en 1990.

EXTRAITS DE LA CRITIQUE

(à propos de *la Cruauté des faibles*) « (...) Les onze nouvelles de ce recueil prennent surtout valeur de témoignage sur l'intolérance de la société québécoise à une époque pourtant pas si lointaine. Sans négliger le fait qu'on lit ces textes avec un plaisir certain, y découvrant un humour qui prend racine dans un cynisme provocateur, s'amusant de l'irrespect gavroche avec lequel sont abordés les thèmes de l'amour et de la mort. »

Michel Laurin, *Nos livres,* Vol 17, n° 6584, p. 29-30.

(à propos de *une Dent contre Dieu*) « Marcel Godin a la phrase brève, sinon hachée de ponctuation. (...) Dans sa simplicité, le vocabulaire a quelquefois une fraîcheur bien locale qui ne déplaît pas. »

Louis Lafleur, *Livres et auteurs québécois 1969,* p. 45.

(à propos de *Danka*) « Le périple de Marcel Godin, c'est de son premier livre à son dernier, autour de soi qu'il s'accomplit. Mais, en *Danka,* les îles rencontrées ne sont plus tenues à bonne distance de regard comme dans *la Cruauté des faibles,* ni rejetées, pour cause de heurts, comme dans *une Dent contre Dieu,* ni grossièrement abordées et saisies comme dans *Ce maudit soleil,* elles sont pressenties et acceptées pour ce qu'elles sont ou paraissent être : joies provisoires d'un désir qui n'a de cesse. »

René Dionne, *Livres et auteurs québécois 1971,* p. 53.

(à propos de *Maude et les fantômes*) « Voici un récit qui, situé dans le halo de la réalité, parvient à ravir le lecteur, grâce à la limpidité et à la richesse de sa prose. »

Michel Laurin, *Nos livres,* Vol. 17, no 6504.

EXTRAITS DE L'OEUVRE

RENCONTRE OU LA CRUAUTÉ DES FAIBLES

Il n'y avait pas de lumière à la maison. J'allumai la lampe du couloir. Je déposai ma valise près du petit secrétaire et me dirigeai vers la salle de bain. Une débarbouillette mouillée dégoulinait. Des bas de nylon étoilés de petites gouttelettes pendaient au support du rideau de la douche. Je souris en voyant cela. C'est tellement féminin : un bain, un lavage de bas et de sous-vêtements, un certain désordre, quelques cheveux laissés autour d'un peigne. Un parfum aussi! Le plus secret et le plus personnel des parfums : l'odeur même de Carmen. Et j'étais heureux.

La croyant endormie, je ne voulus pas la réveiller et me déshabillai dans le couloir. Je déposai mes vêtements sur le secrétaire. Sans bruit. J'aurais aimé écouter un peu de musique! Je fumai une cigarette, éteignis la lampe et entrai discrètement dans la chambre.

J'étais nu. Je me couche toujours nu. C'est tellement plus confortable quand il n'y a pas de pyjama pour gêner les mouvements. Près du lit, il y a une petite table. C'est là qu'habituellement je dépose mon livre de chevet, mes boutons de manchettes, ma montre et ma monnaie. Il y a une veilleuse excessivement discrète. Comme elle ne réveille jamais Carmen, je l'allumai.

Stupéfaite, horrifiée, Carmen me regardait. Le cri de ses yeux me renversa. Mon coeur battit un peu plus vite et je me convulsai. Des sueurs perlèrent à mes tempes. Carmen baissa les yeux. Pouvait-elle faire autrement? On dormait à côté d'elle. (...)

La cruauté des faibles, 1961, p. 91-92.

L'AVEU

Fidèle à mon caractère — dépenser ce que je gagnais au jour le jour, au cas où je serais privé du lendemain, — je nous offris un dîner aux chandelles dans la chambre. Je commandai un repas de crustacés, dont elle raffolait, avec la bénédiction de Dom Pérignon.
- Tu ne crois pas que nous devons nous créer des souvenirs pour les jours où nous serons vieux?
- Je n'ai pas encore l'âge des souvenirs.
- Moi, oui.

Je fis un rêve qui hanta ma nuit. J'étais pendu à la branche d'un arbre démesuré, par une grosse corde de chanvre; face à une lune blanche, au moins cinq fois plus grosse qu'en réalité, dans laquelle dansaient lascivement en des déhanchements, des contorsions obscènes et indécentes, toutes les filles qui, jadis, avaient eu leur nom souligné dans mon carnet d'adresses. Maude apparut, de blanc vêtue, dans une robe en soie transparente, tenant à la main une faux dont la lame brillait, phosphorescente et bleue. Elle passa parmi les filles, sortit de la lune, mit pied à terre et vint vers moi. Elle leva sa faux en un geste mesuré, prit un élan en faisant demi-tour sur elle-même, ce qui entraîna un mouvement de sa robe et de ses longs cheveux, et elle coupa la corde si brusquement que je me suis réveillé en bas du lit, en sueur, englué, recroquevillé et foetal, comme dans le vide d'avant ma naissance.

Je repris place près de Maude au corps chaud et, l'estomac torturé par les crustacés, cherchai un sommeil qui ne vint pas.

Maude et les fantômes, 1985, p. 86-87.

SUD

Sud du soleil perpétuel, d'Est en Ouest éblouissant et de l'Est et de l'Ouest se méfiant à ce point que le roi noir qui est une reine a fait ériger le long de ses frontières une colossale haie de rosiers géants constamment en fleurs qui parfume le ciel et endort l'ennemi possible. Ses épines, longues comme des épées et aussi dures que l'ébène, éloignent ceux ou celles qui sont tentés de franchir les frontières, car on ne peut accéder au noir qu'après avoir traversé la nuit du deuil, de la souffrance, de la faim, de la soif et la plus cruelle des nuits, celle de la rencontre de la solitude. (...)

Sud, ombres évocatrices. Sud ou l'on n'enterre pas, ou l'on empile les morts dans des cubes de marbre blanc pour que le soleil les dessèche et, de morts en morts, on a construit des forteresses qui brillent de blancheur phosphorescente quand le soleil surplombe et projette une ombre si douce qu'hommes et femmes viennnent s'y asseoir pour tempérer leur âme calcinée par les débauches, les orgies, la luxure, la dépravation, les transes et tous les excès du sang versé pour le sang versé.

Le rire des Sudistes est éclatant de blancheur, peu importe ce qui le provoque, mais le rire a l'éclat du sang et le sang a l'éclat du rire.

Ils dansent sans arrêt au son des cordes, des tambours et des lyres. Tout leur corps n'est que frémissements. Ils sont beaux, elles sont belles, tous à l'image et à la ressemblance du roi noir qui est une femme et qui porte le nom de Reine.

Sud noir des jours sombres où les poissons à tête d'homme quittent les eaux pour enseigner, prêcher et convertir à l'Essentiel. Sud noir, saisons des vents chauds et des sols calcinés, saisons des vols d'oiseaux à tête de femme qui planent au-dessus de tout ce qui est bas. Règne d'oiseaux à tête de femme! Sud soumis à la pauvreté. Reine qui règne dans le triangle de ses miroirs refermés sur elle-même. Reine, perle noire face au Nord blanc qui veille. (...)

Sud noir, peuple calciné dont la braise donne des diamants pour vêtir le sexe de Reine ou le merveilleux se mire au soleil du midi, quand la tête souriante d'un Noir pleure sans cesse et que son corps va, sans savoir où aller, en longeant la haie frontalière des rosiers.

Après l'Eden, 1986, p. 81-87.

INÉDIT

LA TRISTESSE VOILÉE DE DIEU

- Où vas-tu, monsieur?

La voix qui posa la question était limpide, engageante, sûre, précise, directe; bref, c'était celle d'une petite fille noire comme une mûre au sourire éblouissant, belle à croquer, qui se tenait droite, pieds écartés, les mains dans le dos, sans fanfaronnade. Mais les yeux! Oh, les yeux! Que de la tristesse voilée de bleu.

- Où vas-tu? répéta-t-elle, cette fois suppliante.
- Je m'en vais faire les courses, répondit l'homme, à la fois amusé et curieux.
- Est-ce que je peux venir avec toi?
- Mais, hésita-t-il, je ne sais pas. Il faudrait demander à tes parents. Où habites-tu?
- Je ne sais pas.
- Tu ne sais pas?
- Je ne sais plus, précisa la petite fille.
- Tu dois sûrement avoir une maman, un papa, une maison.
- J'ai rien.
- Ce n'est pas possible, poursuivit l'homme, intrigué, qui s'accroupit et la regarda de près. Quelle enfant, se dit-il, et il enchaîna : « Alors tu n'as ni maman, ni papa, ni maison?»
- J'ai plus.
- Dis- moi ce qui est arrivé.
- Je suis partie.
- Tu es partie... Il se gratta la tête, consterné, et il essaya le plus vite possible d'en savoir le plus possible pour se rassurer. Commençons par le début, si tu veux. Et puis, quand j'aurai compris, nous pourrons peut-être aller faire les courses.
- Mon papa et ma maman sont jamais à la maison et quand ils sont là, ils se battent. Je suis partie.
- Quel est ton nom?

- Zoé.
- Zoé qui?
- Zoé.
- Mais Zoé qui?
- Zoé.
- Allons pour Zoé! Où habites-tu?
- Par là, répondit la petite fille en levant la main vers un point indéfini.

Le pauvre homme, ahuri, se releva, ne sachant que faire, que dire. Il prit une lente respiration et, charchant à comprendre, à la fois charmé par la petite fille et inquiet, il lui prit gentiment la main et l'entraîna non sans songer à la vague de kidnappings dont les médias faisaient la une et attisaient l'hystérie collective et la peur dans toute la population parentale.

Il fit ses courses comme d'habitude, en réfléchissant à ce qu'il fallait faire en la circonstance. Il acheta une gâterie au goût de Zoé et rentra directement avec elle à la maison, tandis qu'elle lui posait des questions sur la différence entre quelqu'un, quelque part, n'importe où, n'importe qui, n'importe comment, n'importe quoi, nulle part et ailleurs; ce qui l'amusa beaucoup venant d'une petite Zoé qui n'avait pas encore six ans.

- Ici, ce n'est pas n'importe où. Ce n'est donc pas nulle part et ce n'est pas ailleurs. C'est ici. Et ce n'est pas n'importe qui qui y entre, c'est toi et moi. Je m'appelle Guillaume. Nous allons chez moi. Derrière cette porte, il y a quelqu'un qui n'est pas n'importe qui, c'est Élisabeth qui ne fait pas les choses n'importe comment parce que c'est quelqu'un. La petite fille gloussa: «Je savais».

- Zabeth, dit-il, en ouvrant la porte, nous avons de la visite, viens.

Et Zabeth vint, regarda, hébétée, là, quelques secondes, puis ayant lu dans les yeux de Guillaume qu'il y avait un incident, elle tendit la main vers l'enfant alors que Guillaume la présentait chaleureusement: «C'est Zoé! Elle a fait les courses avec moi.» Il déposa les sacs d'emplettes sur la table de la cuisine et tandis que Zabeth invitait Zoé à l'aider à ranger tout ça, Guillaume feignit avoir oublié d'acheter des cigarettes pour ressortir, grimaçant comme un singe pour essayer de faire entendre à Zabeth qu'il allait résoudre le problème de l'enfant qui venait de leur tomber du ciel.

Après avoir tout rangé en conversant avec la belle Zoé, Zabeth n'en sut pas plus que Guillaume. Elle était en présence d'une petite fille qui venait de par là, qui n'avait pas de nom de famille et dont les parents n'étaient jamais là et se disputaient tout le temps quand ils étaient ensemble. Et tandis que Zabeth découvrait les charmes de Zoé, Guillaume alertait la police, les priait de leur envoyer leur meilleur pédagogue, le plus doux et le plus gentil qui se ferait passer pour un ami. Ce qui fut fait. Quelques heures plus tard, trois adultes n'en savaient pas plus. Il y avait Zoé de nulle part, un papa quelque part, une maman n'importe où et une maison ailleurs.

Il fut convenu entre adultes que le choix de Zoé serait respecté, le temps de trouver une autre solution sans qu'il y ait drame. Il n'y eut que bonheur. Zabeth et Guillaume voyaient leur rêve enfin réalisé. Zoé ne semblait avoir que des qualités. Elle ne prenait presque pas de place dans l'appartement qui n'avait qu'une chambre et elle couchait par terre, sous la table à café, comme elle le désirait, avec la présence d'un petit ours en fourrure et une couverture de laine dans laquelle elle s'enroulait pour dormir dès que la nuit tombait, indifférente à la lumière et aux bruits ambiants.

Quelques jours passèrent sans que personne ne déclara la disparition de l'enfant. Une photo fut publiée dans les médias et cela ne donna rien. Tous les intéressés nageaient en plein mystère, mais Zabeth et Guillaume étaient enchantés de la tournure des événements et songeaient déjà à louer une maison plus grande pour le bien-être de la petite devenue le centre d'intérêt de leur nouvelle vie. Vêtements, jouets; on ne regardait pas à la dépense. Fête c'était : un Noël permanent.

Puis un jour, Zoé recommença le même manège, dans un autre quartier de la ville et elle toisa un homme aux tempes grises pour lui demander de sa voix limpide, engageante, sûre, précise et directe :
- Où vas-tu monsieur?
- Je m'en vais faire les courses, répondit l'homme, à la fois amusé et curieux.
- Est-ce que je peux venir avec toi?
- Mais, hésita-t-il, je ne sais pas. Il faudrait demander à tes parents. Où habites-tu?
- Je ne sais pas.
- Tu ne sais pas?
- Je ne sais plus, précisa la petite fille.
- Tu dois sûrement avoir une maman, un papa, une maison?
- J'ai rien.
- Ce n'est pas possible, poursuivit l'homme intrigué, qui s'accroupit et la regarda de près. Quelle enfant, se dit-il, et il enchaîna : «Alors, tu n'as

ni maman, ni papa, ni maison?»
- J'ai plus.
- Dis-moi alors ce qui est arrivé.

Le nouveau venu n'en sut pas davantage que Zabeth et Guillaume, mais la petite fille donna pour excuse de son départ : « Ils s'embrassent tout le temps. Ils sont toujours ensemble, ne se quittent pas d'une semelle. Je suis partie. »

GÉRALD
GODIN

Né à Trois-Rivières le treize novembre 1938, Gérald Godin est député du Parti québécois depuis qu'en 1976 il a défait le premier ministre Robert Bourassa. Journaliste pour *le Nouvelliste* de Trois-Rivières et au *Nouveau Journal*, recherchiste et chef des nouvelles à l'émission «Aujourd'hui» de Radio-Canada (1963-1969), il a travaillé à l'hebdomadaire *Québec-Presse* de 1969 à 1972. Il a participé à la fondation de la revue *Parti Pris* et dirigé de 1969 à 1976 les éditions du même nom. Il a fait paraître depuis 1960 neuf recueils de poésie dont *les Cantouques* (1967), *Sarzènes* (1983), *Soirs sans atout* (1986) et *Ils ne demandaient qu'à brûler* (1987) sont les plus connus. En 1990, il publie son premier roman, *L'ange exterminé*, aux Éditions de l'Hexagone.

BIBLIOGRAPHIE

Chansons très naïves (poésie), Trois-Rivières, Éd. du Bien Public, 1960.

Poèmes et cantos (poésie), Trois-Rivières, Éd. du Bien Public, 1962.

Nouveaux poèmes (poésie), Trois-Rivières, Éd. du Bien Public, 1963.

Les Cantouques (poésie), Montréal, Éd. Parti Pris, 1967.

Libertés surveillées (poésie), Montréal, Éd. Parti Pris, 1975.

Sarzènes (poésie), Trois-Rivières, Les Écrits des Forges, 1983.

Soirs sans atout (poésie), Trois-Rivières et Cesson, Les Écrits des Forges et les Éd. de La Table Rase, 1986.

Ils ne demandaient qu'à brûler (rétrospectives 1960-1986), Montréal, Éd. de l'Hexagone, Coll. «Rétrospectives», 1987.

Poèmes de route (poésie), Montréal, Éd. de l'Hexagone, 1989.

L'ange exterminé (roman), Montréal, Éd. de l'Hexagone, 1990.

EXTRAITS DE LA CRITIQUE

(à propos de *Soirs sans atout*) « Le langage tire ici son efficacité de son caractère direct, mais aussi de ses ressources quotidiennes et populaires, de son aura *sociale* ; il substitue à l'intertexte savant les voix de la rue, des lieux de réunion publics. Sa bibliothèque, c'est la foule. Peu de poètes sont capables d'allier ainsi populisme et lyrisme authentique. En France, il y a eu Prévert. Gérald Godin fait parmi nous figure semblablement exemplaire. »

> André Brochu, *Voix et images*, n ° 36, printemps1987, p. 544.

(à propos de *Ils ne demandaient qu'à brûler*) « La voix tourmentée et chaleureuse de ce poète nous apparaît ici dans toute son ampleur. On y entend ses tremblements et ses harmoniques sous le beau titre désignant ses camarades de combat, de détresse et de joie : *Ils ne demandaient qu'à brûler.* »

> Jean Royer, «La voix familière de Gérald Godin», in *le Devoir*, 12 sept. 1987.

« Voici l'oeuvre d'un poète tellement attaché au prix de chaque mot qu'il parvient à redonner de l'éclat à des vocables que le quotidien avait pu rendre ternes et insipides. Dans ses vers, même les termes les plus triviaux arrivent à briller, à se parer d'une noblesse nouvelle. »

> Michel Laurin, *Nos livres*, n° 7154, oct. 1987, p. 29-30.

« (...) La poésie de Godin n'est pas extérieure à la prose dont elle s'arrache. C'est dans la prose qu'elle trouve sa raison : elle est une prose en rythme. Cela, elle le doit à l'espace qu'elle privilégie : la rue, et plus encore la ruelle, c'est-à-dire le lieu même où le langage s'avère le plus banal. (...) Ce n'est pas un hasard si la *chanson* enrôle plus souvent qu'à son tour cette poésie à son service, pas un hasard non plus si la séquence *«faire péter la cerise des mots au boutoir d'une dent contre la poésie»* est ambivalente. Et si les cantouques sont des poèmes *«qui trimballent des sentiments»*, ils trimballent des mots au sens étymologique du verbe, ils les agitent et les tourmentent, ils les font danser et les font trimer. »

Pierre Popovic, «L'esprit d'aventure», in *Spirale*, février 1988, p. 8.

(à propos de *Poèmes de route*) « Gérald Godin (...) continue de pratiquer cette poésie qu'on pourrait bien qualifier de carnavalesque puisqu'elle associe, à cette charge d'émotion et de générosité qui lui est habituelle, un côté gavroche, goguenard qui la tient loin des lyrismes convenus. Le titre, d'emblée, nous oriente vers la souriante sagesse populaire en assimilant les poèmes à des *pommes de route* qui jalonnent fort modestement la destinée humaine. »

André Brochu, «Les belles solitudes», in *Voix et images*, n° 43, automne 1989.

EXTRAITS DE L'OEUVRE

I
Il manquait quelque chose
dans le miroir
peut-être les tentures bleues
du salon peut-être un père
peut-être le crucifix

m'enfouir m'enfouir chercher
la tête dans ce tas de feuilles
pourries chercher une odeur
l'automne comme on ne l'a jamais vu
un visage reconnu
que l'on croyait oublié

lire dans les complications du tapis
les écailles du mur
un conte une vie d'homme mort
n'en rien dire
de peur d'être injuste
n'en rien même penser
lire et relire
mais toujours hélas à peine

j'ai peur de partir d'ici
cette peau qui meurt au bout de mes
doigts près des ongles
cette peau morte qui tombe
ces plaques jaunes aux chevilles
nous vivons si peu
il faudrait aller tellement loin
et le temps qui nous manque
et le coeur

> *Poèmes et cantos*, 1962, in *Ils ne demandaient qu'à brûler*, 1987, p. 91-92.

CANTOUQUE DU SOIR

La vaisselle étant lavée
la lune s'est levée
sur la chanson sale des fonds de cour

quand le vin est ciré le plancher est glissant
corde à linges et grandes combines
mauvaises herbes dans nos lits doubles
les cargaisons coulent et tu surnages ô mon pays
entre deux épaves et quatre pitounes
dans le mazout teinté d'oubli
lèvres gercées par l'hiver
craquelures du grand âge aux mains des vieux
qui de nous te verra plaine morbide
enfin lavée comme une grève un soir de vent
dans les grincements de huards
au large de Champlain

les bouées tournent et puis s'éteignent
ainsi la gueule baveuse des chiens que nous sommes
éperdus de mots cherchant à dire
non pas des secrets ni des mystères
mais bien pourquoi puant pays de mes amours
on t'aime encore et pour toujours
mauvais cadeau plus qu'inutile
grinenaude au fond de l'histoire oubliée

j'entends les cris des poubelles ô lundi soir
fumier des temps humides
vaches à peine vêlées
collets de tous nos draffes
notre passé de communiants

mon doigt coupé tombe encore
dans le néant de mes onze ans
tandis qu'à vingt d'un pays je fus nanti
à la fois son fils et son père
à la fois la terre et la charrue
à la fois son trottoir et le passant
et d'autant plus triste et débordé

le pays que je travaille pour est un câlice un enfant
de chienne de nous maudire icitte sans une bougrine
             sans un ancêtre
sinon nous-mêmes hostie d'humus

ma jeunesse a crissé le camp comme un voleur
emportant tout sinon des dettes et des cassures à réparer
sémantique du blasphème et de l'injure
rien d'autre n'avons-nous sinon perclus au fond
                    des tripes
entêté jappant sans cesse le cri bêlant d'un pays à naître

Les cantouques, 1967, in *Ils ne demandaient qu'à brûler*, 1987, p. 145-146.

SOIRS

Elle n'a pas lu dans tes yeux
les mots que tu y fis graver

il y avait des soirs de folie
où le rattrapaient les tornades
il y avait des soirs sans atout
où il touchait votre genou
à tirer trop de chèques sur l'amour
il avait des soirs de petite monnaie
dans les poches de son raglan
même plus assez pour un billet de métro
chaque coup de fil au fond
aurait dû n'annoncer qu'elle
il y avait des soirs de fatigue
où il fallait des cauchemars
il y avait des soirs de reine
où il fallait des prisons
il se ruait aux barreaux de votre peau
pour saisir votre coeur
il y avait des soirs d'échec
où même les téléphones à sous
étaient hors d'usage
il y avait des soirs de détresse
où rien n'y faisait
il n'était plus que cendre et boucane
emporté par le soir

Sarzènes, 1983, in *Ils ne demandaient qu'à brûler*,
1987, p. 293.

PARCE QUE

Parce que chaque atome de chaque objet
le fait exprès pour le contredire
manche de manteau manche de veston
chaque atome de chaque bouton de chemise
chaque atome de chaque noeud de cravate
chaque atome de chaque lacet de bottine
parce que chaque logiciel
de chaque geste de la vie quotidienne

a explosé dans son planétarium
parce qu'il frappe
tous les cadres de porte
avec son épaule gauche
parce que les neurones qui règlent le trafic des mots
lui font des embouteillages
et que souvent ses mots sortent
bumper à bumper comme les chars à cinq heures du soir
quand il veut parler
parce que la commissure gauche de sa bouche
ne retient pas son manger
parce qu'il passe sa journée
à chercher des choses
qu'il n'a même pas perdues

LAISSEZ-LE

Et celui qui
pas pour mal faire
pas pour mal faire
prononce à sa place le mot qu'il cherche
eh bien! il retarde sa guérison
pas pour mal faire
pas pour mal faire
car quand il cherche ce maudit mot
quand ce qu'on appelle un cérébro-lésé cherche un mot
ses neurones tendent les bras dans le vide
branches d'arbre agité par le vent
ses neurones tendent les bras dans le vide
pour poigner à pleines mains
le mot qui est là sur le bout de sa langue
et quand il l'attrape
quelle joie!
j'm'en viens ben

laissez-nous donc tranquillement chercher nos mots
laissez-le donc
bégayer

Soirs sans atout, 1986, in *Ils ne demandaient qu'à
brûler* , 1987, p. 307-308.

INÉDIT

Ma blonde savait toujours ousque j'étais
par mes botterlos
bonnes pour la pêche
bonnes pour la chasse
bonnes pour me marier
bonnes pour se quitter
mes botterlots
Van Gogh en avait des pareilles
mais de Waterloo
des botterlots
bonnes en hiver
comme en été
ah! mes botterlots
par tous les temps
fête ou tragédie
je les ai portés
mes botterlots
dans ma tombe
ça rentrait pas
a fallu rogner
les caps en fer
de mes botterlots

JEAN CIMON

MADELEINE FERRON

Née à Louiseville le vingt-quatre juillet 1922, Madeleine Ferron a fait des études au pensionnat de Lachine, a suivi des cours à la Faculté des Lettres de l'Université de Montréal et des cours d'ethnographie à l'Université Laval. Membre fondateur de la Société du patrimoine de la Beauce et présidente de la Fondation Robert Cliche depuis 1979, elle est membre de la Commission des Biens culturels de 1978 à 1984 et membre du C.A. de l'Institut québécois de recherche sur la culture depuis 1982. Elle a reçu le premier prix du Concours de nouvelles historiques en 1967 avec «Napika», publiée dans le magazine *Châtelaine* en 1967 et le Prix des Éditions La Presse en 1982. Ses principales collaborations : *Actualité, Critère, Possibles, Question de culture...*

BIBLIOGRAPHIE

Coeur de sucre (contes), Montréal, Éd. HMH, 1966. Réédition en 1988 dans la Bibliothèque québécoise.

La fin des loups-garous (roman), Montréal, Éd. HMH, 1966. Réédition chez Fides en 1982.

Le baron écarlate (roman), Montréal, Éd. HMH, 1971.

Le chemin des dames (nouvelles), Montréal, Éd. La Presse, 1977.

Histoires édifiantes (nouvelles), Montréal, Éd. La Presse, 1981.

Sur le chemin Craig (roman), Montréal, Éd. Stanké, 1982.

Un singulier amour (nouvelles), Montréal, Éd. Boréal, 1987.

Le grand théâtre (nouvelles), Montréal, Éd. Boréal, 1989.

En collaboration avec Robert Cliche:

Quand le peuple fait la loi, Montréal, Éd. HMH, 1972.

Les Beaucerons, ces insoumis, Montréal, Éd. HMH, 1974.
    Réédité en un seul volume en 1982 chez HMH.

EN TRADUCTION

The Towed Coffin tr., Baril Kingstone, Aya-Press.

PRINCIPALES ETUDES SUR L'OEUVRE

Wilson, Mary, *Ce sexe équivoque : portraits de femmes dans l'oeuvre de Madeleine Ferron*, Université d'Ottawa, 1978.

Belles-Isle, Francine, *L'univers romanesque de Madeleine Ferron*, Université Laval.

EXTRAITS DE LA CRITIQUE

(à propos de *Coeur de sucre*) « Madeleine Ferron a compris que l'art de la nouvelle, c'était de faire vite et en sorte que le sujet s'épuise de lui-même...La surprise est là qui donne au mystère sa clé et sa raison d'être à la nouvelle. C'est peut-être ce court récit qui circonscrit le mieux la vie, qui l'empoigne et on le sent vibrer au creux de sa main, comme un oiseau qui vous regarde sans comprendre. »

Jean Ethier-Blais, *le Devoir* , 19 mars 1966.

« Madeleine Ferron possède l'art du récit court, qu'elle sait construire et développer comme son frère Jacques, d'ailleurs. D'abord une mise en situation qui évoque le mystère, suscite la curiosité, crée l'ambiance; puis, l'introduction d'un personnage autour de qui se développe le conte, rapidement, car le conte souffre de trop de détails. Madeleine Ferron court toujours à l'essentiel pour garder l'intérêt jusqu'à la fin, jusqu'à la surprise finale qu'elle sait, en général, bien aménager, avec un talent certain. »

Aurélien Boivin, «Introduction» à *Coeur de sucre*, Bibliothèque québécoise, Réédition 1988.

« Madeleine Ferron, c'est un ton, c'est-à-dire qu'elle a une petite musique personnelle faite de tendresse et de réalisme aussi, une sorte de tranquillité d'écriture, ce qui est un art, d'après moi, véritable. »

Jacques Folch-Ribas, Radio-Canada, 24 décembre 1987.

(à propos de *Un singulier amour*) « Cette écriture classique, dépouillée des ronflements de style et des effets de rhétorique. Une écriture qui excelle à dire les atmosphères et les états d'âme, à faire parler les petites gens, sans condescendance ni populisme. »

Jean-Roch Boivin, *le Devoir* , 3 octobre 1987.

« J'aime de Mme Ferron son écriture franche, simple, tellement plus soucieuse de vérité que d'effet. Telle est sa matière, telle est sa manière; la paire parfaite, rare adéquation du propos et de la forme. Elle me donne à entendre sa voix, très personnelle, pendant que tout doucement, comme toujours, elle me raconte des histoires si belles qu'elles semblent n'être pas, mais plutôt des faits vus ou vécus qu'elle aurait retenus pour leur poids d'humanité, grandeur et petitesse, et ce qu'ils disent de l'aventure qu'est la vie. »

Réginald Martel, *la Presse* , octobre 1987.

(à propos de *le Grand théâtre*) art de maturité, art magistral, encore plus affiné, dans les douze nouvelles du *Grand théâtre*. Madeleine Ferron frémit d'une sobriété qui se contient. Son écriture fine, racée, suggère plus qu'elle ne dit. Cet art crée, invente, transforme, narre sur le ton le plus personnel. (...) Tout ça, gens, décors, situations, se réfère aux grandes ambiguïtés de la vie et de la sensibilité contemporaine.

Roland Héroux, *En Vrac*, n° 41, p. 13.

EXTRAIT DE L'OEUVRE

LA PETITE HEURE
(extraits)

J'essaie d'ouvrir les yeux, de faire un geste qui me libérerait de ce songe au cours duquel j'assiste, impuissante, au cauchemar d'une femme qui me ressemble. Qui est-elle? Mon double, peut-être, à qui je fais jouer le rôle que je refuse. Je la vois, hagarde et terrifiée, en proie à une vision insupportable. Je ressens pour elle une grande compassion. (...)

J'entrouve les yeux sur le soleil éblouissant qui éclaire mon balcon. (...) Les feuilles bougent à peine, dégageant dans un inlassable et presque imperceptible mouvement des morceaux irréguliers de ciel, d'un bleu opaque, brillant, ce bleu de porcelaine ancienne qui se confond pour moi avec l'iris lumineux de ce regard à tout jamais perdu. Je le retrouve dans cet éclat de firmament, tache mouvante qui bientôt se brouille de fils. Les sourcils s'y dessinent, les rides du front, l'oreille fine, le nez charnu et je fixe, médusée, ce portrait fragile. (...)

Je me suis de nouveau endormie. (...) La femme énigmatique de mon rêve se réveille soudainement. Appuyée sur le coude, elle tend l'oreille et regarde fixement la porte qui ouvre sur le balcon. Au-delà du silence qui entoure la maison, monte un battement léger. (...) Le bruit se rapproche et se précise. (...) C'est un clapotement de rames et le grincement qu'elles font en tournant sur le pivot qui les retient à une chaloupe. Un bruit cadencé, mouillé et âpre en même temps. (...) Elle se dirige vers la porte du balcon qu'elle entrouvre. (...)

Un voile de brume diaphane estompe le toit des maisons. Elle est de plus en plus décontenancée. Le brouillard devient plus dense, recouvre peu à peu les arbres. (...) Une embarcation avance doucement. Elle est longue, plutôt étroite; ses extrémités sont carrées, ce qui refoule l'eau en vagues courtes qui viennent clapoter sous la plate-forme du balcon. Six rameurs sont répartis en nombre égal de chaque côté. Le rythme régulier de leur mouvement, l'austérité de leur attitude créent une impression de gravité. Bientôt, l'équipage se précise. Les hommes sont gantés de gris, habillés de noir et rament avec solennité. Au centre de l'embarcation, la cabine des pêcheurs devient une boîte longue, étroite, aux extrémités effilées. Des poignées de cuivre sont alignées de chaque côté. (...)

L'embarcation est arrivée à destination. Trois des rameurs ont enjambé la balustrade et le plancher de bois résonne sous leurs pas. Les trois autres ont hissé le cercueil et le glissent sur la rampe. Un grincement emplit bientôt toute la pièce. La femme fait un geste de refus ou de révolte puis, avec résignation, s'incline lentement devant le cortège qui passe devant elle avant de s'évanouir dans la brume dont s'est empli le corridor qui donne sur la chambre.

Je me réveille de nouveau et me lève afin de couper court à ce trouble morbide. (...) Mon balcon est inondé de soleil. Le ciel est tout lisse et une brise, légère comme un souffle d'enfant, promène des éclats de lumière sur les murs de ma chambre. La vie me reprend au creux de ce matin lumineux. Et me voilà conquise par les notes cristallines qu'égrènent de fragiles gosiers d'oiseaux.

Un singulier amour, 1987.

INÉDIT

LA COUPE DE VENT

En bordure des baies vitrées, on avait dressé une longue table pour la famille Tanguay. Le patron du restaurant avait déplié le paravent pour ajouter à l'intimité de la réunion, créant ainsi, dans cette extrémité de la salle à manger, une atmosphère particulière. Le reste de la vaste pièce était illuminé; une lumière douce débordait des plafonniers; des lueurs plus denses, qu'irradiaient les lumignons des fausses lampes à l'huile, transformaient chaque table en autant d'îlots lumineux. La longue table, elle, derrière le paravent, en bordure des fenêtres de façade, n'était éclairée que par la seule clarté d'un jour de tempête. Il ne neigeait plus, mais le ciel demeurait bas, d'un gris opaque. C'était un midi aux lueurs plutôt crépusculaires qui auraient pu être sinistres sans le passage, de temps à autre, d'une voiture qui soulevait une soyeuse traînée blanche. Et sans la rivière qui coulait de l'autre côté du chemin, en dévalant un léger barrage. Sa couleur d'un vert opaque s'agrémentait alors de reflets argentés.

Ils étaient déjà tous autour de la table quand Antoine et Rose arrivèrent à la porte de la salle à manger qui ouvrait à la hauteur du paravent. Ils s'y arrêtèrent un moment afin qu'Antoine puisse, à l'intention de Rose, identifier les convives.

131

- Celle qui regarde par la fenêtre, l'air ennuyé, c'est ma soeur Estelle, toujours aussi neurasthénique sans doute. Celui qui rit trop fort, c'est Dimitri, le Roumain. Viens que je te présente, ce sera plus simple.

**GILLES
DE LA FONTAINE**

Né à Sherbrooke le trente octobre 1922, Gilles de La Fontaine est détenteur d'une Licence en pédagogie de l'Université de Montréal (1953), d'une Maîtrise ès Arts en Lettres françaises, également de l'Université de Montréal (1954) ainsi que d'un Doctorat en Lettres françaises de l'Ohio State University (1965). Professeur-chercheur, il a enseigné à l'University of Massachusetts de 1965 à 1969 et à l'U.Q.T.R. de 1969 à 1987. Depuis 1987, il est chercheur invité à l'U.Q.T.R.

BIBLIOGRAPHIE

Psychologie de l'adolescence. À l'usage des éducateurs (essai), Montréal, Éditions de l'École Normale Secondaire, 1954.

La Fontaine dans ses Fables. Comment l'homme perce à travers l'oeuvre (essai), Montréal, Le Cercle du livre de France, 1966, 252 p.

La Fontaine dans ses Contes, Profil de l'homme d'après ses confidences (essai), Sherbrooke, Éd. Naaman, 1978, 280 p.

Hubert Aquin et le Québec (essai), Montréal, Éditions Parti Pris, 1978, 156 p.

Contes et récits de la Mauricie (1850-1950), Anthologie (en collaboration avec Guildo Rousseau), Trois-Rivières, Éditions CEDOLEQ, 1982, 158 p.

Adrienne Choquette, nouvelliste de l'émancipation (essai en collaboration avec Line Marineau), Charlesbourg, Les Presses Laurentiennes, 1984, 71 p.

EXTRAITS DE LA CRITIQUE

(à propos de *Hubert Aquin et le Québec*) « *Hubert Aquin et le Québec* est un livre savant, mené avec toute la rigueur de la démonstration.(...) Et c'est avec admiration que l'on peut suivre la démonstration du critique, à savoir que l'imaginaire prend le relais de la politique et que le Québec est en creux, caché en-dessous des quatre romans de Hubert Aquin. (...) Quand j'écris, disait Aquin, je pense au lecteur comme à la moitié de mon être, et j'éprouve le besoin de la trouver et de l'investir. Pour conclure, disons que cet auteur superbement intelligent a trouvé en Gilles de La Fontaine ce complément. »

Jacques Ferron, *le Livre d'ici* , 31 mai 1978.

« C'est la première fois que je lis une étude sur moi dans laquelle l'auteur synthétise (ou systématise) la perception politique de *l'Antiphonaire* et de *Neige noire*. J'abonde dans votre sens. (...) La démarche du critique est créatrice. Et dans le domaine artistique, une critique éclairante constitue ni plus ni moins une variante inédite de l'oeuvre étudiée. J'en ai la certitude en vous lisant. Tout ce qui concerne *Prochain épisode* m'a remué, mais je ne sais trop pourquoi. J'imagine que vous avez visé juste et j'ai fait, grâce à votre démarche intellectuelle, des re-découvertes. »

Hubert Aquin, Lettre à l'auteur, 6 janvier 1977, in *Hubert Aquin et le Québec*, p. 9-13.

(à propos de *La Fontaine dans ses contes*) « Ce livre se lit comme un véritable roman. L'auteur semble vraiment le complice entendu et amusé de l'écrivain qu'il étudie. Les rapports entre l'homme et l'oeuvre sont expliqués simplement, avec humour et finesse. »

René Lord, «Un Aquin nationaliste et un savoureux La Fontaine», in *le Nouvelliste,* 11 janvier 1979.

EXTRAITS DE L'OEUVRE

LA RENCONTRE FABLE-FABULISTE

Comme le poète (La Fontaine) était extrêmement riche de dons, et le genre (fable) plutôt pauvre de moyens, il n'y a pas à se demander longtemps lequel a enrichi l'autre. Et s'il fallait toucher du doigt celui de ces dons qui a davantage servi, nous dirions (...) que c'est celui de conteur. C'est ce don en particulier qui nous paraît avoir servi de véhicule, de catalyseur pour ainsi dire, à l'assimilation et à l'exploitation des ressources poétiques et humaines manifestées par La Fontaine dans ses *Fables*.

La Fontaine dans ses fables, 1966, p. 225.

LA FONTAINE CONTEUR

C'est le même poète qui, avec son besoin humain de communiquer, exerce sa joie de conter. Dans les *Fables*, cette joie de conter, savamment contenue, tout en nous révélant constamment et discrètement la présence de l'homme, s'associe plutôt au succès génial de l'artiste. Dans les *Contes*, il arrive que la joie de conter de l'artiste, se sentant beaucoup plus libre de jaillir dans un genre moins exigeant, rejoint et révèle souvent au lecteur attentif aussi bien la joie que le mal de vivre de l'homme.

La Fontaine dans ses Contes, 1978, p. 272.

ROMAN ENGAGÉ?

On se rappellera sans peine dans quelle mesure et avec quelle impulsion contraignante cette «non-adéquation entre l'âme et l'action» a contribué à l'avènement du roman aquinien, pour se poursuivre et s'amplifier, au-delà des données nationalistes prépondérantes du début, jusqu'à cette quête existentielle élargie qui informe la structure mouvante de *Neige noire*. C'est dire que la question québécoise, cette texture graduellement implicitée, mais toujours immanquablement constitutive de l'oeuvre, malgré les apparences d'absolu transcendantal qu'elle pourrait offrir, ne représente elle-même, dans sa présence constante et fondamentale, qu'une entre autres de ces «données historico-philosophiques qui s'imposent à sa création», pour reprendre la pénétrante formule de Lukacs.

Hubert Aquin et le Québec, 1978, p. 108.

AUTONOMIE LITTÉRAIRE

Toute littérature engagée qui se subordonne — ou se soumet sans question à un ordre préétabli, ne peut se réclamer du pôle de la liberté, mais doit nécessairement se rattacher à la défense, soit la permanence, la conservation de cet ordre, qu'il soit religieux, politique ou social. C'est dire qu'une littérature ne peut être vraiment libre — et littéraire —que dans la mesure où l'ordre qu'elle prône est celui qu'elle établit elle-même, soit celui issu des pouvoirs propres et autonomes de la pensée et de l'imagination.

Comment expliquer, dira-t-on, que les *Pensées* ou les *Provinciales* de Pascal, si dépendantes qu'elles apparaissent d'une idéologie religieuse, donc hétéronomes, soient quand même universellement considérées comme des oeuvres, voire des chefs-d'oeuvre, décidément littéraires, même en dépit qu'elles en aient? C'est que, précisément, tout étant bien considéré (même si ce n'est ni le lieu ni le temps d'en fournir ici la démonstration), les ressorts autonomes de cette oeuvre, la vigueur de pensée et d'imagination créatrices et son auteur, l'emportent de toute évidence sur les conditionnements ou incitations reçues de l'idéologie, en l'occurrence catholique et/ou janséniste. Témoin de cet emportement, ou débordement, l'impossibilité pour le catholicisme officiel, comme pour le jansénisme dissident (pour des motifs et sur des points différents, il va sans dire), d'endosser entièrement ou jusqu'au bout les positions de Pascal.

Contes et récits de la Mauricie, 1982, p.18-19.

INÉDIT

À LA RÉFLEXION

Réflexion faite, que gagne-t-on à réfléchir? Réfléchir, en somme, c'est s'attarder à penser, c'est y regarder à deux fois, et davantage... C'est prolonger ce délai d'examen entre le stimulus et la réaction, par lequel se définit précisément la pensée, par opposition à l'instinct, où se réduit au minimum, jusqu'à l'absence, cette pause réflexive entre l'incitation et l'action, entre, par exemple, la faim et la rage, la peur et la fuite, le rut et le coït, l'attaque et la riposte.

La pensée proprement dite, réflexive, logique, abstraite, (du concret sensible et sentimental) est encore à dégager de cette pensée embryonnaire que les psychologues appellent pensée magique. Cette pensée initiale, imparfaite, propre à l'enfance (phylo- et ontogénétique), est dite magique parce qu'à défaut et en attente d'une raison pleinement active, elle fait appel aux contes et aux mythes pour calmer les inquiétudes et endormir les curiosités. Cette pensée magique reste toujours susceptible d'imprégner, plus ou moins, toute pensée abstraite, même celle qui se prétend la plus scientifique.

Comment l'humanité aurait-elle pu progresser, si elle avait persisté à réagir par la terreur superstitieuse devant le tonnerre et la foudre, les tornades et les séismes? De la roue jusqu'à l'ordinateur, ces mille et une réalisations techniques ayant marqué l'essor de la civilisation, comment auraient-elles pu advenir, si l'hominidé s'était contenté des réflexes instinctifs et répétitifs de sa raison primitive, imbue de pensée magique? C'est que les tabous et tutelles des croyances mythiques ont fini par céder devant les transgressions de la pensée réflexive.

La tragique épopée de Jeanne-D'Arc en dit long sur les avatars de la foi aveugle! Cette brave et naïve Pucelle, forcenée croyante, d'abord jugée, condamnée et brûlée vive comme hérétique et sorcière, fut par la suite réhabilitée et finalement sanctifiée par ces mêmes instances ecclésiastiques responsables de son martyre! Dangereux tribunal qui glorifie pour l'exploiter à ses fins ce qu'il a d'abord honni pour le sacrifier à ses intérêts!

Et ce bon Galilée qui, deux cents ans plus tard, languit et s'esquinte dans les prisons de l'Inquisition, qui exige son abjuration pour avoir soutenu, à l'encontre du récit biblique, que la terre tourne autour du soleil!... Et la Curie romaine, réalisant la dérisoire inanité de sa condamnation, annonce aujourd'hui, après plus de trois cent cinquante ans, qu'elle songe à réhabiliter Galilée... Il faut croire que dans la logique d'une autorité «infaillible», il ne serait pas de mise d'admettre ses erreurs, et qu'il est toujours plus opportun de récupérer la gloire acquise de ses propres victimes...

Plus près de nous, ayant toujours en vue les aléas et vicissitudes de la réflexion, songeons, par exemple, à ces bienfaits de la civilisation judéo-chrétienne, depuis si longtemps et inconditionnellement célébrés comme suprêmes et non rédhibitoires. N'y a-t-il pas lieu de les révoquer en doute, quand on en voit un peu partout les relents de tragique hostilité? Ces frères irlandais, catholiques et protestants, qui s'entre-tuent en Ulster; le «peuple élu» d'Israël, dominant et brimant les «Gentils» palestiniens dépossédés; ces luttes mortelles et ruineuses entre catholiques possédants et marxistes militants à Cuba, au Chili, au Salvador, au Nicaragua et aux Philippines!

Et ces fastueuses visites d'un Pape consolateur à ses ouailles sud-américaines, affligées sous les abus des grands propriétaires terriens... D'aucuns, moins sensibles au battage, se surprennent qu'elles ne promeuvent ni n'entraînent aucune amélioration concrète dans le sort des fidèles appauvris. A y voir de plus près, ils comprennent qu'il ne serait ni poli ni rentable d'indisposer par d'incongrues réformes (agraire particulièrement) les hôtes généreux (ces mêmes dits propriétaires) qui font les frais de ses voyages et de son commode prestige.

Passant de la métaphysique religieuse à l'idéologie politique, et toujours induits par la réflexion, n'y a-t-il pas lieu de se demander, par exemple, si cette hautaine affirmation de supériorité du président Reagan, porte-parole des démocraties capitalistes surdéveloppées, n'est pas elle aussi sujette à caution? «Focus of evil on earth», dit-il péremptoirement de l'adversaire soviétique; «freedom fighters», titre-t-il pompeusement ces rebelles *contras* nicaraguéens, anciens souteneurs et profiteurs du dictateur Somoza, renversé par la révolution sandiniste.

Reagan, l'inconditionnel défenseur de *l'American way of doing things...and money*, ira même jusqu'à proclamer «héros national» ce colonel Oliver North, principal instigateur du scandale dit de l'«Irangate». Cette entreprise secrète et illégale de vente d'armes à l'Iran, assortie d'un détournement de fonds au profit des *Contras* du Nicaragua, n'avait d'autre visée, au nom de la démocratie, que de ruiner et renverser le régime sandiniste au profit des anciens partisans de Somoza.

Même scénario louche que celui, avorté, de la Baie des Cochons à Cuba, visant à renverser la révolution mal vue de Castro, au profit des anciens supporteurs et bénéficiaires du dictateur Batista. Même scénario que celui, vilement réussi, de Santiago au Chili, où les intrigues de la CIA ont abouti au meurtree du président socialiste Allende, et à l'avènement du cynique potentat Pinochet. Toujours au nom proclamé de la démocratie et au bénéfice camouflé de la ploutocratie, locale et yankee!

La réflexion sans l'action ne donne évidemment rien. Il reste que sans réflexion, les acquis pragmatiques de la pensée libre seraient forcément impossibles; et que dans les apports lents, patients et récurrents de l'activité réflexive résident les seuls espoirs de progrès, les seuls, modestes et fragiles, bourgeons susceptibles d'assurer la croissance, toujours en cours, de l'arbre humain.

HARVEY RIVARD

MADELEINE
G. SAINT-PIERRE

Madeleine Saint-Pierre est née à Trois-Rivières le onze janvier 1932. Après des études classiques, elle devient commis et est à l'emploi de l'Université du Québec à Trois-Rivières. En plus de la littérature, elle s'intéresse à la musique et à l'écologie. Quant à son oeuvre, elle a fait l'objet d'études de maîtrise, à l'U.Q.T.R., de Lucie Normand et de Hélène Fournier.

BIBLIOGRAPHIE

Intermittence (poèmes), Trois-Rivières, Le Bien Public, 1967, 53 p.

Émergence (poèmes), Montréal, Librairie Déom, 1970, 61 p.

Empreintes (poèmes), Montréal, Éditions Parti pris, 1978, 52 p.

Sèves (poèmes), Trois-Rivières, Écrits des Forges, 1983, 49 p.

EXTRAITS DE LA CRITIQUE

(à propos de *Intermittence*) « Qu'il suffise de constater que le nouveau poète, affranchie dès le début de ses travaux, des formes fixes de la versification classique, adhère au groupe des écrivains contemporains qui tentent de donner à l'expression poétique une dimension nouvelle. »

Alphonse Piché, 1968.

(à propos de *Empreintes*) « Les poèmes amoureux débouchent (...) sur une superbe allégorie contenue dans un magnifique poème intitulé *Gestuaire*. C'est là que le lyrisme de Madeleine Saint-Pierre atteint son apogée; c'est là que son monde imaginaire prend sa forme la plus originale. »

René Lord, *le Nouvelliste*, 10 février 1979.

« Il faut dire que c'est un beau livre. Très beau, soigné, la présentation, le format est agréable et ça prédispose assez favorablement à la lecture; c'est important en poésie parce que le poème est aussi quelque chose qu'il faut contempler, qu'il faut presque palper. Madeleine Saint-Pierre écrit une poésie extrêmement sensuelle. Et tous ses poèmes sont des poèmes d'amour mais d'amour physique, d'amour incarné, d'amour corporel si l'on veut, très direct, qui s'adresse à une personne, à un amour. Ses thèmes sont sur l'amour... comment dire... que construit le feu. Le feu est ici très important. *Empreintes* ... c'est un dialogue avec la nature, intériorisé, interrogatif. Au niveau de l'ensemble, de beaux poèmes. »

Francois Hébert, *Book Club*, R.-C., 11 mars 1979.

« Thématique classique.(...) Recueil très réussi. Un poète à aimer. »

Patrick Coppens, *le Devoir*, 15 mars 1980.

« Il ne faut pas parcourir *Sèves* comme un amalgame. Il y a de la cohérence, surtout dans ce dernier recueil. Et pour entrer dans son univers d'aujourd'hui, une clé nous est donnée, me semble-t-il. Une manière d'idée directrice; une attitude vis-à-vis la vie, les êtres et les choses, qui donne une atmosphère à sa poésie et détermine et le rythme et le style. Demeure chez elle une forte tension entre la vie rêvée et la vie vécue, mais tension assumée qui donne à sa vie et à son oeuvre quelque chose de grave et de calme. »

Jean Panneton, *Nos livres*, 1984.

EXTRAITS DE L'OEUVRE

GESTUAIRE

Tes paumes
lestées de beauté
exhalent le parfum des bouleaux

Mon amour de chêne
de thuya de pin
mon compagnon de muettes paroles
je pends à tes bras noueux
ma chevelure longue
tu puises aux racines
du coeur la coulée de sève
qui mouille notre joie

                    *   *   *

Mon cavalier à la monture véhémente
beau fier impétueux
chevauchant les neiges
ouvre l'air bleu

Me voici
compagne cavalière hissée
parée de cuir

Ceinture à ceinture
nous explorons des terres
des bois des lacs
jaugeant nos droits

Nous chevauchons des rêves
démesurés

TRACES

J'ai passion de tout
courants impétueux
frontières trouées
et plus grand que moi
et plus loin que toi
Comme on est à l'étroit ici
entre la table et le lit
et nos bras cloués aux tâches!

* * *

Aube confuse
grises mailles
épaisse trame

Sanglée dans l'Épreuve
imprenable Vision!

* * *

Sinueux
ardu chemin
semé d'embûches
jusqu'à la croisée
carrefour criblé de croix

Halte près du ruisseau
mouillure de perles douces
murmure d'iris mouillés

La paix de ton épaule

JOUR DE SÈVE

Le pied nu
cueillant le feu des sables
à la nonchalance des grèves

Le regard inondé
du ruissellement des sèves

*   *   *

Fondre parole   mémoire   nostalgie
amour coursier des jours heureux
arôme des linges
baume des jardins
aux simples gestes quotidiens

Gravir sa vie
étreignant le monde
en ses contours exquis

INÉDIT

Paisibles les pins noirs
tendent leurs bras de nuit
vers un morceau de lune

*   *   *

Labeur de pierre
de racines de chair
Cendres   larmes   aboiements
Moissons bercées de vent
Dérive torrentielle aux eaux d'infortune

*   *   *

Dans l'ombre
sous l'oubli nocturne
l'enveloppe décachetée du rêve
ouvre aux abîmes
le tracé
des accomplissements

Sonde aux puits des mémoires stellaires
cherchant des clartés de royaume

*   *   *

Sur la table
la pâte à pétrir
la tâche à poursuivre

Dans l'espace bleu
le geste pour cueillir
au bec de l'oiseau
son chant

HARVEY RIVARD

ALEXIS KLIMOV

Alexis Klimov est né à Liège (Belgique) le dix-neuf avril 1937. Il a fait ses études en philosophie et en lettres à l'Université de Liège. Il a fondé le Cercle de philosophie de Trois-Rivières en 1965. Co-directeur de la revue *le Beffroi,* il est vice-président du Centre québécois du PEN Club international. D'abord professeur au Centre des Études Universitaires, il enseigne maintenant à l'Université du Québec à Trois-Rivières où il est directeur du Comité des Études avancées en Philosophie. Il est membre de l'Académie des lettres et des sciences humaines de la Société Royale du Canada. Il a reçu le Prix Benjamin-Sulte de la SSJB en 1972.

Alexis Klimov a collaboré à plusieurs revues littéraires et philosophiques : *Hermès* (Paris), *la Revue de l'Université Laval, Synthèses* (Bruxelles), *le Bien Public, Co-Incidences, Bulletin du Cercle Gabriel-Marcel, la Petite revue de philosophie, Écrits du Canada français, la Nouvelle revue de Paris, Liberté, The Idler* (Toronto) et à *En Vrac.*

BIBLIOGRAPHIE

Nicolas Berdiaeff ou la Révolte contre l'objectivation (essai), Paris, Éditions Seghers, coll. «Philosophes de tous les temps», 1967, 192 p.

Le «Mysterium magnum» ou la Révélation du néant, in Le vide. Expérience spirituelle en Occident et en Orient (essai, en collaboration), Paris, Minard, 1969.

Dostoïevski ou la Connaissance périlleuse (essai), Paris, Éditions Seghers, coll. «Philosophes de tous les temps», 1971, 185 p.

Le «Philosophe Teutonique» ou l'Esprit d'aventure, suivi de *Confessions de Jacob Boehme* (essai), Paris, Éditions Fayard, coll. «Documents spirituels», 1973, XXVI-304 p. (réédité en 1981).

Berdiaeff et Picasso, in Approches de l'art (en collaboration), Bruxelles, La Renaissance du Livre, 1973.

Dostoïevski : Miroir (essai), Montréal, Presses de l'Université du Québec, coll. «Textes et documents slaves», 1975, XVI-149 p.

Archéologie de la Mauricie : reconnaissance archéologique dans la région du lac Nemiskachi (en collaboration avec René Ribes), Trois-Rivières, Paléo-Québec, 1976, 352 p.

Des arcanes et des jeux. XXII Ordonnance pour une Fête baroque (poésie), Trois-Rivières, Éditions Le Bien Public, 1976, 202 p.

Soljenitsyne. la science et la dignité de l'homme (essai), Montréal, Éditions Maheux, 1978, 79 p.

Éloge de l'homme inutile (essai), Québec, Éditions du Beffroi, 1983, 196 p. (réédité en 1984).

Diversions. Huit opérations poétiques pour une stratégie métaphysique (poésie), Québec, Éditions du Beffroi, 1983, 196 p.

Veilleurs de nuit (essai), Québec, Éditions du Beffroi, 1984, 88 p.

De l'abîme. Petit traité à l'usage des chercheurs d'absolu,(essai), Québec, Editions du Beffroi, 1985, 152 p.

Terrorisme et beauté (essai), Québec, Éditions du Beffroi, 1986, 147 p.

Le terrorisme et la paix, in Conceptions de la paix dans l'histoire de la philosophie (essai, en collaboration), Montréal, Éditions Montmorency, 1987.

Marguerite Yourcenar ou l'art de bien mourir, in *Les adieux du Québec à Marguerite Yourcenar* (essai, en collaboration), Québec, Les Presses Laurentiennes, 1987.

Le saint à l'oiseau, in *L'hagiographie cuite* (essai, en collaboration), Montréal, Les Éditions du Roseau, 1988.

Le secret de Pouchkine (essai), Québec, Éd. du Beffroi, 1990.

EN TRADUCTION

Nicolas Berdiaeff : Introduccion a au vida y obra, Buenos Aires, Lohle, 1979.

ÉTUDES SUR L'OEUVRE

Beaulieu, Paul, «Alexis Klimov : poète-philosophe», in *Écrits du Canada français,* nº 53, 1984.

Collaboration, *De la philosophie comme passion de la liberté,* (ouvrage consacré à Alexis Klimov et à son oeuvre), Québec, Éditions du Beffroi, 1984.

Guérin, Michelle, «Entrevue avec Alexis Klimov» in *Le Cercle de Philosophie de Trois-Rivières,* Trois-Rivières, Imprimerie de l'Université, 1975.

Marchand, Clément, «Présentation d'Alexis Klimov à la Société Royale du Canada», in *Présentation,* t. 38, Ottawa, SRC, 1984.

EXTRAIT DE LA CRITIQUE

« Il est (...) des gens, des penseurs, qui échappent à cette «douceur de vivre» philosophique qu'offre la chaleur morale de l'idéologie. Ils sont peu nombreux. Très peu nombreux. Ils s'échappent alors de la masse idéologique et cheminent seuls, êtres exceptionnels si distincts, si particularisés, si singuliers que tous ceux qui se satisfont du bonheur de l'idéologie s'interrogent sur la signification de cette singularité.

« Alexis Klimov est, à mes yeux, l'un de ceux-là. Dès les débuts de sa démarche trifluvienne, il s'est trouvé aux prises avec certaines idéologies. Je conserve un souvenir extrêmement vivant des discussions que nous avons eues alors tous les deux -et moi ensuite avec d'autres- pour la défense de cette liberté qui était sienne et qui lui apparaissait comme le seul objectif valable de sa démarche philosophique. Cet objectif, il l'a maintenu constamment présent, constamment vivant. Et constamment il s'est trouvé aux prises avec les tenants de la certitude morale qu'offrent les idéologies. Constamment il s'est battu pour maintenir sa liberté. Violemment parfois. Il s'est battu contre tout ce qui eût signifié la nécessaire acceptation de dogmes philosophiques affirmés par d'autres. Il s'est battu contre tous ceux qui ne situaient leurs propres démarches qu'à l'intérieur et sous l'égide de ces dogmes.

« Je me suis souvent demandé où il puisait la force morale et intellectuelle nécessaire à cette attitude de résistant, où il puisait aussi la volonté essentielle au maintien du choix libre et personnel de ses analyses, de ses définitions, de ses affirmations. Et je crois que c'est dans l'enthousiasme qu'il trouvait le pouvoir d'être lui-même.

Gilles Boulet, «Idéologie, enthousiasme et liberté», in *De la philosophie comme passion de la liberté, p. 60.*

EXTRAIT DE L'OEUVRE

Les Borgia n'ont jamais reculé devant l'élimination de leurs ennemis. Par contre, la pratique du génocide —et ceci est capital— ne leur serait jamais venue à l'esprit. Et si, par impossible, cela avait été le cas, ils l'auraient rejeté avec horreur et répulsion. L'histoire récente le prouve : les génocides ont toujours été réalisés presque uniquement par des braves gens! Par des gens dont l'immense majorité n'a accompli et n'accomplira jamais le moindre acte de bravoure. Mais notre langue a de ces ironies!... Que l'on me comprenne bien. Je ne dis pas que les Borgia n'ont pas été des êtres monstrueux. Dans l'assouvissement de leurs passions, ils n'auraient reculé ni devant Dieu ni devant le diable. Leurs passions étaient à la mesure de leur insatiable soif de vivre. Sadiques, monstrueux, ils l'étaient. Mais *ils étaient pleinement conscients de l'être.* En torturant, en donnant la mort, ils jouaient leurs propres tortures, leur propre mort sur la scène d'un destin dont, afin de s'en assurer la maîtrise, ils voulaient découvrir les arcanes et, ainsi, pouvoir aller jusqu'au tréfonds de leur être, jusqu'au point de rencontre du temps et de l'éternité. Pour y apprendre le secret du bien et du mal?

Ou celui d'ancestrales malédictions? Ou celui de leur folie? Probablement. Mais, de leur démence ils ont également tenu à tirer un art. Un art de vivre et de mourir auquel seul le plus grand luxe pouvait servir de décor. Derrière leur esthétisme, derrière les égarements de leur coeur et de leur esprit, la conscience restait la plus forte. Jamais cette dernière n'aurait souffert la soumission collective, machinale, aveugle, qui structure l'univers concentrationnaire. Jamais elle n'aurait supporté la saleté, la promiscuité, les odeurs nauséabondes, la médiocrité hideuse des boucheries, des charniers dont les régimes totalitaires se servent pour engraisser une pauvre planète égarée dans l'immensité cosmique et qui n'en peut plus. Job sur son tas de fumier, oui, à la rigueur. Le pauvre débauché qui «baise et mange le sein martyrisé d'une antique catin», passe encore. Mais des masses humiliées, avilies dans l'excrémentiel, non! Même le diable ne l'endurerait point! Interrogez, par le truchement de son oeuvre, Baudelaire qui en savait si long sur les goûts de Satan Trismégiste. Cela suffira largement! Sans avoir l'air de rien, les braves gens sont bien plus terribles que le diable! C'est leur peur devant la vie, peur accumulée durant des générations, qui fonde le collectivisme ou son pendant, le totalitarisme. C'est leur inconscience qui met l'humanité en péril. Péril que je crois être infiniment plus redoutable que toutes les menaces de destruction nucléaire. Je ne puis ne pas donner raison à Jung lorsque, dans l'épilogue —rédigé en janvier 1944— de *l'Homme à la découverte de son âme,* il affirme que l'être humain constitue pour l'homme le plus grand des dangers. Le psychologue zurichois en donne pour raison le fait qu'il n'y a «aucune protection efficace contre les épidémies psychiques» qui sont «infiniment plus dévastatrices que les pires catastrophes de la nature». Or, ces épidémies se développent avant tout sur le terrain de l'inconscience. »

Terrorisme et beauté, 1986, p. 33-37.

INÉDIT

RÉPONSES AU QUESTIONNAIRE MARCEL PROUST

Quel est pour vous le comble de la misère? Etre un souffreteux souffre-douleur saoul, souillé de souvenirs et sentant la soupe surie sous les combles de la soumission.

Où aimeriez-vous vivre? Sur terre, surtout quand je suis dans la lune ou... dans les nuages!

149

Pour quelles fautes avez-vous le plus d'indulgence? Pour les miennes, pardi!

Quels sont les héros de roman que vous préférez? Edmond Dantès, le Capitaine Fracasse, Gwynplaine, Ivan Karamazov, Arsène Lupin, Panurge, Rocambole, Rouletabille, Michel Strogoff.

Quel est votre personnage historique favori? Quel est votre personnage favori dans la vie réelle? 1) Socrate   2) Cyrano de Bergerac

Quelles sont vos héroïnes préférées dans l'histoire ou dans la vie réelle? Bettina von Arnim, Alexandra David-Neel, Caroline de Günderode, Hadewijch d'Anvers.

Vos héroïnes dans la fiction? Benvenuta, Catherine de Heilbronn, Antoinette de Langeais, Nastassia Philippovna Barachkova, la Présidente de Tourvel, la Religieuse portugaise, Shéhérazade, Sonia Semionovna Marmeladova.

Votre peintre favori? Brueghel.

Votre musicien favori? Haendel.

Votre qualité préférée chez l'homme? L'intelligence du coeur.

Votre qualité préférée chez la femme? Le don de soi.

Votre vertu préférée? Le courage.

Votre occupation préférée? Flâner (activités connexes : rêvasser, bouquiner, chiner, etc.).

Qui auriez-vous aimé être? Moi-même, davantage encore.

Le principal trait de votre caractère? Cf mon horoscope.

Votre principal défaut? Cela ne vous regarde pas.

Votre rêve de bonheur? Je n'en ai pas. Mes rêves, tous mes rêves appartiennent à la nuit des temps. Que pourraient-ils avoir de commun avec le bonheur, cette «idée neuve en Europe» (Saint-Just)? Rien.

Quel serait votre plus grand malheur? Végéter.

Quelle couleur préférez-vous? Le rouge.

Quelle fleur préférez-vous? La rose.

Quel oiseau préférez-vous? L'aigle.

Vos auteurs favoris en prose? Balzac, Barbey d'Aurevilly, Bernanos, André Breton, Cioran, Dostoïevski, Hermann Hesse, Hugo, Huysmans, Rabelais, Villiers de l'Isle Adam.

Vos poètes préférés? Artaud, Blake, Baudelaire, Corbière, Dante, Daumal, DesRochers, Hölderlin, Lamartine, Gatien Lapointe, Clément Marchand, Milosz, Nerval, Nietzsche, Novalis, Pouchkine, Rimbaud, Saint-John Perse, Saint-Pol Roux, Verhaeren et Verlaine.

Vos noms favoris? Ceux qui sont le plus chargés de poésie.

Quels sont les personnages historiques que vous méprisez le plus? Les bourreaux encensés : Basile II, Robespierre, Lénine, Trotsky, Hitler, Staline, Mao Tse-toung, Pol Pot, Khomeiny...

Quel est le fait militaire que vous admirez le plus? La victoire remportée par Koutousov sur Napoléon.

Quelle est la qualité que vous préférez chez vos amis? La fidélité.

Quelle est la réforme que vous admirez le plus? La réforme de la réforme de la réforme... Pas vous?

Que détestez-vous par-dessus tout? La médiocrité.

Quel don de la nature voudriez-vous avoir? Être libéré du sommeil.

Que voudriez-vous être? Un magicien comme Merlin l'Enchanteur avant qu'il ne se soit laissé embobiner par Viviane au coeur de la forêt de Brocéliande.

Comment aimeriez-vous mourir? Conscient, c'est-à-dire sage et révolté.

Quel est l'état présent de votre esprit? Aucun intérêt...

151

JOSEPH BONENFANT

Né à Saint-Narcisse de Champlain le vingt-neuf avril 1934, Joseph Bonenfant détient une licence ès Lettres de l'Université de Montréal et un Doctorat d'Université de Paris-Sorbonne. Co-fondateur de la revue *Ellipse* où il est toujours co-rédacteur, il anime des ateliers d'écriture depuis 1977 et est directeur de Maîtrise et de Doctorat depuis. Joseph Bonenfant est professeur au Département de Lettres et Communications de l'Université de Sherbrooke depuis 1966.

Il a collaboré à plusieurs revues littéraires dont *estuaire, Moebius, Osiris, Passages, Urgences, le Sabord* et *Lettres québécoises*.

BIBLIOGRAPHIE

L'imagination du mouvement dans l'oeuvre de Péguy (essai), Montréal, Centre éducatif et culturel, 1969, 353 p.

Repère (roman), Montréal, Éditions Hurtubise, Coll. «l'Arbre HMH», 1979, 166 p.

Grandes aires (poèmes), Trois-Rivières, les Écrits des Forges, 1984, 68 p.

Entre nous la neige (correspondance avec Andrea Moorhead), Trois-Rivières, les Écrits des Forges, 1986, 123 p.

À l'ombre de DesRochers / Le Mouvement littéraire des Cantons de l'Est (en collaboration), La Tribune / Université de Sherbrooke, Faculté des Lettres, 1985, 381 p.

Pragmatique de la poésie québécoise, (en collaboration), Université de Sherbrooke, Faculté des Lettres, 1986, 305 p.

La Passion du poétique (essai), Montréal, Éd. de l'Hexagone, Coll. «Essais littéraires», 1991.

EN TRADUCTION

«Poesia Quebequense, poesia de un pais incertio», *Cuadernos de Literatura,* Mexico, Ano1, 11,1983, p. 21-26.

«The Lure of your Voice», traduction de «Charmes de la voix», par Nick Fonda, *Matrix,* Lennoxville, Spring, 1988, p. 8-11.

ÉTUDES SUR L'OEUVRE

Audet, Noël, «Une histoire de culture», in *le Devoir,* 21 juin 1980, p. 21, 22, 24.

Bertrand, Huguette, (cf. *Entre nous la neige*), *Arcade,* n° 13, février 1987, p. 95-96.

Dionne, René, «Naissance du sang ou les jalons de la paternité», in *Lettres québécoises,* n° 15, août-septembre 1979, p. 11-13.

Major, Jean-Louis, «La tentation du fictif», in *le Droit,* 9 février 1980, p. 18.

Nepveu, Pierre, «En bref», (cf. *Grandes aires*), in *Spirale,* n ° 52, mai 1985, p. 12.

Vigneault, Robert, « Un livre important sur Péguy », in *Études françaises,* novembre 1970, p. 266- 267.

EXTRAITS DE LA CRITIQUE

(à propos de *Repère*). « Le roman de Joseph Bonenfant témoigne d'une esthétique qui ne croit plus aux valeurs romanesques : l'auteur se soucie moins d'assurer l'existence de son personnage que de marquer ses distances à l'égard de ce qu'il raconte. »

Jean-Louis Major, *le Droit,* 9 février 1980, p. 18.

« Il était bon que Joseph Bonenfant fît enfin, de façon romanesque, le fagot de cet héritage qui gît, archaïquement, dans le subconscient des générations québécoises de naguère. »

René Dionne, *Lettres québécoises,* n° 15, p. 13.

« Il y a dans *Grandes aires* ces moments d'intense et heureuse facilité où l'écriture transcende toute séduction, où elle se mesure simplement aux mouvements de la vie, où elle éprouve et pense le familier, jusque dans le prosaïque. Avec, au milieu de tout cela, des éclairs d'angoisse venus de la certitude que la vérité, c'est aussi la mort, mais une mort qui s'éprouve moins comme une coupure ou une dépossession que dans la dynamique d'une «saturation d'existence». »

Pierre Nepveu, *Spirale,* 52, mai 1985, p. 12.

(à propos de *Grandes aires*). « Certains textes appartiennent au jeu d'écrire, d'autres à la nécessité de s'envoler dans les mots. Certaines pages de Bonenfant me font penser à du Chagall. On entre dans ces grands blocs de prose comme dans un bain de lumières. Le poète fait appel aux élans du quotidien où le poème fait partie du corps amoureux (...). »

Jean Royer, *le Devoir,* 8 juin 1985, p. 23.

(à propos de *Entre nous la neige*). « Et ces deux styles! Un vrai délice. Ce livre est vraiment très spécial aux Écrits des Forges. C'est comme une poésie vécue. À déguster à petites doses, car, à tout instant, on s'arrête pour relire une phrase, un paragraphe, et réfléchir. »

Michelle Roy, *le Nouvelliste,* 25 oct. 1986, p. A 13.

EXTRAITS DE L'OEUVRE

CHARMES DE LA VOIX

III

il naissait comme un rythme dans nos mains
sans que s'y opposent les matières de la pensée
je ne pouvais savoir si en réalité j'étais seul
mais ma voix entendait en très pure clarté
la parole dans le paroxysme de tes mots
le silence dans le sillage de tes phrases
la tendresse dans la tentative de ta voix
le frisson dans le froissement de ta peau
il arrivait que tes yeux se colorent d'une ombre
d'un plissement imperceptible de l'attention
que tes doigts d'un soupçon remontent mes flancs
le temps se délestait de tous ses intervalles

IV

plus aucun interstice
ne séparait nos voix
du bout des doigts tu dessinais des souvenirs
du creux des mains je te ramenais vers toi
tu mêlais à ma vie
les lettres de ton nom
ta vie s'ensorcelait
des lettres de mon nom
je parcourais tes reins
d'amour de tous mes sens
ta voix vrillait en moi toutes ses inflexions
ma vie vibrait en toi
comme le chant de l'oiseau
sur le fil sans fin

estuaire, n° 42, 1986, p. 24.

CE QUI SUFFIT À L'OEIL

L'écriture poétique est essentiellement un mouvement ralenti gagné sur le tourbillon des mouvements, le temps présent. La poésie va à contre-courant de l'emploi du temps.

France Théoret, «La voix poétique», in *estuaire,* n° 40-41.

La poésie trace la ligne de faîte, au partage des activités aveugles, des émotions courantes. Par sa lenteur, le texte éteint même le feu de l'action policière, les cris qui délimitent la scène des attentats, l'éternité des pirateries. Un silence dévastateur immobilise les armes en neutralisant l'horreur au fond de votre fauteuil. Le temps s'use tel un soleil coupé ironique. L'oeil du léopard couvait, dans les fortes branches horizontales, les chairs en lambeaux des daims qui courent toujours. Une image si près fait sauter la planète jusqu'au fond des tortures. Un autre espace suffit toujours à l'oeil, pourvu qu'il arrête quelque chose. La question des vitesses suffit au moindre changement.

«Ô merveilleuse indépendance des regards humains, retenus au visage par une corde si lâche, si longue, si extensible qu'ils peuvent se promener seuls loin de lui!»
Marcel Proust : *À la recherche du temps perdu,* Pléiade I, p. 176.

Il suffit à l'oeil que son mouvement soit ralenti.

Urgences, n° 15, 1986, p. 91.

INÉDIT

NOCES

la hyène se jette sur le buffle
comme l'eau prend possession
des pierres nues du torrent

l'arbre tend ses bourgeons vers la lumière
comme l'affamé s'empare d'un sac de farine
l'écho se répercute de vallées en montagnes
comme la mémoire se précipite
sur le temps disparu

des brises s'infiltrent entre les maisons
comme un regard se tourne vers la saison ouverte

des parfums excitent tes neurones
comme une rumeur amoureuse
de loin accourt vers ton silence

les belles formes se marient aux couleurs
comme les roses s'ouvrent aux plus beaux mots

comme une prose respire un bouquet
et lui fait don de paroles étrangères

comme prose épouse poésie

comme la poésie épouse la parole
au printemps réapparu

**GUILDO
ROUSSEAU**

Guildo Rousseau est né le deux janvier 1938 à Pohénégamook. Il a obtenu le Brevet A et le Bacc. ès arts en 1961 puis, successivement, une Lic. ens. sec., une Licence ès Lettres, une Maîtrise ès arts et un Doctorat ès Lettres de l'Université de Sherbrooke. D'abord professeur au Collège de Sherbrooke et chargé de cours à l'Université de Sherbrooke, il est, depuis 1976, chercheur et professeur au Centre de recherche en études québécoises et au Département de français de l'Université du Québec à Trois-Rivières. Ses champs d'études et de recherches gravitent autour de l'imaginaire québécois, de la culture et de la littérature québécoises et américaines comparées, de la mythocritique, de l'histoire littéraire et du légendaire amérindien.

Il a obtenu la Médaille du Gouverneur général en 1968 et le Prix Albert-B.-Corey de l'American Historical Association et de la Société d'histoire du Canada en 1982. Finaliste au Prix France-Québec en 1982, il a obtenu une bourse de congé sabbatique (1982-83) du Conseil de recherche en sciences humaines du Canada et une bourse de recherche de l'Association des études canadiennes/Association for Canadian Studies en 1989. Il a reçu le Prix 1990 de l'Association des professeurs de français des collèges et universités canadiennes pour «La figure de l'indien dans la publicité nord-américaine».

Guildo Rousseau a collaboré au *Bulletin d'histoire de l'électricité* (Paris), au *Dictionnaire biographique du Canada,* aux *Écrits du Canada français,* à l'*Encyclopédie canadienne,* au *Journal of Canadian Fiction,* à *Présence francophone,* à la *Revue d'histoire littéraire du Québec et du Canada français,* à *University of Toronto Quaterly,* à *Vie française* de même qu'à *Voix et images.*

BIBLIOGRAPHIE

Jean-Charles Harvey et son oeuvre romanesque (essai), Montréal, Centre éducatif et culturel, 1969, 200 p. Réédition : Sherbrooke, Éditions Naaman, 1978, 200 p.

Préfaces des romans québécois du XIXe siècle, Montréal / Sherbrooke, Éditions Cosmos,1970, 112 p. Rééditions : 1972, 1975 et 1978.

Index littéraire de «l'Opinion publique» (1870-1883), Trois-Rivières, Éditions CEDOLEQ, 1979, 107 p.

L'image des États-Unis dans la littérature québécoise (1775-1930) (essai), Sherbrooke, Éditions Naaman, 1981, 360 p. (Prix Albert-B.-Corey 1982).

Contes et récits de la Mauricie, Anthologie (en collaboration avec Gilles de La Fontaine), Trois-Rivières, Éditions CEDOLEQ, 1982, 160 p.

Bibliographie des contes littéraires de la Mauricie, Trois-Rivières, Éditions CEDOLEQ, 1982, 180 p.

The Iroquoise / L'Iroquoise : une légende nord-américaine / A North American Legend (édition bilingue), Sherbrooke, Éditions Naaman, 1984, 80 p.

Les Demi-Civilisés de Jean-Charles Harvey (édition critique), Montréal, les Presses de l'Université de Montréal, 1988, 302 p.

Ringuet en mémoire. 50 ans après «Trente arpents» (en collaboration avec Jean-Paul Lamy, actes du colloque tenu les 6 et 7 octobre 1988 à l'UQTR), Québec, Éd. Septentrion, 1989, 154 p.

«La figure de l'Indien dans l'imagerie publicitaire nord-américaine», in *Présence francophone,* n° 34, automne 1989, p. 123-141.

ÉTUDES SUR L'OEUVRE

Éthier-Blais, Jean, «Jean-Charles Harvey ou le destin d'un Demi-civilisé», in *le Devoir,* 23 mars 1970, p. 13.

Fabre, Michel, «Guildo Rousseau, l'Image des Etats-Unis dans la littérature québécoise (1775-1930)», in *Études canadiennes* (Talence, France), n° 13, 1982, p. 234-235.

Ferretti, Andrée, «Le mirage américain dans notre littérature», in *le Devoir,* 5 décembre 1981, p. 24.

Gaudreault, André, «Jean-Charles Harvey rendu plus accessible. Edition critique des *Demi-civilisés*», in *le Nouvelliste Plus,* 1er octobre 1988, p. A 12.

Hare, E. John, «The Iroquoise / l'Iroquoise. Une légende nord-américaine / A North American Legend», in *Revue d'histoire littéraire du Québec et du Canada français,* n° 9, Hiver-printemps 1985, p. 121-122.

Major, André, «Entretien avec Guildo Rousseau. Jean-Charles Harvey est-il un écrivain actuel?», in *le Devoir,* 29 mars 1969, p. 16.

Ménard, Jean, «Préfaces des romans québécois du XIXe siècle, recueillies et présentées par Guildo Rousseau, préface de David M. Hayne», in *Revue d'histoire littéraire de France,* n° 6, novembre-décembre 1973, p. 1104.

Michon, Jacques, «Les États-Unis de notre petite bourgeoisie de 1800 à 1930», in *Lettres québécoises,* n° 25, printemps 1982, p. 72-73.

Roy-Guérin, Michelle, «Contes et récits de la Mauricie», in *le Nouvelliste,* 31 décembre1982, p. A 13.

Savard, Pierre, «Guildo Rousseau, l'Image des États-Unis dans la littérature québécoise (1775-1930)», in *Revue d'histoire de l'Amérique française,* vol. XXXVI, n° 1, juin 1982, p. 123-126.

EXTRAITS DE LA CRITIQUE

(À propos de *l'Image des États-Unis dans la littérature québécoise (1775-1930)*.

« En ce temps où l'histoire se veut plus totale que jamais, l'historien se réjouira de voir enfin paraître une bonne et grande thèse sur un thème capital à l'intelligence des avatars de l'identité canadienne-française depuis la fin du 18ᵉ siècle jusqu'au premier tiers de ce siècle. »

> Pierre Savard, *Revue d'histoire de l'Amérique française*, vol. XXXVI, nᵒ 1, juin 1982, p. 123.

« Guildo Rousseau peint de main de maître, dans toutes ses couleurs et tonalités, la grande fresque de nos rapports réels et symboliques avec les États-Unis tels qu'ils furent vécus et imaginés pendant un siècle et demi. Un livre pour lequel je désespère de trouver les idées et les mots justes qui insinueraient en vous le désir irrésistible de le lire. »

> Andrée Ferretti, *le Devoir*, 5 décembre 1981, p. 24.

« Cette hésitation entre le désir de s'approprier le territoire et celui de s'ouvrir à tout le continent, Guildo Rousseau la prouve et l'affirme en faisant l'histoire du rêve tantôt envoûtant, mais oppressif, tantôt possible, mais défendu, de l'Amérique qui n'a cessé, depuis les origines, de nourrir l'imaginaire des écrivains d'ici. »

> Gérald Gaudet, *le Nouvelliste*, 1ᵉʳ août 1981, p. 19.

EXTRAIT DE L'OEUVRE

L'IMAGE DES ÉTATS-UNIS DANS LA LITTÉRATURE QUÉBÉCOISE

De la Nouvelle-France à nos jours, le Québec a toujours possédé une pensée américanisante : depuis l'époque où l'intendant Talon rêvait de conquérir New York afin de mieux assurer l'épanouissement du monde français en Amérique, il n'est guère de décennie où l'on ne retrouve l'expression d'un courant d'idées politiques, sociales, économiques, religieuses ou simplement littéraires, qui nous font assister à la quête nostalgique d'une «France américaine» héroïque, glorieuse et édénique, vaincue par la fatalité de l'histoire, ou se dessinant dans la promesse non moins mythique d'un continent doué d'une forme et d'un contenu français.

Cette permanence de l'Amérique dans l'histoire de la pensée canadienne-française n'a pas manqué de revêtir un caractère de gravité : elle est essentiellement moulée sur la perception ou la projection d'une américanité vouée tout autant à être définie qu'à être dépouillée de tout lien de parenté avec l'Amérique anglo-saxonne. Non pas que tout se résume en une sorte d'imagerie nord-américaine : il est possible de montrer par quelles routes la pensée canadienne-française rejoint celle d'outre-atlantique. Mais le décor et le milieu nord-américain ont produit dans l'âme canadienne-française un phénomène de cristallisation sans égal. Même nos échecs, reliés de près ou de loin à notre présence sur ce continent, engendrent des répercussions dont nous ressentons encore les effets. Parlant de notre destin collectif en Amérique du Nord, Anne Hébert écrivait dans *le Devoir* du 22 octobre 1960 :«La terre que nous habitons est terre du Nord et terre d'Amérique: nous lui appartenons biologiquement comme la flore et la faune. Le climat et le paysage nous ont façonnés aussi bien que toutes les contingences historiques, culturelles, religieuses et linguistiques». Mais destin combien déchirant, précise-t-elle, qu'une appartenance ressentie «comme une épine plantée au coeur du continent américain (...)».

Et, en effet, cette appartenance au continent nord-américain, qui est né avec l'ambition coloniale française d'occuper les «pays d'en haut», demeurera à travers le temps moins un don qu'une conquête éminemment marquée par le voisinage des États-Unis : projection d'aspirations, d'espoirs, de frustrations et de rancoeurs, d'existences aventureuses et de visions politiques inlassablement repris, analysés, définis, et qui traduisent le désir séculaire du Canadien français, torturé par l'angoisse de son existence laurentienne, de porter son regard sur l'écran de la réalité américaine.

Que tout puisse s'expliquer par le voisinage des États-Unis, personne ne voudra le prétendre. Mais c'est en partie à cause de ce voisinage que s'est aggravée la crise de conscience nationale. Ce qui tourmentait les coeurs et les esprits au temps de Talon et de Montcalm prenait habituellement son origine à Boston ou à New York; le départ d'explorateurs, de coureurs de bois ou de missionnaires vers les territoires de l'Ouest, tout au long du XVIIIe siècle, se transforma au siècle suivant en une émigration massive des Canadiens français vers les régions et les villes prospères de l'Union; la concurrence commerciale avec les États-Unis, jusqu'à il y a quelques décennies, a fini par s'appeler dépendance économique. Héritiers de la civilisation européenne, nous gardons encore des affinités culturelles ou des liens divers avec la France et l'Angleterre. Mais l'Amérique nous infuse la meilleure partie de notre tempérament, et notre peuple s'apparente davantage au peuple américain, notre voisin immédiat.

L'image des États-Unis dans la littérature québécoise (1775-1930), 1981, p. 11-13.

INÉDIT

CULTURE ET MÉMOIRE CULTURELLE

Prenons d'emblée le risque du cliché ou du lieu commun : «La culture, c'est ce qui reste dans l'homme quand il a tout oublié». Convenons qu'une telle définition de la culture n'a rien d'extraordinaire, tant elle paraît tenir davantage de la sagesse populaire que d'une réflexion savante tirée d'un traité de philosophie ou d'anthropologie. Peut-être provient-elle aussi du fond des âges? Des Romains, qui se faisaient fort d'inventer des maximes de toutes sortes? ou encore des Grecs qui ont, les premiers, le plus réfléchi sur la question culturelle? Erreurs! Cette définition est d'Edouard Herriot, écrivain, homme politique et académicien français, né en 1872 et mort en 1957.

Mais en quoi l'oubli est-il une condition de la culture? Pourquoi serait-il en effet nécessaire d'oublier pour se remémorer le passé? Pour la simple raison que l'oubli de certaines informations — dans le cas présent, celle du nom d'Edouard Herriot — faciliterait d'une certaine manière l'empreinte dans la mémoire culturelle (ou collective) d'informations considérées plus essentielles. C'est que le contenu supposé de la culture n'est jamais présent en totalité dans la mémoire d'un individu ou d'une société : l'une comme l'autre vivent les pratiques de la culture suivant la contemporanéité qui les habite; autrement dit, la culture n'est pas une superposition infinie de souvenirs ou d'expériences multiples, comme elle ne coïncide pas non plus nécessairement avec les disciplines et les savoirs qui ont charge de la transmettre : la culture est un choix au jour le jour; elle est une sélection quotidienne d'images, d'idées, de discours, de représentations, d'actions ou d'intentions, qui irriguent les individus et les sociétés, tantôt provoquant chez les unes l'éclosion du changement social, tantôt pressant les autres à maintenir vivantes leurs traditions. La culture est une sédimentation d'acquis perpétuellement réorganisés sur un fond d'oublis.

Une culture venue d'ailleurs. Essai sur les représentations culturelles du corps malade dans la publicité nord-américaine (1900-1930), extrait d'un ouvrage en préparation.

ROGER
DES ROCHES

Roger Des Roches est né à Trois-Rivières le vingt-huit août 1950. Très tôt, il apprend qu'il y a «de nombreux poèmes que La Fontaine n'a pas écrits». En 1965, il lit Denis Vanier, Claude Péloquin, Verlaine et Prévert, puis il rencontre François Charron avec qui il fera ses expériences les plus importantes en littérature «moderne».

Il a collaboré aux *Herbes rouges,* à *la Barre du jour* et à *Hobo-Québec.* Son oeuvre figure dans l'anthologie de Mailhot et Nepveu et dans celles de Jean Royer et de Lucien Francoeur.

Roger Des Roches, depuis 1982, oeuvre au sein de Logidisque Inc., la première maison d'édition de logiciels québécois, où il occupe la fonction de directeur des éditions. Il a abandonné la poésie et travaille maintenant à la rédaction de deux romans : *Journal de la fauverie* et *l'Homme qui ne souffrait plus.*

BIBLIOGRAPHIE

Corps accessoires (poèmes), Montréal, Éditions du Jour, 1970.

L'enfance d'yeux, suivi de *Interstice* (poèmes), Montréal, Éditions du Jour, 1972.

Les problèmes du cinématographe (poèmes), Montréal, Les Herbes Rouges, 1973.

Space-Opera (sur-expositions, poèmes et proses), Montréal, Les Herbes Rouges, 1973.

Reliefs de l'arsenal (récit), Montréal, Éditions de l'Aurore, 1974.

Autour de Françoise Sagan indélébile (poèmes et proses 1969-1971), Montréal, Éditions de l'Aurore, 1975.

La publicité discrète (poèmes), Montréal, Les Herbes Rouges, 1975.

Le corps certain (poèmes), Montréal, Les Herbes Rouges, 1975.

La vie de couple (poèmes), Montréal, Les Herbes Rouges, 1977.

La promenade du spécialiste (poèmes), Montréal, Les Herbes Rouges, 1977.

Les lèvres de n'importe qui (prose), Montréal, Les Herbes Rouges, 1978.

«Tous, corps accessoires...» (rétrospective 1969-1973), Montréal, Les Herbes Rouges,1979.

Pourvu que ça ait mon nom (poèmes et proses, en collaboration avec Normand de Bellefeuille), Montréal, Les Herbes Rouges, 1979.

L'observatoire romanesque (prose), Montréal, Les Herbes Rouges, 1979.

L'imagination laïque (poème), Montréal, Les Herbes Rouges, 1982.

Poème, attention suivi de *Deuxième poème* (poèmes), Montréal, Les Herbes Rouges, 1984.

Le soleil tourne autour de la terre (poèmes), Montréal, Les Herbes Rouges, 1985.

Tout est normal, tout est terminé (poème), Montréal, Les Herbes Rouges, 1987.

L'écrivain public (en collaboration, système de traitement de texte pour Apple II, Commodore 64 et IBM PC, de 1984 à 1989), Montréal, Logidisque.

«Le vertige des prisons» (nouvelle de science-fiction) in *Imagine,* n° 50, décembre 1989.

ÉTUDES SUR L'OEUVRE

Dictionnaire des oeuvres littéraires du Québec, tome 5, 1970-1975, Montréal, Fides,1987.

Voix et images, Littérature québécoise, (numéro spécial consacré à Roger Des Roches), hiver 1988, n° 38, Université du Québec à Montréal.

Ellipse, n° 42, 1989, consacré à Roger Des Roches et Lorna Crozier (15 textes traduits en anglais et illustrés par Jocelyne Chabot; présentation d'André Gervais.)

———————

EXTRAITS DE L'OEUVRE

(...)
Attention!
Je n'ai jamais parlé d'autre chose que de mes
      sentiments moyens.
Ecoutés par la tendresse
Et traversés de plaisance.
Les sentiments qui se regardent mourir?
Bon.

Les chars grognent.
Attention à la détresse!
Le haut du peignoir tombe.
Rien ne peut faire plus de bruit.
D'habitude, tout ce qui pense ou est pensé finit par
        tomber.
Ses seins sont ronds, lourds et très larges,
Ils sont ronds comme la lumière qui perce le métal,
Ils sont lourds comme le métal qui demeure
        lorsqu'on a éjaculé dans la bouche de celle qui
        nous aime,
Ils sont larges comme la langue qui apprend très
        jeune à lécher,
Parce qu'il y a beaucoup de soleil là-bas et que la soif
        est un sport du corps et de l'esprit.
Mais quelqu'un a écrit des choses sur ses seins.
J'aimerais bien savoir qui a fait ça.
C'est peut-être ma lettre qui a fait ça;
Quelque chose qui a survécu à l'indépendance.
La certitude qui m'habite que la peau de ses seins est
        d'une finesse ahurissante se traduit par de très
        nombreux mouvements oculaires involontaires
        survenant pendant mes périodes de sommeil
        paradoxal.
Pourrait-on parler de la pratique des sports de l'esprit
        pendant le sommeil?
Attention à la confusion!
Les chats ruinent la cuisine lorsque ses cuisses sont
        entrouvertes;
Tout ceci partant d'un autre point de vue.
Ça parle du risque de confondre les odeurs et les
        couleurs.
D'entendre parler la jeune femme
Avec une voix d'insecte,
Parce que sa voix revient d'énormément loin dans le
        passé (surtout aujourd'hui).
(...)

Poème, attention! suivi de *Deuxième poème,*1984.

5

Nous roulions.
Nous roulions.
Je ne comprends pas la route devant, derrière.
En réalité, il y a les étoiles (fixées à la voûte céleste à l'aide
        du sperme des anges);
Les planètes (au nombre de cinq : Saturne, Jupiter, Mars,
        Vénus et Mercure);
Le Soleil (qui tourne autour de la Terre);
La Lune (fabriquée d'une matière fort curieuse);
Il y a enfin les nuages qui sont composés de vapeur d'eau,
        de langues de feu et de formes imitant à s'y méprendre
        les objets du quotidien.
Personne sur la route...
Notre présence même sur Terre est curieuse.
Le coeur blanc.
Est-ce que je sens un mouvement?
Le ciel roule d'Ouest en Est.
Le sang circule à sa vitesse habituelle. Le sang fait sa lessive.
Le sang circule à sa vitesse habituelle en empruntant les voies
        suivantes : du coeur au cerveau, du cerveau aux corps
        caverneux de la verge; des yeux au cerveau, du cerveau
        aux corps caverneux de la verge.
La verge blanche, ornée de bijoux, qui demande du plaisir,
Sujet, verbe, complément,
De la même taille et de la même forme que le creux de la
        main chaud, que l'intérieur de la bouche rond, que
        l'intérieur du vagin bon et que l'intérieur du rectum
        étroit.
Personne sur la route.
Nous roulons.
Le passé de l'autre.
L'Événement difficile repoussé par les mains de l'un sur les
        cuisses de l'autre, à la recherche de la taille douce.
Bien des raisons de craindre le pire se noient dans la vitesse
        du paysage.
Les ailes courtes.
Rien que le passé.
Le passé de l'autre est une chose ignoble.
Aucun partage possible.
La même forme et les mêmes doutes.

Le même goût (quand les deux goûtent le même goût il y
a de bonnes raisons de craindre le pire).

Le soleil tourne autour de la terre, 1985.

Je paierais cher pour apprendre à penser.
Écrivain suffit à peine à écrire.
Qui a dit que la pensée se mesurait à la distance
Qui existe entre les yeux des uns et le cul des
autres?
La pensée change mais, la permission vient trop
tard mais,
La transparence se prouve toujours plus
facilement :
Le cul transparent, mon ombre cachée par un livre.
De mémoire, je fonds, je me console.
Je ne mérite pas mon alcool.
Mais ma nerveuse, ma contemporaine, mon objet
de l'espèce, mon associée de la génération
fiction,
Du fond de ton lit sucré,
Tu as fait de moi un être fragile,
Impossible à paraître sembler devenir.
Mais j'écris toujours pour une femme blanche.
La femme riche qui se prépare les cuisses,
Qui se parfume devant ses enfants,
Qui se sépare en un corps régulier et un corps
grave
Dès qu'elle met les pieds, le matin, sur le parquet
froid.
Mais tout ça va fonctionner joliment sans mon
aide.
J'utilise le langage de la fin de tout,
Rêvant que mes caresses
Finiront un jour par lui faire oublier
L'ordre des lettres dans l'alphabet.

Tout est normal, tout est terminé, 1987.

172

Elle vide sa tête sur mes genoux.
Mais la Solitude saignant,
Malgré ses seins écoliers et son poil brouillé,
Je suis seulpensant, seulvivant, seulentendant.
Elle s'appelle celle qui est celui que je croyais la
      dernière,
La traitante, la justifiable, l'accident de détresse.
Je fais la liste de mes ruptures.
Je les classe par prodige.
Elle regrette.
La propriétaire de mes odeurs glisse dans l'eau du
      bain;
Elle n'échappe pas à la tendreté;
Ce corps immergé qui s'appelle celle par qui fuit
      mon courage
N'échappe pas au vulgaire :
Le Célibataire voit tout, sait tout, entend tout.
Grand garçon maintenant,
A chaque mot doit correspondre une chose rapide
Qui me donnera envie de raconter la fin de tout.
Au fond de la baignoire, une femme patiente
      m'explique
Que tel ou tel sentiment va bientôt naître dans son
      coeur complet.

Tout est normal, tout est terminé, 1987.

INÉDIT

L'HOMME QUI NE SOUFFRAIT PLUS

à Marie-Josée Robitaille

L'homme qui ne souffrait plus regardait les femmes passer. Il souriait en songeant à toutes sortes de choses.

Les femmes qu'il croisait, les femmes qui *traversaient sa vie,* il les imaginait, pour la plupart, nues. Il les imaginait odorantes, libres et différentes. Il les imaginait agiles. Ou, si l'on préfère, plus «félines» qu'agiles. Ou, plutôt, disons, *rapides.*

L'homme se jugeait encore assez jeune. Trente-neuf ans. Bientôt. Un certain charme. Une certaine intelligence. Acceptable. De bonnes habitudes, plusieurs vieilles histoires de coeur, une curieuse petite culture, une culture en miscellanées, ramassée dans les livres et dans les magazines, composée de faits divers, de science vulgarisée et de certitudes qui pouvaient changer au gré des sources bien informées.

Il aimait - en surface et dans le détail - presque toutes les femmes. Lorsqu'il se les imaginait nues - dans la rue, sous le soleil trop jaune; agglutinées en grappes bruyantes au zinc d'un bar; dans une voiture de métro, lisant Danielle Steele ou Stephen King; à la sortie du supermarché, caissières excédées ou clientes en file indienne - l'homme qui ne souffrait presque plus ne choisissait pas de dévêtir à tout prix les plus jolies. En effet, dans les endroits publics, lorsque de «belles» femmes allaient et venaient en assez grand nombre, l'homme optait plutôt pour la quantité, pour le désordre, le surplus - il choisissait la parade joyeuse.

Les femmes *passaient*. Elles avaient toutes sortes de choses à faire et à dire; elles traînaient derrière elles des histoires très différentes les unes des autres. Un passé lourd de quotidien. *C'était* le quotidien.

Il attendait un peu, presque sans bouger. Lorsque ça lui était permis (il vivait dans la crainte que connaît tout homme moderne : qu'allait-on aujourd'hui lui interdire qui ne l'était pas la veille?), il fumait lentement, en y goûtant pour de vrai, une Marlboro; il jetait des coups d'oeil au hasard; il se disait que s'il souffrait rarement aujourd'hui, c'est qu'il se croyait à nouveau prêt à tomber en amour; il se disait que son pauvre corps, après tant d'années, avait enfin découvert des remèdes efficaces, des solutions de survie inusitées. Lorsque les femmes passaient, préoccupées, il faisait bâiller les vêtements de quelques-unes. Il guettait les formes, il cherchait (et trouvait souvent) des *indices* : la couleur et le diamètre de l'aréole, les coutures du slip qui indiquaient si celui-ci plongeait loin, la rondeur du ventre, l'enflure de la vulve.

S'il se sentait particulièrement heureux ce jour-là, il les embrassait toutes du regard.

Il utilisait alors son regard spécial, celui qui le séparait du reste du monde et qui le faisait un peu trembler (ce regard, il l'utilisait aussi lorsqu'il se mettait à sa table de travail, devant l'ordinateur, pour écrire des livres).

Ses yeux tournaient du bleu de Chine au bleu outre-mer.

Presque toutes les femmes autour de lui devenaient brusquement intimes. Elles abandonnaient leurs vêtements de bonne grâce. Et avec un certain humour. En tirant la langue parfois. Pour certaines d'ailleurs, chaque article qui tombait s'accompagnait de rires complices; celles-là babillaient; elles commentaient l'élégance ou le vice d'un geste particulier; elles se mesuraient à leurs voisines; nues, blanches, elles tassaient du pied les tas de vêtements et cherchaient distraitement le responsable de leur licence. Mais d'autres, au contraire, sans qu'aucune expression ne traverse leur visage de tous les jours, se livraient à leurs compagnes. Elles ne bougeaient que lorsqu'il le fallait (un bras, une jambe, le torse) et laissaient à ces mains plus savantes le soin de dégrafer, de déboutonner, de froisser, de faire glisser, de faire disparaître à jamais.

Disons alors : vers midi, dans le hall clair d'une banque (parce qu'il est difficile, entre deux stations de métro, de faire stopper le temps à l'extérieur d'une voiture en marche). La lumière. La ville qui bat dehors. Plafond ancien, en ogive, vers lequel les sons (électroniques pour la plupart) montent se mêler à l'air poussiéreux et retombent, chargés, enveloppés, comme s'ils allaient cueillir là-haut les bribes d'un passé opaque. Sol de travertin brillant qui glacera les pieds. Du chrome, du bois, du verre; la géométrie des affaires.

Les téléphones se tairont peu à peu. Sans qu'on ait à verrouiller les portes, plus personne ne pourra rentrer. On tolère encore la présence des hommes, mais ils devront bientôt se replier dans un coin, loin des regards, et pourront, en silence, continuer s'ils le veulent leur commerce.

Chaque femme est inimitable et, en ce sens, chacune à sa manière, désirable. «Désirable et réductible à son seul corps?» se demanda alors l'homme avec une pointe d'angoisse qui lui fit remonter les couilles contre le ventre. «Aux parties de son corps? Les bras, les jambes, les cuisses, le ventre, les seins, le cul?» Il savait très bien que certains des gestes qu'il posait - ou qu'il s'imaginait en train de poser - certaines de ses décisions de vie (quoique en majorité inconscientes et dictées par les événements et son histoire personnelle) - exigeaient qu'il se justifie. L'homme détestait trembler. Il détestait les glissements. Il préférait souvent garder le silence. Mais il voulait se racheter. Il se justifiait ainsi à moitié : «Voici la forme que prend aujourd'hui mon désir; voici comment j'honore ces femmes que je ne connais pas et qui ne me connaissent pas.» Il songea à la censure, il songea à la pornographie - les jumelles de l'esprit -, mais il ne savait pas comment formuler les arguments qui plaideraient en faveur de sa manière d'aimer.

L'homme qui avait une âme s'était placé ni trop près ni trop loin des femmes qui patientaient derrière le cordon traçant le corridor à suivre entre les portes de la banque et le comptoir des caisses. Dans un fauteuil de cuir fauve auquel était fixé un cendrier rempli de sable.

L'homme qui respirait beaucoup mieux maintenant les regardait une à une et puisait en elles ce qu'il ne pourrait jamais trouver en lui-même. Banal. Il devinait. S'il n'arrivait pas à deviner, il inventait. S'il n'arrivait pas à inventer, il se tournait alors vers une autre.

Il y avait là, attendant le signal électronique qui indiquerait qu'une caisse venait de se libérer : une jeune mère accompagnée de son très jeune enfant; une femme d'affaires; deux employées de bureau, des secrétaires peut-être, tout à fait dissemblables; deux adolescentes qui ne tenaient pas en place; une femme au début de la cinquantaine; une troisième secrétaire, parfaitement droite et immobile.

L'homme pouvait voir à travers leurs vêtements.

La jeune mère portait une robe de coton blanc, froissée, qui arrivait à mi-cuisses et lui moulait les hanches et les seins. Elle ne portait pas de soutien-gorge. Ses seins, lourds et larges, écrasés, tombaient bas sur sa poitrine et témoignaient d'un relâchement précoce des chairs. L'homme, du fond de son fauteuil, les voyait tels qu'ils apparaîtraient s'ils se balançaient librement, si la jeune femme se penchait, débarrassée de sa robe douteuse, vers son enfant, pour lui fermer les yeux du plat de la main.

La femme d'affaires consultait sans cesse sa montre-bracelet. Elle était parfaitement vêtue : des pieds à la tête dans la soie, dans le tweed, dans la serge, dans le bon goût et la retenue. L'homme voyait pourtant qu'elle avait taillé et rasé - ce matin même - le poil de son pubis de manière à ce qu'il ne demeure plus, comme tracée au crayon à maquiller, qu'une mince bande crépue, un étonnant diviseur de vulve.

Les deux premières «secrétaires» ne se ressemblaient pas, je l'ai déjà dit. L'une était de descendance italienne - et s'exprimait dans un étonnant mélange d'anglais et de français; l'autre, québécoise française, lui répondait toujours en anglais, d'une voix *incomplète*, aiguë, avec des mots qui trébuchaient sur la grammaire et qui la rapetissaient. Mais l'homme le savait : elles ne se ressemblaient pas, mais tout ce qu'elles voulaient, c'était s'embrasser sur la bouche, se serrer l'une contre l'autre, écraser leur ventre l'un contre l'autre.

Le t-shirt de la première adolescente annonçait : *All This and No Brains* ; celui de la deuxième : *Save the Whales, I Need Perfume!*

L'homme qui voulait être aimé voyait leurs seins de mercure - et leurs touffes de blé mur - et leurs fesses de pain frais. Il goûtait à leurs jus chauds et sucrés, à leur sueur de jeune fille, à leur nervosité (elles murmuraient des secrets, elles étaient inséparables, elles mâchaient constamment; leurs corps étaient devenus des miroirs, des manufactures).

HARVEY RIVARD

JEAN
PANNETON

Jean Panneton est né à Trois-Rivières le trente et un octobre 1926. Après une Licence en lettres (Paris), il obtient un Diplôme d'Études Supérieures et un Doctorat ès lettres de l'Université Laval. Il a enseigné au Séminaire Sainte-Marie de Shawinigan (1954-68), au Cégep de Trois-Rivières (1968-72 et 1974-75) ainsi qu'à l'Université d'Alger (1972-74). Jean Panneton a été le président-fondateur de la Société des écrivains de la Mauricie. Il a collaboré régulièrement au *Nouvelliste* et à *En vrac*. Il est maintenant supérieur du Séminaire St-Joseph.

BIBLIOGRAPHIE

Ringuet (essai), Montréal, Éditions Fides, 1970, 190 p.

L'évangile au naturel (essai), Montréal, Éditions Paulines, 1986, 131 p.

Le choix de Jean Panneton dans l'oeuvre de Ringuet (anthologie), Les Presses laurentiennes, 1986, 72 p.

EXTRAIT DE LA CRITIQUE

« L'aspect fondamental du discours me paraît situé dans les pages intitulées *la Part du sacré*. La concision du propos affirme, pur et simple, que le fait religieux est indissociable du phénomène humain. (...) Les habitués de «Propos d'Évangile» (*le Nouvelliste*) reconnaîtront un regard direct, une réflexion qui prend ses distances avec le conformisme, constamment habitée de réalités humaines qu'éclaire le sens chrétien du parcours, son ultime arrivée. »

Madeleine Saint-Pierre, *Nos livres*, n° 6837.

EXTRAIT DE L'OEUVRE

Une introduction à l'oeuvre d'un auteur aboutit toujours à une interrogation sur l'écrivain lui-même. L'oeuvre de Ringuet est là, quelque peu disparate : un peu de poésie, peu de théâtre, trois romans, des nouvelles, deux ouvrages historiques, des souvenirs. Quel témoignage porte-t-elle sur son auteur? Cet écrivain très célèbre chez nous pendant près de trente ans n'en demeura pas moins une personnalité énigmatique. Mille fois interviewé, il sut toujours se dérober aux questions trop compromettantes. Pudeur ou respect du milieu, on sentait qu'il ne disait pas tout, n'allant pas au bout de sa pensée. Cette impression perdura tant et si bien qu'un Jean Ethier-Blais en 1965, après la lecture de *Confidences*, eut cette intuition : «J'espère que, dans les papiers de l'écrivain, il y a des «Mémoires cachés», pleins de secrets.»

Ces «Mémoires cachés» existent, il en a été question; ils s'appellent le *Journal* et le *Carnet du cynique*. Philippe Panneton appartint à une génération pudique. Il tint scellés ces dossiers révélateurs. Ces coffrets à confidences contiennent des éléments de réponse aux principales questions sur Philippe Panneton. Son oeuvre publiée en reçoit souvent un éclairage nouveau.

Ainsi voudrait-on préciser l'esthétisme de Ringuet ces précieux manuscrits nous seraient indispensables. Sans doute nulle part l'esthétique de l'auteur y sera présentée en bonne et due forme mais çà et là un jugement littéraire, une impression de lecture, une réaction, aideront à découvrir ses goûts, ses critères de beauté, ses maîtres à penser et à sentir. Quant à l'esthétique au plan strict, lui-même a reconnu :

180

Au demeurant, je ne me fais plus aucune illusion sur le développement de mon esthétisme, si jamais je m'en suis fait.

Il n'aime pas l'âge romantique. Son journal compte plusieurs professions de foi antiromantique : «Quelque peu épris de romantisme que je sois.» Chateaubriand est sa tête de Turc. La vue du tombeau de Grand-Bé lui inspire même cette insolence :

> Chateaubriand a su ainsi garder sa mémoire de l'oubli au cas où n'y suffiraient pas ses quelques belles pages et le bifteck.

En somme, c'est le ton larmoyant, l'enthousiasme de commande et les élans naïfs qu'il exècre chez certains romantiques, en particulier chez l'auteur du *Génie du christianisme*.

Son siècle, c'est celui de Voltaire. «Goût en littérature : le XVIIIe siècle français» aimait-il à rappeler. Du XVIIIe siècle il apprécie le goût de la clarté, l'humanisme démuni de tout sens du sacré et du mystère. En ce temps-là, on était peu profond mais clair. Si Ringuet parle quelquefois de Voltaire dans son journal, il admire surtout Anatole France qui est un écho fidèle d'un humanisme prolongé du XVIIIe siecle. Un soir d'inquiétude sentimentale, Ringuet relit le chapitre VI du *Mannequin d'osier*. L'effet fut bon et la nuit, excellente :

> Anatole France est un grand écrivain et un heureux philosophe. J'ai dormi plus de neuf heures d'un sommeil béat et aujourd'hui le calme est revenu.

Ringuet, 1970, p. 109-110.

LA POÉSIE, L'ACTE CRÉATEUR PAR EXCELLENCE

Créer signifie : faire quelque chose de rien. «Ex nihilo». Aussi toutes les cosmogonies font intervenir, au premier temps, un acte créateur. Et toujours le mot création devrait évoquer un résultat obtenu, à partir d'un matériau mince voire inexistant et selon une économie de moyens qui rend ce résultat plutôt étonnant. Phénomène où l'inférence entre la cause et l'effet est remise en question. Toujours l'acte créateur devrait sous-entendre une certaine immatérialité et des moyens allégés. Une manière d'inefficacité, du moins apparente.

C'est dans cette perspective, que la poésie peut être présentée comme l'acte créateur par excellence.

Bien entendu, nous parlons de la poésie dans sa forme privilégiée qu'est le poème, non de cette qualité de beauté répandue un peu partout : dans un paysage, un roman, sur un visage.

En quoi la poésie serait-elle l'acte créateur par excellence? Le poète, contrairement à la plupart des artistes, fait quelque chose de rien, ou du moins de bien peu. La sculpture part du bois, du marbre ou de l'aluminium; la tapisserie de la laine et des fibres; le peintre de matières colorantes; le danseur de son corps; le musicien d'une foule d'instruments bien concrets.

Le poète, lui, n'a pas d'autre matériau que le mot, la parole, le verbe. Rien de moins consistant, de moins matériel, rien de plus fragile que ces quelques ondes sonores organisées auxquelles les conventions ont assigné une signification. Matériau assez mince, en effet, que ces mots dont le stock est limité et qui, à force d'être utilisés, s'usent comme une vieille monnaie. Et ces mêmes mots ne sauraient être utilisés n'importe comment. Si les licences poétiques sont admises, si le langage poétique n'a pas à se modeler sur le langage ordinaire, il demeure que les contraintes du lexique, de la grammaire et du bon usage imposeront toujours à la démarche du poète des frontières qu'il ne saurait violer impunément. Sans quoi, le poète francophone cessera de proférer un poème français et le poète allemand, un poème allemand.

Sans doute des mots naissent, d'autres meurent, des tours nouveaux apparaissent, mais le matériau linguistique utilisé par Villon est substantiellement le même que celui à la disposition du poète d'aujourd'hui.

Du côté du matériau à sa disposition, le poète est donc dans une situation moins favorable que les autres artistes. S'il ne part pas de rien, le matériau qu'on lui offre est plutôt limité.

L'acte poétique, envisagé ainsi, apparaît correspondre éminemment au sens premier de créer.

Il y a un autre point de vue. La poésie a une autre limite : elle ne bénéficie pas au niveau des moyens d'expression, des apports de la science et de la technologie, comme les autres arts. Prenons le cas de la sculpture. Un nombre impressionnant de nouveaux matériaux lui offrent des possibilités insoupçonnées hier. Le béton, les matières plastiques, sans oublier les techniques modernes pour traiter ces matériaux, voilà que l'inspiration du sculpteur est comme forcée de se renouveler. Quant à la musique, des instruments modifiés et les nouveaux instruments invitent le musicien à des sonorités hier inconnues. Le peintre et le lissier, eux aussi, bénéficient de la science et de la technologie.

Les poètes, «les poètes sacrés» disait Verlaine, se situent-ils si haut qu'ils ne sont pas affectés par les acquis de la science et de la technologie, tel ce sphynx de Baudelaire qui trône dans l'azur? «Au-dessus de la matière et des brutes laideurs» selon le vers de Nelligan.

Cette situation, la poésie pourrait la payer cher. Que la poésie soit un acte créateur au sens presque littéral du mot, et en raison de la légèreté de son matériau et en raison de ses moyens simplifiés, c'est peut-être une noblesse. Mais c'est une dignité dangereuse. C'est son avenir qui est ici en jeu. Théoriquement l'on peut s'interroger sur l'avenir de la poésie, sur ses possibilités de renouvellement. D'où attendre le renouvellement de la poésie? Que l'on mette des poèmes en chanson et en musique, que l'on ait recours à l'illustration et aux procédés typographiques, le renouvellement de la poésie n'en est pas assuré pour autant. Telle question ne se pose ni pour la peinture, ni pour la sculpture, ni pour la musique, ni pour la tapisserie. Nous savons pourquoi.

Pourtant nous ne doutons pas que la parole du poète roulera son message de siècles en siècles, mais nous avons du mal à expliquer comment l'acte poétique réussira toujours à rendre un son nouveau. Voilà le miracle poétique! Il est relativement facile de démontrer théoriquement que l'avenir de la poésie est bloqué, qu'elle a peu de chance de se renouveler, qu'elle est condamnée à faire du sous-Villon, du sous-Baudelaire, du sous-Rilke, du sous-Saint-John-Perse; et voici qu'un poète se lève et dit une parole toute nouvelle, réussissant encore à trouver au fond de l'inconnu du nouveau.

VAN DYCK & MEYERS

ANDRÉ DIONNE

Né à Saint-Wenceslas le treize décembre 1945, André Dionne est bache-lier en études françaises de l'U.Q.T.R. et détenteur d'un certificat en sciences de l'éducation de l'U.Q.A.M. Critique littéraire, membre du comité de régie de *Lettres québécoises*, il fut professeur à l'U.Q.T.R. (1970-1971), à l'U.Q.N.-O. (1971-1972), au cegep de Rimouski (1972-1974), au cegep St-Laurent (1976-1982). Il enseigne au cegep Montmorency depuis 1982. Il a été scénariste et recherchiste à Radio-Québec (1974-1975). Ses principales collaborations : *Lettres québécoises, Nos livres, Livres et auteurs québécois.*

BIBLIOGRAPHIE

Dyke (poésie), Trois-Rivières, Les Écrits des Forges, 1971, 59 p.

Envers précédé de *Gangue* (poésie), Trois-Rivières, Les Écrits des Forges, 1972, 55 p.

Demain d'aujourd'hui (poésie), Trois-Rivières, Les Écrits des Forges, 1977, 64 p.

PRINCIPALES ÉTUDES SUR L'OEUVRE

Gaudet, Gérald, *Les Écrits des Forges, Une poésie en devenirs*, Trois-Rivières, Les Écrits des Forges, 1983, p. 57-61.

Déry, Pierre-Justin, *Dictionnaire des oeuvres littéraires du Québec*, t. V, 1970-1975, Montréal, Éd. Fides, 1987, p. 262-263.

EXTRAITS DE LA CRITIQUE

« (...) André Dionne se tourne vers le monde qui s'ouvre à lui comme un volcan. On dirait un corps, du sang répandu. On dirait des idées en bataille, de l'intime libéré de clandestinité.(...) Déjà l'expression orageuse d'une sensibilité urbaine, (...)*Dyke* donne à entendre une voix différente (...). Mais dans la cité. Au coeur du quotidien. Dans l'instant. Avec cette force des bâtisseurs. »

> Gérald Gaudet. *Les Écrits des Forges, Une poésie en devenirs*, Trois-Rivières, Les Écrits des Forges, 1983, p. 57-58.

« (Dans) *Gangue*, les vocables comme des buildings s'agglomèrent verticalement en une structure plus ou moins modulaire, au secret carrefour des missiles du signe. (...) (Dans *Envers*, l'intolérable attente en milieu clos, le *beat* urbain ou même l'obsession de l'intime dualité et du vide, tout provoque la mouvance du désir. (...) Périple intérieur vers une autre lumière, pulsant d'une gravité vraiment contemporaine, depuis le fracas des néons jusqu'aux astrales balises des êtres mi-transformés. »

> Pierre-Justin Déry, *Dictionnaire des oeuvres littéraires du Québec, t.V, 1970-1975,* Montréal, Éd. Fides, 1987, p. 263.

EXTRAITS DE L'OEUVRE

à chaque gorgée de feu
nos sangs bouillonnent
de dieux humains
sous les flammes
de nos chairs éblouissantes
nos os nourrissent
les forges solaires

l'homme   fer rouge
se forme dans nos mains

Dyke, 1971, p. 59.

maintenant
le bruissement de ses frissons
dans son souffle
moment précis
dans sa gorge
le goût du sang coagulé
l'étouffement des secondes
à passer à vivre
      ici
dans le sursis du lieu
à attendre
l'arrivée de l'autre
qui habite en vous

Envers précédé de *Gangue,* 1972, p. 50-51.

you remember
Saint-germain-des-Prés
Greenwich Village
même rue
mêmes gens
même beat
hasard du tou / cher voir pres
que l'éclatement différent dé / vi / ant
sinueuse odeur caustique

ville nu / age crevé
l'automate marche
I'm sorry
heurts saisis
sants dit-il
d'oeil en eux
projection phosphorescente
déjà nuit réverbère ren
versant rutilante rue a(t)
tirante lumière vision va / riante
brouillon des / sin
noire blanche em / mêlée
UNE SENTEUR MUSICALE
COURT LES RUES

Demain d'aujourd'hui, 1977, p. 63-64.

INÉDIT

l'homme s'active se déchire et s'épuise
la machine mange gloutonnement
les sens qui s'affaissent
plus rien
que les fantasmes
cerfs-volants
dans le blanc du cratère
tombe le ballon, la mémoire
l'espoir des arbres
dans l'enclave des oreilles
chevaux sans ambages
miroir de Babylone
illusion du regard
de la pensée
sur le reflet de la plage
que sons enveloppants
naïveté étrange
l'amour au jeu d'angoisse

CÔME RICARD

PAULE DOYON

Née à Taschereau (Abitibi) le vingt-sept mai 1934, Paule Doyon est poète, romancière, auteure pour enfants. Elle a collaboré à plusieurs journaux et revues : *Châtelaine, Actualité, Perspectives, le Sabord, Passages* et *En Vrac...*

BIBLIOGRAPHIE

Liste des livres pour enfants

Noirette, Sherbrooke, Éd. Paulines, 1971, 14 p.

Comic et Alain, Sherbrooke, Éd. Paulines, 1971, 14 p.

Roussette, Sherbrooke, Éd. Paulines, 1972, 14 p.

Vagabond, Montréal, Éd. Paulines, 1974, 15 p.

Apic et Nectarine, Montréal, Éd. Paulines, 1975, 16 p.

Eugène Vittapattes, Montréal, Éd. Paulines, 1977, 63 p.

Collection «Le monde de Francis et Nathalie», Montréal, Éd. Paulines, 1978, huit titres.

Francis et Nathalie au zoo, 14 p.

Nathalie à la bibliothèque, 14 p.

Francis chez les Indiens, 14 p.

Nathalie aux bleuets, 14 p.

Le mauvais pied, 14 p.

Nathalie fait du ski, 14 p.

Francis et Nathalie à la sucrerie, 14 p.

Un choix difficile pour Nathalie, 14 p.

Pollu-ville, Montréal, Éd. Projets, 1981, 23 p.

Le Petit Hiver, Montréal, Éd. Projets, 1981, 23 p.

Carl le petit pingouin, Sherbrooke, Éd. Naaman, 1986, 29 p.

Autres

Rire fauve (poésie), Trois-Rivières, Les Écrits des Forges, 1983, 48 p.

Windigo (roman), Sherbrooke, Éd. Naaman, 1984, 53 p.

Éclats de paroles (poésie), Trois-Rivières, Les Écrits des Forges, 1985, 57 p.

Rue de l'acacia (nouvelles de science-fiction), Sherbrooke, Éd. Naaman, 1985, 136 p.

Le Bout du monde (roman), Montréal, Éd. Boréal, 1987, 188 p.

EXTRAITS DE LA CRITIQUE

(à propos de *Rire fauve*) « Et nous voilà conquis; et nous voilà partis à la suite du cicerone qui nous invite à la recherche d'un monde dont il a perçu les gestes et les lieux; d'un monde qui touche également le coeur et l'esprit. Et c'est une profusion d'images nouvelles, inattendues, qui vous heurtent parfois pour le bon motif, et qui vous ensorcellent de la première à la dernière page. »

Alphonse Piché, *En Vrac*, n° 18.

« Le présent petit livre constitue une revanche éclatante de «l'instinct» littéraire et vital. On trouve rarement, en effet, un semblable mélange de maturité (de métier littéraire, de connaissance des autres et de soi) et de révolte, une belle et fraîche révolte que la lucidité n'arrive pas à décourager. »

André Brochu, *Voix et Images*, vol. X, n° 2, hiver 1985.

(à propos de *Éclats de paroles*) « Il se dégage de cette poésie une atmosphère de fête comme si l'amour faisait sourire les choses, comme si dans ce sourire il y avait tous les commencements, comme si la phrase se tramait inaugurale dans ses éclats et ses tonnerres. »

Gérald Gaudet, *En Vrac*, n° 24.

(à propos de *Windigo*) « Les images, d'une très grande beauté, sont susceptibles de développer chez l'enfant la perception de la vie. »

Martin Thisdale, *Nos livres*, vol. 15, oct. 1984.

(à propos de *le Bout du monde*) « A la fois récit qui se lit bien et documentaire sociologique, *le Bout du monde* ajoute à la grande saga de la migration vers les terres neuves des éternels Samuel Chapdelaine. »

Aurélien Boivin, *Québec français*, n° 69, mars 1988.

« Clavel survole l'histoire, Doyon observe de l'intérieur. »

André Dionne, *le Nouvelliste*, 17 octobre 1987.

« Paule Doyon est fort habile. Avec son style limpide, elle dépouille les cataclysmes de l'époque de leurs revêches caractères historiques et nous les livre soudain intimes, intégrés aux joies et aux peines des personnages. Son roman, très beau, rempli de descriptions merveilleuses demeure d'une couverture à l'autre infiniment touchant. »

> Odile Tremblay, *la Gazette des femmes*, mars - avril 1988.

« Ce roman ne laisse aucun arrière-goût de misérabilisme ou de «déjà-lu». Grâce au talent de conteuse de Paule Doyon, à son sens de l'image frappante et à ses savoureuses petites leçons d'histoire. »

> Roch Poisson, *le Bel âge*, janvier 1987.

EXTRAITS DE L'OEUVRE

« Écrire comme une fleur s'ouvre. »

> *Éclats de paroles*, 1985, p. 7.

« Couturière habile, je refais des pensées neuves avec des mots usés. Mes mains, comme des îles, flottent loin de moi. Là où les idées sentent fort et les mots brûlent, terriblement. »

> *Éclats de paroles*, 1985, p. 15.

« Ma parole est un mélange de cannelle et d'igloos. »

> *Rire fauve*, 1983, p.25.

« Dans les ténèbres, je tresse des liens rosissants, de l'arc du regard aux barreaux de mes doigts. »

> *Rire fauve*, 1983, p. 12.

« Me transformer en algue dans un sombre éblouissement, en quête d'un savoir effrayant. »

Rire fauve, 1983, p. 18.

« Je vous prie de prêter l'amour à l'instant, afin de ne pas lentement devenir des pierres. »

Rire fauve, 1983, p. 15.

« Rouler hors de l'époque. Pour dire. »

Rire fauve, 1983, p. 19.

« Un rond de rire sur ma joue. Maladroite, j'écris sur la glaise de l'âge le végétal sentiment. »

Rire fauve, 1983, p. 24.

« Sous mes doigts mignons une myriade de velléités. Mon menton appuyé au creux d'un vol de mots.»

Rire fauve, 1983, p. 25.

« J'avancerai droit vers les honnêtes gens et ferai grincer la raideur de leurs verrous, trop raisonnable pour m'arrêter à la porte brisée des paupières. »

Rire fauve, 1983, p. 28.

« Le disque sacré du soleil roulait au-dessus de la forêt murmurante. Le feu de son regard réveillait la chaleur de la terre qui devenait hantée. Les fougères, les herbes savantes, les arbres qui retiennent tout, les insectes qui sortent de leur torpeur, de même que les oiseaux qui reviennent de loin mais apprennent vite les nouvelles, rôdaient ensemble dans la nuit. Les cris de guerre, les halètements des mourants, les sifflements des flèches et les coups de tamahawk sur les têtes, tous les massacres de l'hiver revenaient habiter la noirceur, quand la chouette lançait son cri lugubre pour les appeler. »

Windigo, 1984, p. 15.

« — Est-ce que je rêve? se demanda Janis.

— Peut-être... comprit-il, mais le rêve est situé dans la conscience et il faut en tenir compte. Le rêve est une fenêtre sur la conscience, il renseigne.

— Mais pourquoi Jason lui apparaissait-il, vêtu, à peu de chose près, comme les cosmonautes des films de science-fiction?

— Parce que la science-fiction est aussi une vision de la conscience intérieure. Elle peut, à travers le filtre déformateur des temps, présenter des images floues de l'avenir. L'homme ne réalise-t-il pas toujours que les projections de ces images? Que sont les découvertes? les inventions? d'où vient le génie? l'Art? est-ce la matière ou la conscience qui inspire et propose les solutions aux impasses de l'humanité? »

«Jason et la toison de lumière», in *Rue de l'acacia*, 1985, p. 133.

« Derrière nous, Carl court, insoucieux de l'avenir. Carl vole dans le sentier, se grise de sa course d'où jaillissent des piaillements d'oiseaux. Il écoute ses pas appeler dans la solitude. Il est un dragon. Son haleine remplit la forêt. Son haleine a une odeur de feuilles, de sève, de terre. Carl est tout entier dans cet instant. Le chien Moustachu passe en trombe, rattrape Carl et dans son enthousiasme le fait rouler sur le sol. Carl se relève, heureux. Le sentier de glaise dure file à travers les épinettes. Un vent passe, porteur d'arômes. Une corneille scande régulièrement un signal d'alerte. Au bout du sentier un point bleu attend : c'est le lac Robertson. »

Le Bout du monde, 1987, p. 14.

Un arbre est mort hier
Et ce fut un grand deuil
dans ma rue.
Un grand érable est mort.
Pendant que je buvais mon café, à petites gorgées
dans la tasse à la rose,
j'entendais le bruit terrible
des hommes à la scie...
Parce qu'un arbre qui meurt
reste encore longtemps debout.
Je buvais mon café, à petites gorgées
alors qu'on achevait l'arbre, à quelques pas de moi
dans un vacarme à réveiller toutes ses feuilles
qui au printemps ne lui étaient pas venues.
Un arbre est mort, pendant que je buvais mon café
dans la tasse à la rose.
Ensuite la rue est redevenue paisible.
Mais il reste toujours ce grand cercle d'or
à deux pas de ma porte
Et je bois mon café, à petites gorgées
dans la tasse à la rose.

* * *

De temps en temps la main de Toulouse touchait la main de Dolorès pour s'assurer qu'elle était encore là. Il sentait bien que dans cette noirceur Dolorès ne voyait pas son visage. C'était moins pénible ainsi. Son visage aurait trahi sa laideur. Mais il se mit à penser et il avait peur. Peur de la fin de la nuit contre laquelle il ne pouvait rien. Il ne pourrait empêcher que le jour se lève. Il ignorait quand le jour se lèverait; incapable qu'il était de lire l'heure. Il arrêta un moment de parler, s'étira, se demandant si c'était vraiment profitable de continuer de parler dans une aussi grande noirceur. Puis, il recommença à parler. Parce qu'il ne savait vraiment faire que ça. Et il dit son nom. Il ne savait plus si c'était son nom ou celui d'un autre, mais c'était déjà doux d'avoir pu prononcer un nom. Et Toulouse se mit à aimer son nom. Parce qu'il le prononçait dans le noir. Alors il cria TOULOUSE si fort, jusqu'aux étoiles qui le captèrent dans leur lumière. Car certaines d'entre elles possèdent un capteur de son.

KÈRO

**LOUIS
CARON**

Né à Sorel le vingt et un juillet 1942, Louis Caron est entré dans le journalisme à l'âge de dix-huit ans. Il franchit toutes les étapes de cette carrière avant de l'abandonner en 1976 pour se consacrer entièrement à la littérature. Les prix Hermès et France-Canada (1977) couronnent la parution de son premier roman, *l'Emmitouflé*, publié chez Robert Laffont. En 1979, le récit qu'il fait à la radio de Radio-Canada d'un roman encore inédit, *Tête heureuse*, lui assure une réputation de conteur. C'est avec *les Fils de la liberté*, une mini-série de six épisodes d'une heure co-produite par Interimage Inc. (Montréal), Radio-Québec et Antenne 2 qu'il aborde l'écriture pour la télévision. Il poursuit cette carrière avec *les Racontages de Louis Caron*, puis avec la première partie de la série *Lance et compte !*, écrite en collaboration avec Réjean Tremblay et produite par la Société Radio-Canada (en anglais et en français) et TFL/Paris. Président de l'Union des écrivains québécois de 1979 à 1980, il a également été membre des conseils d'administration de la Corporation du Salon du livre de Montréal et de la Société de gestion du droit d'auteur. En 1982, il recevait le Prix France-Québec pour *le Canard de bois* et le Prix Duvernay, en 1984, pour l'ensemble de son oeuvre littéraire. En 1987, il fut nommé président du Groupe-conseil sur le statut de l'artiste par Madame Lise Bacon, ministre des Affaires culturelles.

BIBLIOGRAPHIE

L'illusionniste suivi de *Le Guetteur* (contes et poèmes), Trois-Rivières, Les Écrits des Forges, 1973, 72 p.

L'emmitouflé (roman), Paris, Éd. Robert Laffont, 1977, 242 p. Réédition : Paris, Éd. du Seuil, édition définitive en format de poche, 1982, 208 p.

Le bonhomme sept-heures (roman), Paris / Montréal, Éd. Robert Laffont / Leméac, 1978, 252 p. Réédition : Paris, Éd. du Seuil, édition définitive en format de poche, 1984, 172 p.

Les fils de la liberté -1- *le Canard de bois* (roman), Paris / Montréal, Éd. du Seuil et du Boréal-Express, 1981, 332 p. Réédition : Paris, Éd. du Seuil, format de poche dans la collection «Points», 1982.

Les fils de la liberté -2- *la Corne de brume* (roman), Paris/Montréal, Éd. du Seuil et du Boréal-Express, 1982, 272 p.

Racontages (récits), Montréal, Éd. du Boréal-Express, 1983, 186 p.

Le vrai voyage de Jacques Cartier (récit), Montréal, Éd. Art global, 1984, 48 p. (édition d'art à tirage limité)

Marco Polo ou le nouveau livre des merveilles (roman, en collaboration), La Chartreuse de Villeneuve-Lez-Avignon / Malakoff, Éd. Circa et Solin, 1985, 325 p.

Au fond des mers (littérature-jeunesse), Montréal, Éd. du Boréal, 1987, 48 p.

La vie d'artiste (essai), Montréal, Éd. du Boréal, 1987, 222 p.

Les fils de la liberté -3- *Le coup de poing* (roman), Montréal, Éd. Boréal, 1990, 365 p.

EN TRADUCTION

The Draft-dodger (roman), traduction anglaise de David-Toby Homel; titre original : *l'Emmitouflé*, Toronto, House of Anansi, 1980.

EXTRAITS DE LA CRITIQUE

(à propos de *l'Emmitouflé*) « (...) le premier ouvrage d'un écrivain canadien qui pour son coup d'essai a écrit un grand roman d'amour et de guerre.»

La quinzaine littéraire, sept. 1977.

«La publicité a parlé d'un Steinbeck canadien. C'est une référence dont on peut avoir besoin à Paris; disons, pour prendre nos mesures et rappeler les filiations nécessaires, que Louis Caron appartient à la lignée des meilleurs Thériault et Langevin.»

Jacques Godbout, *l'Actualité*, février 1978.

(à propos du *Bonhomme sept-heures*) « Cette fable haute en couleur dit plus que ce qu'elle raconte. *Le bonhomme sept-heures* décrit une tragédie régionale mais illustre avant tout le passage du Québec rural, clérical et monolithique au Québec moderne porteur de vérités et d'orientations multiples. »

Madeleine Ouellette-Michalska, *Châtelaine*, février 1979.

« Pour conjurer la peur et le cataclysme, Caron les exorcise en les nommant. Il le fait avec un ton que déjà l'on reconnaît de livre en livre, un ton de tendresse et d'espièglerie dans la présentation de personnages qui continuent de vivre en nous une fois la lecture achevée. »

Lise Gauvin, *le Devoir*, octobre 1978.

(à propos du *Canard de bois*) « C'est dans la durée que s'inscrit d'emblée, pour y demeurer, le très beau livre du tendre bourru de Nicolet. »

Réginald Martel, *la Presse*, juin 1981.

« Quelle belle synthèse de notre destin! »

Gérald Gaudet, *le Nouvelliste*, juin 1981.

« Alors que *les Habits rouges*, de Roquebrune, laissait se mouvoir rois, reines, chevaliers, fous, sur l'échiquier de la révolution, *le Canard de bois*, y fait se démener les pions, symboles des petits, des ordinaires.

Caron coule ses personnages dans une argile bien de chez nous, à saveur de racines sauvages et de feuilles aromatiques. »

Maurice Carrier, *le Nouvelliste*, juillet 1981.

(à propos de *la Corne de brume*) « Louis Caron a du souffle. Il regarde ses personnages vivre et nous raconte ce qui leur arrive d'une main sûre, sans bavure comme sans joliesse, comme un maître d'oeuvre qu'il est. »

Adrien Thério, *Lettres québécoises*, printemps 1983.

« La prose de *la Corne de brume* prend toute son ampleur - et quel souffle alors! - quand l'auteur oppose les êtres à la nature et à leur destin, dans une fureur magnifique. Alors le pays se met à vivre et on jurerait que le conteur vient d'entrer en état de grâce : les mots grondent, se bousculent et explosent, la prose atteint une puissance qui force l'adhésion du lecteur. »

Réginald Martel, *la Presse*, 18 décembre 1982.

(à propos des *Racontages*) « L'auteur a le don de faire vivre ses personnages, de se mettre et de nous mettre dans leur peau, et de revoir à travers leurs yeux le monde...»

François Hébert, *le Devoir*, novembre 1983.

« Benoît est tous les hommes à la fois, il est donc aussi conteur, et un peu magicien, comme Caron, et on l'écoute religieusement. »

Gilles Cossette, *Lettres québécoises*, printemps 1984.

EXTRAITS DE L'OEUVRE

L'EMMITOUFLÉ

Puis l'homme vient à la maison avec sa serviette bourrée de documents. Il regarde l'enfant sur le lit, il regarde le père, il regarde la mère puis il tend un papier qu'il faut signer. Il signe à son tour. C'est la mort de Jeanne qui est inscrite là, sur le papier. Puis il en arrive un autre, puis deux, puis tous ceux du voisinage. Qui viennent regarder la morte. Une enfant de trois ans! Ils sont une dizaine à la cuisine. Ils boivent du thé en discutant. La vie est chère! Jeanne est couchée sur son lit dans la chambre d'à côté. Oui, la vie est chère! Qu'est-ce qu'on peut faire? Vous en aurez d'autres, des enfants! À votre âge! Non, jamais! J'en aurai pas d'autres! Le Bon Dieu m'avait donné une enfant, il me l'a ôtée, que Sa Sainte Volonté soit faite mais j'en aurai pas d'autre! J'aime mieux rester comme ça, tout seul, assis à côté de mon Élise, les mains sur les genoux, à attendre. Pas essayer de comprendre. Attendre.

Le temps. Comme dans mon temps. Comme dans mon trou. Comme toute ma vie. La respiration du temps. L'haleine du temps. Le goût du temps dans ma bouche. J'ai goûté le temps mais j'ai pas pu le digérer. J'ai goûté le temps puis je l'ai pas aimé.

C'est parce que tu l'as jamais accepté. Tu t'es toujours révolté. Tu t'es toujours battu contre ce qui était plus fort que toi. Quand ils t'ont dit d'aller à la guerre, tu as répondu non! Quand ils t'ont dit que le temps de ta petite Jeanne était passé, tu as répondu non! Tu t'es révolté contre ce qui était plus fort que toi. Le temps!

Dix ans plus tard. Les cheveux gris déjà. La même moustache mais grise, les mêmes gestes dans la même maison. Les voisins encore une fois. C'est Élise qui est sur le lit. Qui vient d'avaler le temps à son tour. Nazaire est là comme l'autre fois, à genoux. Tout seul cette fois.

C'est toujours la même chose. Il arrive toujours quelque chose. Tu as vingt ans, tu es heureux, tu passes tes journées à la pêche dans le Monteux, la guerre éclate, tu es obligé de te cacher. Ça finit par finir, tu sors de ton trou, tu es marié avec la plus belle femme du monde, vous avez une enfant, l'enfant meurt. Tu es encore obligé de rentrer dans ton trou. Tu laisses un peu passer le temps, tu recommences à vivre, ta femme meurt à son tour. Et pourtant...

Et pourtant tu l'avais le goût toi aussi! Comme tout le monde! Un goût qu'on ne saurait dire! Un goût d'éternité!

Ils sont autour du lit d'Élise. Ils te disent : Console-toi. Elle est encore mieux là où elle est. Elle a tellement souffert. Le Bon Dieu sait mieux que nous autres ce qu'il faut faire! Mais tu ne réponds pas. Tu ne parleras plus jamais. Tu n'entendras peut-être pas non plus. Pas la voix des morts! Pas le cantique des morts! Tu seras tout seul avec ta propre respiration.

L'Emmitouflé (1977), 1982, p. 205-20

LE CANARD DE BOIS

Dans la salle, la cause était entendue. On en discutait à voix basse. Le président ne paraissait pas s'en rendre compte.

Hyacinthe sembla d'abord chercher un instant un visage familier puis il se ravisa et se mit à parler comme à lui-même.

- On m'a jeté en prison parce qu'on m'a trouvé dans une église avec de pauvres gens qui n'avaient plus de maison. Depuis deux jours, au lieu d'essayer de comprendre pourquoi ils étaient si malheureux, d'autres personnes viennent ici vider toute la haine qu'elles ont dans le coeur. Ce n'est pas ça la justice.

Il se tut comme s'il avait tout dit. On en attendait davantage.

- Il y a des lois dans ce pays. Il ne faut pas faire ceci, il faut payer cela. Mais chaque fois qu'on passe à côté, même sans s'en apercevoir, ou parce qu'il n'y a pas d'autre chemin, on tresse un brin de la corde qui va nous pendre. Ce n'est pas ça l'ordre. Et la terre, elle est à tout le monde. Elle est surtout à ceux qui peinent pour la cultiver. En tout cas, il n'y a pas de raison pour qu'elle appartienne tout entière à ceux qui ont pour métier de regarder les autres travailler. Et Dieu, je ne crois pas qu'il porte un uniforme de soldat et qu'il nous surveille constamment pour nous prendre en défaut. Je ne crois pas non plus que l'amour d'une femme et d'un homme lui soit désagréable. Ça ne peut pas être ça, l'amour de Dieu.

Chapard était encore une fois debout.

- Monsieur le président, la plaidoirie de cet homme n'a rien à voir avec les chefs d'accusation qui sont portés contre lui.
- C'est exact, répondit Sullivan. Hyacinthe Bellerose, vous devez restreindre votre défense à ce qui s'est dit dans cette enceinte depuis le début du procès.
- Vous voulez me pendre, dit Hyacinthe, mais vous ne voulez pas m'entendre.
- Ce que nous voulons, c'est la vérité, une fois pour toutes.
- Eh! bien, je vais vous la dire, moi, la vérité. Non, ce n'est pas moi qui ai tué le notaire Plessis. Je le jure devant Dieu. Oui, je suis un révolté. Mais je ne suis pas révolté contre les Anglais. Je suis révolté contre la haine, contre la misère, contre l'autorité qui abuse, contre la bêtise. Et je sais que l'injustice sera toujours l'injustice, en français comme en anglais.

Il tendit les mains derrière lui pour retrouver son siège.

- Vous avez fini, monsieur Bellerose? demanda Sullivan.

Hyacinthe ne répondit pas. Alors le président donna un coup de marteau symbolique sur son pupitre.

- La sentence sera prononcée demain.

Le Canard de bois, (1981), 1982, p. 319-320.

INÉDIT

PLAISIR AU PAYSAGE

Je suis né dans le paysage. Dès ma plus tendre enfance mes sens ont constitué un prolongement des éléments. Je n'avais pas cinq ans que je me savais une fraternité avec les cailloux et les fourmis.

Il y a toujours eu une rivière dans ma fenêtre. Des prés sous mes pas. Du sable entre mes doigts. À dix-sept ans je travaillais à Montréal pour survivre. J'ai quitté la ville au printemps, sans avertissement, parce que j'entendais la plainte de la terre sous l'asphalte.

J'ai vieilli sans trop émousser cette sensibilité. J'habite de nouveau la ville mais mon jardin est un univers. Chaque feuille, chaque brin d'herbe font entendre une voix plus puissante que celle des machines.

J'écris pour faire plaisir au paysage, pour «louer, remercier mon seigneur» à la façon de François d'Assise. Et je sais que le paysage est le fondement même de ma joie puisque lui ne meurt pas.

Au moment de rédiger ces lignes j'ai un ami qui agonise dans un lit qu'on lui a dressé dans son salon, devant la grande fenêtre, sous le regard du paysage. Dès qu'il aura fermé les yeux j'apercevrai son visage dans mon paysage, vivant et peut-être éternel.

En attendant que ces choses m'arrivent, je me constitue d'importantes réserves de sérénité en louant, bénissant et célébrant le paysage. La fumée de ma pipe, le frisé de mes cheveux, le poids de ma démarche, paysage, paysage, paysage.

NORMAND RHEAULT

JOCELYNE
FELX

Née à St-Lazare de Vaudreuil le deux janvier 1949, Jocelyne Felx détient un Baccalauréat en lettres françaises après avoir fréquenté l'Université de Montréal et l'Université du Québec à Chicoutimi. Poète et romancière, chroniqueure en poésie pour la revue *Lettres québécoises* , elle a reçu le Prix Émile-Nelligan en 1982 pour *Orpailleuse* et le Prix littéraire de Trois-Rivières en 1989 pour *les Pavages du désert* . Ses principales collaborations : *le Sabord* et *estuaire.*

BIBLIOGRAPHIE

Les vierges folles (roman), Éd. du Jour, 1974.

Les petits camions rouges (roman), Éd. du Jour, 1975.

Feuillets embryonnaires (poésie), Trois-Rivières, Les Écrits des Forges, 1980.

Orpailleuse (poésie), Saint-Lambert, Éd. du Noroît, 1982.

Nickel-Odéon (poésie), Saint-Lambert, Éd. du Noroît, 1985.

Les Pavages du désert (poésie), Saint-Lambert, Éd. du Noroît/ La Table Rase, 1988.

EXTRAITS DE LA CRITIQUE

(à propos de *Feuillets embryonnaires*) « Jocelyne Felx écrit avec passion, une passion hachurée, constante. Elle est d'ores et déjà l'un de nos meilleurs écrivains. »

Michel Beaulieu, *Le livre d'ici* , vol. 6, 11 février 1981.

(à propos de *Orpailleuse*) « Que dire, en effet, d'un livre qui capte autoritairement l'attention, où chaque page pourrait être la mise en abîme de toutes les autres, où la citation de dix phrases suffirait à donner l'idée d'ensemble? »

Joseph Bonenfant, *Livres et auteurs québécois,* 1982.

(à propos de *Nickel-Odéon*) « Jocelyne Felx provoque des vertiges, des étourdissements, des secousses, des arrêts brusques et des décollages imaginaires en queue de comète. Elle se déplace dans des espaces dont j'aime personnellement les contrastes, le rire fusé, le sérieux, la passion, les courages... »

Caroline Bayard, *Lettres québécoises*, n° 41, 1986.

(à propos de *les Pavages du désert*) « L'art de Jocelyne Felx consiste à imbriquer la science et la poésie la plus pure pour nous étonner au détour de chaque vers. Le lecteur est vraiment saisi par la sensibilité à fleur de page qui respire de ce poème sans espoir (...). Jocelyne Felx fabrique, au sens étymologique du mot poésie, de la pensée avec des mots. Du grand art. »

Guy Ferland, *le Devoir*, 8 octobre 1988.

EXTRAITS DE L'OEUVRE

OISEAUX DE MER

le déclin commence à midi
comme l'automne le soleil est à son comble
et dès l'aurore se prépare la nuit
entre deux temps infiniment voisins
chaque seconde cette accélération nulle
grandeur vectorielle *direction*
sens et point d'application
de notre vie avec sa rose étincelante
entre les deux poumons

la vie se trame au fond s'émeut
et palpite dans la langue des oiseaux de mer
à peine le soleil de midi noie
l'enchantement des heures mobiles
l'emmaillottement des mains
ce sourire brodé sur le vide
sa belle surface incorruptible
que nous recouvrirons si vite
de terre et d'hypocrisie
drifts des corps de poussière

Les Pavages du désert, 1988, p. 76.

Voilà un ventre aux fonctions de grossir, de nourrir au lait des encriers, le plus beau après celui de mère. Et cette eau coulant cette lèvre   chose dans mon corps survenue   lieu où l'enfant se trouve à présent ouvert.

*Feuillets embryonnaires,*1980, p. 12.

Vieil ours en peluche, mimique, fauteuil qui attend la fable, les petits riens des grandes batailles. Je ne déchiffre pas encore le mot liberté. Ne sera-t-il rien de plus qu'enfantin au coeur des mois de juillet et d'août, une colique, un état maussade?

Orpailleuse, 1982, p. 51.

Enfants, je suis votre guide de brousse et votre plante en pot. Aucune société savante ne dédouanera la couturière de mots que je suis, ses machines à socles ancrées en elle comme la terre dans ses retailles.

Nickel-Odéon, 1985, p. 154.

INÉDIT

LE QUOTIDIEN

Nous ne touchons à rien d'extrême. La voix n'est donc pas la plus courte. Il y a promenade et détour dans le hall des lieux publics, et l'enfant est là, émerveillante. C'est, entre toutes, celle qui dirige plus ou moins le hasard. Et l'éclair peut la toucher plusieurs fois au même endroit sans que rien d'extrême ne se produise, aucune maigreur du présent, aucune macération, aucune décoction. Le futur est une complication dont l'oiseau n'a pas connaissance. On n'embue pas l'air de réflexion.

MIROIR DE FAILLE

Le silence est le contenant de tout, et il n'a envie de rien, ni de la deuxième personne, et quand il existe un peu plus qu'il n'est strictement nécessaire, c'est que les mots ne veulent rien dire à la surface. Alors on fait, le plus simplement du monde, un pas de côté pour cueillir, résumée dans la plus brève des formules, cette fleur qui ne s'est jamais perdue dans les mots. Effacer d'un crayon tendre nos noms propres pour rester dans l'infini de la tâche.

**YVES
BOISVERT**

Né à L'Avenir (Estrie) le vingt-six septembre 1950, Yves Boisvert possède une maîtrise en littérature de l'U.Q.T.R. Animateur de radio depuis 1977, il s'occupe essentiellement de la diffusion de la poésie. En 1988, il recevait le Grand Prix de poésie du *Journal de Montréal*. Ses principales collaborations : *estuaire, Ovo, Inter, Docks, Sud, Ellipse, Possibles, Ciel variable, Dixit, Terminus, Passages, A.P.L.F., A.P.L.M.*

BIBLIOGRAPHIE

Pour Miloiseau (poésie), Trois-Rivières, Les Écrits des Forges, 1974.

Mourir épuise (poésie), Trois-Rivières, Les Écrits des Forges, 1974.

Simulacre dictatoriel (essai théorique), Trois-Rivières, Les Écrits des Forges, 1979.

Formules (poésie),Trois-Rivières, Les Éd. du Sextant, 1981.

Lis : Écris !? (poésie), Trois-Rivières, Les Éd. du Sextant, 1981.

Vitraux d'éclipse (poésie), Trois-Rivières, Les Écrits des Forges, 1981.

Poèmes sauvés du monde (poésie), Trois-Rivières, Les Écrits des Forges, 1985.

Gardez tout (poésie), Trois-Rivières, Les Écrits des Forges, 1987.

Peaux aliénées (essai), Montréal, Éd. Rebelles, 1987.

Chiffrage des offenses (poésie), Montréal, Éd. de l'Hexagone, 1987.

Les amateurs de sentiments (poésie), Trois-Rivières et Paris, Les Écrits des Forges et Le Dé Bleu,1989.

Oui = non (poésie), Montréal, VLB éd., 1990.

En collaboration

Des soirs d'ennui et du temps platte (prose), Trois-Rivières, A.P.L.M., 1976.

Manifeste : Jet/Usage/Résidu , Trois-Rivières, Les Écrits des Forges, 1977.

Code d'oubli (essai-fiction), Trois-Rivières, Les Écrits des Forges, 1978.

Contes populaires de la Mauricie (anthologie), Montréal, Éd. Fides, 1978.

La bête à sept têtes (conte), Montréal, Éd. Quinze, 1980.

Pierre la Fève (conte), Montréal, Éd. Quinze, 1982.

Livres d'artiste

Signes nomades , Trois-Rivières, H.C., 1980.

État sédentaire , Trois-Rivières, H.C., 1980.

La vie en général (avec Christiane Lemire), Trois-Rivières, H.C., 1981.

EXTRAITS DE LA CRITIQUE

« *Gardez tout* est à la limite de cette «twilight zone» poétique et la force de Boisvert est de ne pas s'y perdre, de conserver la tension à l'intenable.»

Louis Dupont, *N'importe quelle route*, Québec, print.1989.

« Nous signalant certaine identité de ¨porcs¨, il se complaît dans l'invective, l'universelle profonation et l'ordurier. »

Pierre -Justin Déry, *le Sabord*, hiver 1988.

« Boisvert, ce beau sablier d'exil, ce chacun de nous...»

Louise de Gonzague, *Nos livres*, n° 7189.

« Yves Boisvert, le poète du vide par excellence. »

Antonio d'Alfonso, *Nos livres*, sept. 1988.

« Dans «Verdict majoritaire» qui clôt son livre, et possiblement sa carrière (...) »

Marc-Olivier Rainville, *Liaison St-Louis*, oct. 1987.

« Wow ... »

Francine Grimaldi, *la Presse*, nov. 1987.

« D'un voyage à l'autre, entre deux pôles (...), un ménestrel joyeux et désespéré s'enquiert modestement du sort des hommes. »

Gabriel Landry, *Nuit blanche*, hiver 1988.

EXTRAIT DE L'OEUVRE

Ce n'est pas tout.

Il y reste du germe à déraciner. Il y a la naissance mutilée des dialectes de la passion. Le passionnel double le dictatorial de tous, en s'appropriant ses figures de style, de sorte que *tout corps pris comme propriété publique* , en son espoir d'évasion de l'inertie, tout corps pris dans son état normatif, aliéné, s'expose à la soumission volontaire ou à

211

la maladie. *S'exposer*, c'est-à-dire se placer en position de provoquer chez la majorité policée le goût de juger, de blesser et si possible de tuer. Si l'on n'y parvient pas, on se contentera de lui injecter de la peinture phosphorescente dans le pénis après avoir agrandi l'ouverture à l'extrémité du gland; on lui gravera sur le thorax des slogans à faire se branler les plus libres de tout; dans le dos, on va lui insérer des crochets de fer afin de bien se tenir quand viendra le temps de se l'incorporer.

On ne peut pas se souvenir d'un coma. Un enfant condamné par la médecine et qui ne meurt toujours pas, ne se souvient pas de sa renaissance; il ne sait rien des circonstances historiques au cours desquelles la déflagration diluvienne a marqué son corps natal. Il est une atrophie socialisée comme un destin de procuration. Pour lui, il n'y a rien d'autre à faire que de traverser le corps, mais sans le RÉPARER.

La peau est une carapace et le reste flotte dans le vague historique. La peau boit, la peau pisse, la peau chauffe, elle meurt, elle revient au monde, c'est un miracle; elle se résorbe en ourlets de froid; on attend qu'elle mue sans se servir de la conscience-du-double pour ça. Le peu de peau qui reste, reste rigide, et c'est ce qui fait que chaque matin on se réveille dans une courbe. C'est la poésie.

On dit que le poète a su garder *une âme de petit enfant* ; le mutilé ne sait pas ce que c'est que d'avoir une âme de petit enfant et trouve l'expression pour le moins cynique. Il ne se trouve pas sur le globe un être vivant plus aliéné qu'un enfant dont la peau est ravagée par les attaques de la chaleur et du froid extrêmes. Ce sont des enfants du désert et *la vie est un exil perpétuel*. Enfant, on se prend pour n'importe quoi : un arbre, un jouet, un animal, sa mère, une histoire, un bruit, une image, le centre, la limite, et le premier choix qu'on fait est faux comme est fausse la peau qu'on porte. Le dedans d'un tel enfant est un retard que personne ne dépasse. Il faut avoir pris beaucoup de retard sur soi pour s'attarder à l'intérieur de quelque chose qui ne vit qu'aux dépens de l'extérieur, et qui en meurt et qui revient et qui est malade.

Il s'agira donc de décréer une écriture à reculons vers l'identité biologique légitime. Ce qui se joue par la peau et empêche la chair de disparaître est le théâtre réel; l'autre est en santé.

Peaux aliénées, 1987, p. 35-36.

INÉDIT

Ça fait longtemps de ça
on cassait des coupes en crystal
dans des avions

une fois on est allés
de West Virginia à Calgary
c'est capoté
ça fait peur
nous connaissions la peur
et nous n'avions pas peur

ça fait longtemps de ça
les plages du Colorado
les palmes du Dakota
ou de Soho ou de La Courneuve
en vacances dans les bars

c'était plein de cinémas
on se servait du téléphone
comme de la roulette russe
c'était l'amour de sa vie
c'était toute la vie rien qu'une fois
ça fait longtemps de ça

je ne t'ai pas perdue
le sol a bougé
dans ton orchestre.

PIERRE WIBAUT

MICHELLE
ROY-GUÉRIN

Michelle Roy-Guérin est née à Louiseville le douze septembre 1936. Elle détient un Baccalauréat de rhétorique, un Brevet de jardinière d'enfants ainsi qu'un certificat d'études journalistiques de l'École Supérieure de journalisme de Paris. Elle est journaliste pour *le Nouvelliste* au bureau de Shawinigan.

Michelle Roy-Guérin a remporté à deux reprises le prix de poésie de la Société du Bon parler français. Elle a mérité le prix Benjamin-Sulte de la Société Saint-Jean-Baptiste de même que le prix Jean-Béraud-Molson pour son premier roman. Elle a collaboré, en plus du *Nouvelliste,* à *En vrac* et à *Châtelaine.* Michelle Guérin est le pseudonyme de Michelle Roy.

BIBLIOGRAPHIE

Les oranges d'Israël (roman), Montréal, Éd. CLF Pierre Tisseyre, 1972.
Réédition : Paris, Éd. Sarrazin, 1974.

Le sentier de la louve (roman), Montréal, Éd. CLF Pierre Tisseyre, 1973.

Le ruban de Moebius (contes et nouvelles), Montréal, Éd. CLF Pierre Tisseyre, 1974.

Onyx (roman), Montréal, Éd. CLF Pierre Tisseyre, 1975.

Temple oral (poèmes), Trois-Rivières, Le Bien public, 1977.

En importunant la dame (roman), Montréal, Éd. CLF Pierre Tisseyre, 1978.

EXTRAITS DE LA CRITIQUE

(à propos des *Oranges d'Israël*) « (...) L'histoire est bien contée et elle nous tient en haleine. On veut savoir non seulement ce qui va arriver à la fin, on veut savoir surtout ce qui va se passer, d'un moment à l'autre, d'une journée à l'autre, d'une saison à l'autre. C'est dire que l'auteur, dès son premier livre, a découvert une excellente méthode de narration. (...) Le lecture de ce roman est, par plusieurs côtés, fascinante. Il s'agit d'une analyse d'un cas, pour employer un langage de clinique. Une analyse bien menée, qui ne déraille jamais, reste toujours dans les chemins de la logique. Dès les premières pages, on se fait le complice du narrateur et on n'a aucune envie de le laisser.(...) j'ai eu beaucoup de plaisir à lire ce récit, bien fait, bien ordonné et mené d'une main sûre et alerte. »
Adrien Thério, *Livres et auteurs québécois 1972.*

« Michelle Guérin prouve par cette première oeuvre qu'elle est déjà en possession de ses moyens dont les plus efficaces ressortissent à une observation impitoyable des travers humains et à leur acceptation sous le couvert d'une honnête philosophie qui n'est cependant pas de l'indulgence. »
Clément Marchand, *le Bien public,* 26 janvier 1973.

« Dans ses romans, elle explore à sa façon le triangle amoureux avec tout ce qu'il peut avoir d'incisif et de factice. Ses personnages romanesques évoluent dans un monde de crises et de vices, ayant pour arrière-plan le climat lourd du Québec contemporain. »

Réginald Hamel, John Hare et Paul Wyczynski, *Dictionnaire pratique des auteurs québécois,* Fides,1976, p. 325.

(à propos de *Temple oral*) « Qui n'a connu Michelle Guérin? Nous avons tous accueilli ses somptueuses *Oranges d'Israël* au long du *Sentier de la louve,* un peu guidée par le *ruban de Moebius,* pour découvrir les chambres chaleureuses d'*Onyx.* Et ce n'est pas fini, puisqu'elle possède au plus haut degré la faculté essentielle à tout écrivain : l'imagination, et que rien ne semble altérer sa profusion à l'écriture. (...) Je crois que la poésie est un peu ce don de faire dire aux mots ce qu'ils ont de caché dans le coffre, c'est-à-dire de les tirer de leur gangue et de créer, avec le sens coutumier, un frisson nouveau. C'est ce que réussit Michelle Guérin, et qui fait qu'elle entre par la grande porte dans la confrérie des vrais poètes. »

Alphonse Piché, allocution à la Société des Écrivains, décembre 1977.

EXTRAITS DE L'OEUVRE

ONYX

Et je m'encadre dans la fenêtre, cette surface cristalline, ténue, transparente, où nos regards ont laissé d'invisibles cicatrices. Des regards comme des petites flèches lancées dans le paysage, traversant la frontière de verre pour aller se ficher loin loin, aussi loin qu'elles peuvent voler, chaque flèche ressemblant à une fuite. Des regards comme de petits ballons rebondissant sur un arbre, un toit, un oiseau, un passant, une flaque de lumière... comme de petits ballons rebondissant, retraversant la vitre pour apporter des impressions, des sentiments. Des regards comme des écureuils si minuscules et si roux que le soleil ne les reconnaît pas, et ils grimpent aux arbres et furètent partout, exubérants. Des regards comme des chenilles velues, se faufilant lentement entre les brins d'herbe. Des regards comme des larmes ou de la pluie, à la fois lourds et légers, remplis du mal d'exister. Tout cela ne peut pas éviter de laisser dans le cristal parfait de la fenêtre une blessure diamantine et c'est pourquoi le soleil en la pénétrant fait des folies prismatiques sur les murs, mais la pluie semble rendre plus opaque encore cette translucidité.

Onyx, 1975, p. 165-166.

EN IMPORTUNANT LA DAME

Une cage. Dans la cage une roue en lattes de bois. Dans la roue et dans la cage un écureuil capturé court en se croyant libre, ou pensant se libérer, avec toute l'énergie du désespoir; il fuit, plus vite, encore plus vite, jusqu'à l'épuisement. Puis il s'arrête, navré : il se retrouve toujours à la même place, dans la cage, toujours enfermé; pourtant Dieu connaît l'intensité de ses efforts!

Dix fois, vingt fois l'écureuil reprend sa course dans cette maudite roue. Il s'agite, impliquant toute sa vie, chaque goutte de son sang, chaque parcelle de ses nerfs, dans cette course éperdue sans jamais avancer ni reculer. Alors il se remet à l'oeuvre jusqu'à mourir d'épuisement. Tu ne croiras jamais, Francis, qu'un écureuil est assez intelligent pour se suicider de cette manière. Tu penseras que sa course est idiote ou qu'il lui faut juste prendre un peu d'exercice. Et s'il meurt c'est qu'il est rendu au bout de sa vie. Non, Francis; libre, il vivrait encore. On n'enferme pas un animal sauvage en croyant l'aimer et lui faire une faveur. On le gavera d'arachides, il sera toujours à la chaleur, sans concurrence, sans se battre pour sa survie. Mais il mourra parce que prisonnier. Même gras et luisant de robe.

Depuis des années Julie a été un écureuil tournant à vide dans une cage. Une belle cage! S'il n'y avait pas eu cette maudite impression parfois que chaque barreau me passait à travers la tête! J'attendais la main qui ouvrirait la cage, me permettant d'aller me perdre dans le froid et la misère, peut-être, mais libre. J'ai tourné longtemps sans avoir l'impression d'avancer. Ma course est devenue une habitude, un désespoir tranquille (le malheur fut apprivoisé en moi, mais pas la bête elle-même, demeurée toujours sauvage).

En importunant la dame, 1978, p. 79-80.

INÉDIT

NELLY

C'est le vieux bûcheron Thomas qui m'a raconté cette histoire. Une histoire vraie.

Ils étaient au camp de bûcherons, loin dans le nord. Ils avaient bâti leur cabane en bois rond en arrivant. Puis l'abri pour les chevaux. Le froid les avait vite rejoint. Ils travaillaient dur, la nuit encore là quand ils attelaient, déjà là quand ils dételaient. La hache à tour de bras toute la journée. Du thé jeté dans une boîte de métal où bouillait de l'eau sur le feu de bois, et des tranches de lard cuit dans la poêle, c'était leur dîner. Le soir, le *cook* les attendait avec un grand chaudron fumant de fèves au lard avec de la mélasse et du gros pain. Ils sentaient la sueur, ils se grattaient, ils ronflaient dès que leur tête touchait la paillasse.

Les chevaux aussi étaient durs. On les battait avec des chaînes quand ils ne voulaient pas tirer la charge de billots jusqu'à la rivière. Nelly, c'était une énorme jument noire, du poil long aux pattes, l'oeil féroce, un caractère de cochon. Il y a des jours où c'était la plus vaillante des bêtes, qui tirait la plus grosse charge. Et d'autres jours, elle refusait tout net de travailler, ignorant, superbe et orgueilleuse, les plus grands coups de chaînes qui zébraient sa sombre robe de traînées de sang.
- C'est pas pour dire, la Nelly, elle a une âme! disait Thomas.

Un jour, on l'a attelée en double avec une autre jument. Ils ont dit: Tirez! Et elles ont tiré. Avec un désespoir dans l'oeil. La charge était inhumaine. Nelly s'est soudain emballée, et à grandes foulées vers la rivière, elle a entraîné et sa compagne et la charge de bois. Et folle de colère, elle s'est lancée dans le courant. Y entraînant l'autre jument et sa charge. On les a à peine vues tournoyer dans le rapide, puis disparaître. Nelly s'était suicidée. Ce soir-là, quand les hommes sont rentrés, pas un n'a dit un traître mot.

MONIQUE JUTEAU

Monique Juteau est née à Montréal le huit janvier 1949. Elle a obtenu un Baccalauréat ès arts de l'Université de Sherbrooke et une Maîtrise ès arts de l'Université du Québec à Trois-Rivières. Membre du comité de rédaction de la *Revue des Écrits des Forges,* elle est chargée de cours à l'U.Q.T.R. depuis 1985.

Finaliste au Grand prix littéraire Guérin en 1987, elle avait remporté le Prix de la Société des écrivains de la Mauricie en 1986. Monique Juteau a collaboré au *Sabord,* à l'*Atelier de production littéraire des Forges (APLF),* et à *la Gazette populaire de Trois-Rivières.*

BIBLIOGRAPHIE

La lune aussi... (poésie), Montréal, Éditions du Jour, 1975, 65 p.

De la neige au soleil (recueil de poésie du Québec et de l'Amérique francophone), Montréal, Éditions Nathan-Ville-Marie.

Regards calligraphes (poésie), Trois-Rivières, Écrits des Forges, 1986, 58 p.

En moins de deux (roman), Montréal, Éd. de l'Hexagone, Coll. «Fictions», 1990, 168 p.

Trop plein d'angles (poésie), Trois-Rivières, les Écrits des Forges, 1990, 58 p.

EXTRAITS DE LA CRITIQUE

« (...) Le temps file; Monique aussi. Pénélope moderne, elle s'applique au «faufil du présent» et «repasse la trentaine jusqu'à ce que les coutures du passé cèdent» (...) Son univers serré contre elle, elle tente de réécrire son histoire (...). Ensemble nous rirons et tremperons «le soir dans le chocolat amer des horaires» (...). »

Lucie Joubert, *le Sabord*, nᵒ 13, p. 29.

« (...) Ce qui est particulier et fascinant dans ce recueil, c'est ce détournement du désir: «l'inévitable tête-à-queue» qui avale le monde déshumanisé dans une machine poétique, avant de le rendre par des REGARDS CALLIGRAPHES (...). »

Paule Doyon, *En Vrac*, nᵒ 30, p. 57.

« Un langage prospère. Une poésie qui attise par sa musicalité, sa coloration, ses images fantasmagoriques (...) Monique Juteau pose des REGARDS dans un univers éclaté (...). »

Huguette Bertrand, *Arcade*, nᵒ 14, p. 101.

EXTRAITS DE L'OEUVRE

machine à laver de nos amours
tu t'entêtes à tordre les torts de l'autre
tu essores nos corps
ou débordes et noies flore et fjords lointains de la confiance

* * *

méduses dans le ventre
crampes dans les mullusques
moroses maux de marée haute
la femme la plus grosse au monde
grignote sa ménopause
et pendule
pendant que la canicule
lui déchire l'endocarde

Regards calligraphes, 1986, p. 19.

dans un plat de tous les jours
j'enfonce l'hypoglosse d'un polyglotte
tous les petits os de l'intraduisible qui l'entourent
et qu'on ne mangera pas

dans la bouche d'un enfant carié
je démoule une ville comme Beyrouth
toutes les maisons en pains d'épices brûlés qui s'émiettent
et qu'il n'avalera pas

Trop plein d'angles, 1990.

(...) Et je me surprends à vouloir retourner en Inde parce que ce pays est comme une photocopieuse à bout d'encre reproduisant en pâlissant et en rendant presqu'illisible cet original de nous-même qu'on a toujours gardé précieusement à côté de notre baptistère comme un document confidentiel qu'on croyait à l'abri des foules et de leur pouvoir de réimpression (...).

(...) Clac! comme un panneau de confessionnal refermé brusquement : une vieille Thaïlandaise fervente venait d'échapper par terre une sorte de porte-bonheur en bois qu'elle s'apprêtait à déposer aux pieds d'une des statues de bouddha (...). Lili se mit à fouiller désespérement dans sa vie, car elle aurait aimé, elle aussi, y trouver un gris-gris, un fétiche qui aurait pu lui assurer un minimum de prospérité en plastifiant son avenir entre deux feuilles de bonheur tranparent (...). Et plus elle s'entêtait à chercher un talisman qui n'avait jamais existé, plus elle s'emparait des médailles et statuettes phosphorescentes de sa mère. Elle était vraiment rendue trop loin, elle trichait, elle essayait de se trafiquer à la dernière minute un porte-bonheur à partir de ceux des autres. Elle alla même jusqu'à vouloir se faire garantir non plus le bonheur, mais l'éternité. Elle paniquait parce qu'elle savait que l'éternité, même gravée en lettres moulées sur une agate, finit toujours par s'effacer.

En moins de deux, 1990

INÉDIT

Ils disent que je ne me suis jamais noyée. Ils m'habillent, ils font ce qu'ils veulent de moi. Je saigne des «non», des caillots de «lâchez-moi». Je saute des mois. Ils me donnent des bains anticonceptionnels... Anticonceptionnel, Babel m'a épilé le mot, puis elle l'a enregistré pour moi sur une cassette, et maintenant je le prononce sans faire de faute. Babel me donne les cassettes de cours d'italien que lui apporte son père. L'autre jour, en lui montrant sa fiche de quotient mental, elle lui a dit qu'apprendre l'italien c'est trop «géniecologique». Il a ri, d'un rire anticonceptionnel. Babel, elle aussi, s'est noyée, mais pas dans un lac comme moi. Elle se souvient de la couleur des petits savons ronds. Elle a oublié le reste. Quand son père vient la voir, je vais toujours avec elle. Il lui parle en italien en sortant sa langue. Il lui fait prononcer des mots compliqués en insistant sur l'importance des lèvres.

(...) Il faisait froid tellement froid qu'à la télévision on ne parla pas d'eux, ni de leur fuite, ni de la couleur de leurs yeux. Toutes les chaînes diffusaient les mêmes scènes d'emprisonnement : fenêtres givrées, engelures des doigts, records battus en cette fin de millénaire. Encore une autre notion de temps spectaculaire qui lui rappelait son âge que lui, William Lordinaire, a toujours calculé en minutes, ramassant jusqu'à la cinquième décimale après le point, lui donnant ainsi la sensation de durer plus longtemps.

DANIEL
DARGIS

Né le vingt-six mars 1952 à Cap-de-la-Madeleine, Daniel Dargis possède une maîtrise en études littéraires de l'U.Q.T.R. Secrétaire-archiviste de la maison d'édition Les Écrits des Forges, il est professeur de littérature au Collège de Trois-Rivières. Ses principales collaborations : *estuaire, Osiris, Urgences, the Canadian literary review...*

BIBLIOGRAPHIE

Perce-neige (poésie), Trois-Rivières, Les Écrits des Forges, 1975, 63 p.

Scénario grammatical (poésie), Trois-Rivières, Les Écrits des Forges, 1982, 55 p.

L'anecdote (poésie), Trois-Rivières, Les Écrits des Forges, 1984, 48 p.

Astrales jachères (poésie), Trois-Rivières, Les Écrits des Forges, 1986, 51 p.

Grands formats Lavalin (poésie), Trois-Rivières, Les Écrits des Forges/ Lavalin, 1988, s.p.

Continents neufs (poésie), Trois-Rivières, Les Écrits des Forges, 1989, 59 p.

EXTRAITS DE LA CRITIQUE

(à propos de *Perce-neige*) « Un premier recueil plein de beaux éclats. »

Gaétan Dostie, *le Jour*, 9 janvier 1976, p.18.

«Il nous offre dans son recueil un réseau d'images cohérent où s'orchestrent de belles visions d'ici.»

René Lord, *le Nouvelliste*, 21 janvier 1976, p. 26.

(à propos de *Scénario grammatical*) « Le recueil se présente comme une étreinte des mots et une traversée jusqu'aux nerfs. »

Robert Yergeau, *Livres et auteurs québécois 1982*, p. l04-l05.

« L'érotisme s'étend et se cambre arme blanche de nos combats singuliers pour gagner le pari de toute durée. »

André Dionne, *Nos livres*, vol. 14, juillet-août l983, p. 31.

(à propos de *L'Anecdote*) « Pas un mot de trop dans ce texte ramassé, affiné au laser de son émotivité. »

Michelle Roy-Guérin, *le Nouvelliste*, 26 mai 1984, p. l3A.

« Le ludisme d'une mise en scène cinématographique qui crée ses effets de surprise. »

Caroline Bayard, *Lettres québécoises*, automne l984, p. 30.

(à propos de *Astrales jachères*) « Il faut goûter cette poésie plutôt que de la noyer sous des commentaires qui ne seraient que littérature. »

André Janoel, *Nos livres*, janvier 1987, p. 26.

« Rare cohérence et grande application. »

Hugues Corriveau, *estuaire*, n° 45, été 1987, p. 51-52.

« La poésie de Daniel Dargis cultive une beauté sans date. Sa matière affectionne les impressions véritablement pleines. »

Jocelyne Felx, *le Sabord*, n° 14, printemps 1987, p. 33.

EXTRAITS DE L'OEUVRE

dans le feu des arbres
au plus obscur bûcher du silence
abattus morts
les caribous dans l'épaule de mon pays
offrent leur sang à l'amour qu'ils portaient

Perce-neige, 1976, p. 14.

rompre la digue de ces longs corridors
écrire
un peu de terre entre les mains
de chair
les mots lance-flammes qui
montent le long de tes hanches
la neige me colle aux jointures
                          fragments
je me relis

Scénario grammatical, 1982, p. 17.

(...) la comédie humaine dans l'empreinte de l'encre.
(...) l'étreinte / cette lente orbite qui célèbre la mémoire.

toute la nuit ce théâtre   des traces
des mots des personnages   ou l'autre
corps / telles des astéroïdes qui ruissellent
près de l'aisselle où l'horizon plonge entre
les alinéas   ce puits infiniment

L'Anecdote, 1984, p. 33, 43, 46.

étaient-ce les pierres à l'orée du silence qui calcinent mes paumes
ou l'aile du vent enjambant le rempart pour éclore dans la verdure
notre ombre nous précède
et sous la marche torride d'astres nus
des artères de sons ardents se rompent
des soleils souterrains s'emmêlent à l'onde noire et se consument
sans laisser un souffle où s'acharne l'humus
ta voix équilibre tout l'univers

Astrales jachères, 1986, p. 51.

je caresse ton corps s'allongeant sur les rivages et les ponts
mon front culbute dans tes mains
je m'emmêle à l'onde ligotée de la voie lactée
je touche l'air qui te bâillonne
je me fracasse sur les rochers de tes rêves
jusqu'où voyageras-tu sans bagages
l'aurore éclôt comme une pierre pour forger
à même le minerai des confidences
le fulgurant printemps

Grands formats Lavalin, 1988.

INÉDIT

QUOTIDIEN HOLOGRAPHE

il y a désespérément le texte avec des étoiles dans la bouche
parce que les rues craquent sous mes semelles
comme des feuilles mortes
la langue est la boîte noire du mutisme
ensevelie sous les statistiques
la langue à crédit même en pleine récession
devant le téléviseur propagandes
le drame privé jusqu'à perte de vue
dans l'abattoir des galaxies
this poem like a beggar's blues
cherchant l'hôtel de la délivrance
quand la nuit dévore les ombres sur les quais
vénéneux silence sans mémoire
il y a l'âme défoliée à la bourse des sentiments
l'anarchie de la pluie sur les banlieues et les rêves
la poésie assiégée sans compassion
des chapitres de l'univers déchirés
quand les liturgies économiques uniformisent la parole
il y a les mots désaffectés dans les hangars de l'oubli
la gangrène qui ronge avec précision les souvenirs
sous la blessure
jusqu'à l'os
il y a les déficits jusqu'au sommeil
les masques avalés par les ressacs de l'habitude
les déchaînements du désir
sans conviction
contre ce quotidien desséché
il y a les yeux amputés par l'Amérique
les veines tranchées de l'histoire sans remords
pour vivre mieux
il y a les rouages du sauve-qui-peut et des chacun pour soi
le suicide comme un tatouage sur les pierres
il y a que ce n'est jamais assez
il n'y aura jamais en octobre
sous les ponts
l'ignorance désarmée
sous les ciels rouges
les usines éventrent carte sur table l'horizon
il y a des concessionnaires de paradis artificiels

des bureaucrates aveugles
des don juan radioactifs
il y a des contrats à terme sur obligations
dans les amours programmées
micro-ondes et non-syndiquées
il y a étranglés
les orphelins d'une civilisation perdue
il y a que l'atmosphère est carcérale
where is the stairway to heaven
il y a des ultimes appels comme la collision de deux pétroliers
des surdoses de sondages immolant les contribuables
dans des mesures prêt-à-porter
des surgelés craintifs toujours insatisfaits
on n'a jamais rien vu
on ne voit jamais rien
il y a que la vie n'intéresse pas la vie
il y a que ça se dénombre
il y a que ça ne compte pas réellement
de partout de nulle part
il y a que ça s'encrasse
la météo piège les clandestins sur l'autoroute céleste
chaque jour est une prostituée des ligues majeures
aux stratégies offensives
planifiant infiniment une manche de prolongation
libre-échange sans lendemain
vers la normalisation d'un ailleurs meilleur
devant ses admirateurs affamés et analphabètes
chaque jour est une négociation suspendue
et un atterrissage d'urgence
il y a que chaque jour est une autre nuit
il y a que l'absence détruit la liberté

**NORMANDE
ÉLIE**

Née à La Tuque le dix-neuf novembre 1942, Normande Elie est diplômée de l'École normale Christ-Roi de Trois-Rivières.

BIBLIOGRAPHIE

Sanmaur (roman), Montréal, Éd. de Lagrave, 1975, 118 p.

Vertige (roman), Jonquière, Éd. de Lagrave, 1980, 111 p.

L'ordinateur est amoureux (roman), Jonquière, Éd. de Lagrave, 1982, 108 p.

La gourou (roman), Sherbrooke, Éd. Naaman, 1986, 100 p.

EXTRAITS DE LA CRITIQUE

« L'amour, la haine et la liberté, cette liberté de la femme qui complique et change les enjeux, voilà les thèmes que Normande Élie traite d'un roman à l'autre. Thèmes qui reflètent aussi le désarroi de la société québécoise qui évolue et qui ne respecte plus les tabous d'autrefois. »

Alice Parizeau, *la Presse*, 27 octobre 1986.

(à propos de *La gourou*) « La gourou, c'est la psychanalyse d'amours vécues dans l'expression d'une profondeur et d'une vérité rarement atteintes même dans les meilleurs romans, dans une forme d'une incroyable richesse verbale alliée à une densité, à une concision hostiles à tout superflu comme à tout bavardage.(...) L'auteure est très forte dans l'analyse et dans l'expression des sentiments et des passions (...). »

Suzanne Lafrenière, *le Droit*, 3 octobre 1987.

« Un quatrième roman en douze ans.(...) Par l'écriture, Normande Élie a l'impression d'arriver à marcher dans le labyrinthe de la communication.(...) L'écriture constitue aujourd'hui la façon la plus facile en même temps que la plus douloureuse qu'elle a trouvée pour aller chercher l'âme des gens. »

Pierrette Roy, *La Tribune*, 5 septembre 1987.

(à propos de *L'ordinateur est amoureux*) « (Ce roman) véhicule une problématique fondamentale, celle de la quête de la liberté dans une relation avec l'autre. (...) Dans un autre ordre d'idées, ce roman est parsemé de plusieurs passages rédigés dans un style d'une beauté et d'une efficacité soutenues. »

Robert Yergeau, *Grimoire*, janvier 1983.

EXTRAITS DE L'OEUVRE

LA LOUVE

Les soirs de pleine lune, la Duchesse toute de blanc vêtue, montait sur l'énorme roche plate en face de sa cabane et là, elle hurlait désespérément à la lune comme les louves le font au plus profond des bois. Elle laissait sourdre de sa gorge un cri féroce, aigu, horrible. Elle commençait par prendre de grandes inspirations, elle emplissait ses poumons à craquer pour qu'ils laissent jaillir d'elle cette plainte primitive, ce grand cri lugubre qui libérait sa poitrine et son coeur de tant de choses retenues, de tant de colères étouffées, de tant de déceptions enterrées, de tant de frustrations inavouées, de tant de chagrins «impleurés»...

Elle hurlait, hurlait, criait, jusqu'à en perdre le sentiment d'exister... Elle entrait véritablement en transes. Des veines d'eau la mouillaient des pieds à la tête. Et toute cette mouvante blancheur dans la nuit noire, gémissait à la luminosité toute ronde de la lune compatissante.

Iris debout sur son rocher, les bras au ciel, le visage blafard dans la clarté lunaire, Iris poussait des hurlements terribles de rage, de terreur, de douleur...

Il lui semblait qu'à chaque fois, elle écartait un peu les mains qui serraient sa gorge; elle déchirait les fils d'araignée qui ficelaient son cerveau; elle libérait son corps du curare qui l'empoisonnait et le paralysait. A chaque soir de pleine lune, Iris avait l'impression de retrouver un petit morceau de son âme brisée. Après sa crise, elle s'assoyait sur la roche, prenait sa tête entre ses mains et là elle pleurait doucement, tout doucement, jusqu'à ce qu'elle sente venir l'approche du sommeil qui la faisait réintégrer sa tanière.

Iris la folle, Iris la louve dort profondément les soirs de pleine lune.

Vertige , 1980, p. 42.

LUMINESCENCE

La maison se campe dans une fulgurante clarté. Les tableaux irradient. Les fleurs de papier respirent. Les souvenirs clairsemés revivent sous l'éclairage violent : bibelots, photos, cartes postales, posters. Les trois chats indolents réveillés par la main de la maîtresse circulent entre les traîneries originales du salon et la table de cuisine garnie d'une nourriture très colorée, savoureuse. Omelette gonflée aux herbes. Laitue croquante. Légumes crus. Fruits. Crème fouettée en énorme pic sur un bol de fraises.

Naura se pare de sa plus jolie robe en soie limpide, d'un rouge flamboyant. Mèches de cheveux étincelantes tressées sur une tête altière. Maquillage pimpant sur le visage aux tons chatoyants. Naura resplendit de beauté. Toute en hauteur sur de vieux escarpins, l'hôtesse déambule dans la maison hospitalière, une fragrance d'anis parfumant son sillage. Ce soir, dame veuve Karavidos reçoit en grande pompe.

Les murs retentissent du talent immortel de Beethoven. Ils proclament l'arrivée du visiteur ami.

Poète et musicien, l'ami a le don de la voix, la magie des mots. Ses gestes s'harmonisent dans un doux érotisme. Jocelyn sait dire et redire les mots préférés de Naura. Ce soir, il lui récite dans un lyrisme cérémonieux un poème composé spécialement pour elle. La voix émeut. Dévoile la beauté incommensurable d'une sensibilité profonde. Une âme au grain raffiné. La parole moule et remoule l'émotion. Naissance des ailes d'un oiseau. Puissance de l'éclair. Une soirée d'émotion.

Un rituel distinctif et original en ce qui concerne le boire, le manger, la musique et les attouchements. Un choix très sélectif dans les mots, ressentis, embellis, impétueux. Crépitations et murmures de vérités, de demi-vérités. Bulles de mensonges, de demi-mensonges. Emergence des nuances. Tirades dramatiques. Arpèges mystiques. Force et beauté de la parole échangée entre deux êtres attirés l'un vers l'autre comme deux hirondelles en mai...

La gourou , 1986, p. 33.

234

LA FEMME-ARBRE

Je touche le bout de mes orteils et je tourne sur mon axe. Mes longs cheveux s'envolent tels des pieds d'alouette dans un ciel froid d'hiver. Je me redresse, je déroule ma carcasse tel un escargot libéré et je me dresse comme un arbre. J'étends mes bras aussi loin que les branches les plus aventureuses, secoue tout mon être dans le vent blessé et je virevolte, virevolte.

Soudain, je m'envole. Je suis la femme-arbre, l'arbre volant. La curiosité des passants et l'amie des enfants. Ma peau nacrée luit dans la noirceur comme un réverbère, étonne le jour comme une percée de soleils inattendue. Mes nombreuses feuilles tombent et renaissent continuellement en source infinie, en jet. Suinte une essence vivement colorée. J'ai deux copains, un oiseau blessé et un crapaud énorme. Quelquefois il pousse des ailes au crapaud et l'oiseau, lui, se met à patauger dans les étangs-marais en coassant.

La femme lasse a laissé son ancien corps là-bas et elle a emprunté le corps d'un arbre solitaire le long de son chemin. Il geignait. On entendait sa plainte sur des milles et des milles de sillons glacés. Elle écouta son histoire et son chuchotement dans le grésil : « Veux-tu recouvrir ma peau rugueuse et ma tête folle?» La femme pénétra au-travers de l'arbre qu'elle transcenda. Puis dans les vieilles branches touffues, elle laisssa reposer sa vieille peau, ses os fatigués, pour mettre pieds-racines sur la falaise.

Je me suis déracinée sans malaise et je me suis envolée sur une poussée de vent jusqu'au rocher de la falaise abrupte. Mon arbre-corps repose sur les hauteurs au bruit fort et écumeux du fleuve. L'oeil immense et bleu me darde jusque dans mes plus humbles nervures. Femme-arbre, femme enracinée, femme déracinée.

Clair-obscur, 1988.

KÈRO

YVON
RIVARD

Né à Sainte-Thècle le vingt août 1945, Yvon Rivard est romancier et scénariste. Après avoir complété des études de doctorat en littérature française à l'université d'Aix-Marseilles en 1971, il devient professeur à l'université du Vermont (1971-1973). Il enseigne la littérature et la création littéraire à l'université McGill depuis 1973. En 1986, il recevait le Prix du Gouverneur général pour *les Silences du corbeau* alors qu'en 1979 *l'Ombre et le double* était retenu comme Choix du libraire. Chroniqueur de littérature étrangère à Radio-Canada entre 1978 et 1986, il a aussi beaucoup collaboré à *Liberté* et à *Livres d'ici*.

BIBLIOGRAPHIE

Mort et naissance de Christophe Ulric (roman), Montréal, Éd. La Presse, 1976, 204 p. Réédition : Éd. Leméac, Coll. «Poche-Québec», 1986, 283 p.

Frayère (album de poèmes), Saint-Boniface, Québec, 1976.

L'imaginaire et le quotidien (essai sur les romans de Bernanos), Paris, Éd. Minard, Coll. «Bibliothèque des Lettres Modernes», n° 21, 1978, 255 p.

L'Ombre et le double (roman), Montréal, Paris, Éd. A. Stanké, 1979, 247 p.

Les Silences du corbeau (roman), Montréal, Éd. Boréal, 1986, 266 p.

EXTRAITS DE LA CRITIQUE

(à propos de *Mort et naissance de Christophe Ulric*) « Ce très grand livre mérite d'être traduit dans toutes les langues. »

Patrick Imbert, *le Droit*, 17 juillet 1976.

« Ce premier roman constitue une extraordinaire réussite. »

Jacques Pelletier, *Livres et auteurs québécois, 1976.*

« Une richesse verbale prodigieuse et une perfection de style inégalable. »
Gilles Dorion, *Québec français*, octobre 1976.

« La thématique et l'écriture de ce roman ont quelque chose de radicalement neuf. (...) Yvon Rivard, avec ce premier roman, rejoint les meilleurs de nos romanciers. »

François Ricard, *Liberté*, décembre 1976.

« Yvon Rivard n'a peur de rien. Il rédige avec passion un roman difficile, solide, charpenté avec intelligence. »

Jacques Godbout, *L'Actualité*, 24 février 1977.

(à propos de *l'Ombre et le double*) « Cet itinéraire ne pouvait aboutir qu'à l'éblouissement ineffable du silence. »

Pierre Enckell, *les Nouvelles littéraires*, 13 décembre 1979.

« Ce roman opère un éclatement de l'écriture québécoise. »

Joseph Bonenfant, *Livres et auteurs québécois 1979.*

« Voici un livre, un vrai, plus que méritant et susceptible d'honorer quiconque lui accorderait les plus grands honneurs. »

Jacques Brault, *Spirale*, mars 1980.

« Un des aspects les plus neufs de ce livre est le ressourcement formel du roman dans l'essai. »

Robert Melançon, *le Devoir*, 13 octobre 1979.

« En lisant ce roman, on songe à certaines nouvelles fantastiques de Cortazar ou aux récits de Borgès. »

Jacques Michon, *Spirale*, janvier 1980.

(à propos de *les Silences du corbeau*) « Yvon Rivard est pourri de talent. »

Réginald Martel, *la Presse*, 12 octobre 1986.

« Comme tous les grands livres, *les Silences du corbeau* peut être mis entre toutes les mains (...). Avec ce roman, Y. Rivard s'affirme comme un des plus grands écrivains de sa génération. »

Stéphane Lépine, *le Devoir*, 29 novembre 1986.

« Un excellent roman, vraiment, dont l'apparente légèreté est une forme de politesse spirituelle. »

Gilles Marcotte, *L'actualité*, janvier 1987.

———————

EXTRAIT DE L'OEUVRE

> *Les Mères! Les Mères! Cela résonne d'une façon si étrange!*
> *Goethe*

Je me serais sans doute aussitôt rendormi, si je n'avais pas cette manie de consulter ma montre à propos de tout et de rien. Est-ce pour me libérer un peu de cette tyrannie que j'ai changé, avant de partir, ma vieille

Timex au cadran lumineux contre une Bulova aveugle et sans chiffres? Toujours est-il qu'en attendant cette improbable libération je devrai, comme cette nuit, me réveiller pour savoir combien de temps il me reste à dormir.

Après avoir frappé dans mes mains, j'ai soulevé la moustiquaire et suis descendu du lit en espérant que les insectes, qui sont censé recouvrir tout le plancher, avaient bien compris le signal. Je suis parvenu sans difficulté jusqu'à mon briquet : il était environ trois heures.

Est-ce que je pourrais vivre sans montre? Seul et sans montre? Tout de suite les grandes questions, c'est ça la nuit. Je m'allume une cigarette, j'inspire profondément et je jouis déjà à l'idée que mon esprit, tel un phare, s'apprête à balayer les ténèbres. Et puisque la mer est là, tout près, pourquoi m'en priver? Que peut le temps contre un homme nu qui médite seul, la nuit, face à la mer?

Quand j'ai ouvert les volets, il a déployé lentement ses ailes et s'est envolé vers le large. Je sais qu'il y a des milliers de corbeaux à Pondichéry et que probablement ils se ressemblent tous, mais cela ne m'étonnerait pas que ce soit le même que j'avais surpris dans cette chambre le jour de mon arrivée. Surpris n'est peut-être pas le terme juste, car il avait eu plusieurs fois le temps de s'enfuir pendant que Jatti, le gérant, se bagarrait avec la serrure de la porte. Je n'ai d'ailleurs pas très bien compris pourquoi on verrouillait les portes tout en laissant les fenêtres ouvertes. Bref, il se tenait immobile au milieu de la table de travail et il a fallu que Jatti le menace avec son trousseau de clefs pour qu'il consente à quitter les lieux. C'est la première fois qu'une telle chose se produit, répétait Jatti qui craignait de perdre la location de sa plus belle chambre. J'étais sûr qu'il mentait : les vaches dans les rues, la migration des âmes, l'hôtel à trois dollars, les corbeaux dans les chambres, tout cela se tenait. Mais de fait, depuis ce premier jour, je n'avais pas revu de corbeaux ni dans ma chambre ni dans le jardin.

Je suis resté à la fenêtre jusqu'à la fin de ma cigarette. Je n'étais nullement effrayé mais agacé de ne rien pouvoir penser d'une telle rencontre. Que peut un homme nu, seul face à la mer, contre un corbeau qui refuse de se prêter à une méditation nocturne sur le temps?

J'écris ces lignes dans la lumière du matin. Il est presque six heures et je n'ai pas fermé l'oeil du reste de la nuit.

Les Silences du corbeau, 1986, p. 11-13.

INÉDIT

Qui est ce professeur en vacances qui, un jour, entre dans une petite librairie du Massachusetts et tombe sur un livre dont le titre (John Gardner, *The Art of Fiction*) est d'une clarté désarmante? Sans trop le trahir, on pourrait dire de lui que c'est un romantique (selon Pirsig, dans *Traité du Zen et de l'entretien des motocyclettes*, «quelqu'un qui ne se laisse pas guider par la raison ou par les lois, mais par le sentiment, l'intuition, la sensibilité esthétique») qui joue assez bien au tennis sans avoir pris une seule leçon, qui a lu passionnément Heidegger sans avoir une véritable formation philosophique et qui s'est beaucoup inspiré de Blanchot sans avoir lu tous ses livres. Ce professeur, dans ses ateliers de création littéraire, ne s'intéresse pas tant à l'art de la fiction qu'à l'espace littéraire. Pour faire entendre ce ressassement éternel, cet entretien infini de la mer et des galets, notre professeur convoque Mallarmé, Kafka, Orphée. Et pour être sûr que tous les apprentis sorciers ont bien compris la gravité de l'entreprise dans laquelle ils s'engagent, il leur pose la question de Rilke : «Mourriez-vous si vous n'écriviez pas?»

Revenons à la petite librairie du Massachusetts où notre professeur lit et relit cette phrase sacrilège de Gardner pendant que Rilke se retourne dans sa tombe : «La plupart des gens que j'ai connus qui ont voulu devenir écrivains sont devenus écrivains». Le professeur achète et pendant les jours suivants, à la plage, au lieu de s'abîmer dans «la mer toujours recommencée», il se plonge dans ce livre qui lui répète à chaque page : «Show, don't tell». Ainsi la fiction serait un art et non une sorte de vocation. Ecrire ne commencerait pas à cet instant où Igitur souffle sa bougie mais plutôt à l'instant où Monsieur Pickwick ouvre sa fenêtre. Les mots n'auraient pas pour fonction de dire «ce que seraient les choses et les êtres s'il n'y avait pas de monde» (Blanchot), mais bien de dire «how the world works» (Gardner).

GILLES ROUX

**LOUIS
JACOB**

Né à Trois-Rivières le vingt-sept août 1954, Louis Jacob est poète et romancier. Il est enseignant au Cegep de Trois-Rivières. Il détient un Baccalauréat spécialisé en Lettres et une Maîtrise ès arts en littérature de l'Université du Québec à Trois-Rivières. Il travaille à la conception de spectacles de poésie et de musique (collaborations multidisciplinaires).

Louis Jacob a collaboré à *estuaire, APLM* et *APLF, Terminus, le Sabord, Lèvres urbaines* et à *Hobo-Québec*.

BIBLIOGRAPHIE

Avant-Serrure (poèmes), Trois-Rivières, Les Écrits des Forges, 1977, 62 p.

Manifeste : Jet/Usage/Résidu (en collaboration), Trois-Rivières, Les Écrits des Forges, 1977, 76 p.

Double Tram (poèmes, en collaboration), Trois-Rivières, Les Écrits des Forges, 1979, 76 p.

L'image titre (poèmes, en collaboration), Trois-Rivières, Éditions Sextant, 1982, 110 p.

Sur le fond de l'air (poèmes), Trois-Rivières, Les Écrits des Forges, 1984, 59 p.

Des noirceurs du corps (poèmes),Trois-Rivières, Les Écrits des Forges, 1987, 52 p.

Les trains d'exils (roman, en collaboration), Montréal, l'Hexagone, Coll. «Fictions», 1987,198 p. Réédition : Montréal, Éd. de l'Hexagone, Coll. Typo, 1990, avec une préface de Louise Blouin.

Les temps qui courent (roman), Montréal, Éd. de l'Hexagone, Coll. «Fictions», 1990, 144 p.

ÉTUDES SUR L'OEUVRE

En collaboration, *Louis Jacob : l'urgence du réel,* (numéro spécial consacré à Louis Jacob) in *le Sabord,* n° 5, décembre 1984, p. 6-18.

Gaudet, Gérald, in *Une poésie en devenirs,* Trois-Rivières, Les Écrits des Forges, 1983, p. 28-29,48-51, 79, 87.

EXTRAITS DE LA CRITIQUE

(à propos de *Avant-Serrure*) « Louis Jacob, pour sa part, a construit une mosaïque toute en brisures rythmiques; (...) Joyce a exploré dans *Ulysse* le flot discontinu de la pensée. C'est aussi ce que fait Jacob, passant d'un point à un autre, uniquement paré pour ce faire de sa voix morcelée mais néanmoins organique. Il ne s'agit pas là d'un vain jeu comme on a parfois tendance à le croire. »

Michel Beaulieu, *le Livre d'ici,* 1978.

(à propos de *Manifeste : Jet/Usage/Résidu*) « Bref on ne peut parler de *Jet/Usage/ Résidu* qu'en termes d'un montage ingénieux. Une autre évocation du mythe du poète maudit, caution pour fonder un «discours du désordre». »

Jean Fisette, *Voix et images,* 1978.

(à propos de *Double Tram*) « L'événement narratif se trace au fil de l'écriture : littérature d'urgence de la spontanéïté où il est question de nom de baptême, de pureté, d'altérité, de citation et de «nègre anonyme». »

Benoit Trottier, *Voix et images,* 1980.

(à propos de *l'Image titre*) « *l'Image titre* est un beau livre à lire et à voir et (...) il accorde à la dimension matérielle de l'objet une place toute centrale. »

Claude Beausoleil, *le Devoir,* 1982.

(à propos de *Sur le fond de l'air*) « ...la diction est généreuse, énergique, la vie contemporaine s'anime passionnément, du quotidien jusqu'à la politique internationale. (...) Le propre de cette poésie est de toujours relancer son mouvement, gourmand, fiévreux, (...). Cette souffrance n'est pas mesquine, elle embrasse le monde, littéralement. »

Pierre Nepveu, *le Devoir,* 1984.

(à propos *des Noirceurs du corps*) « Avec Jacob, nous nous retrouvons dans la nuit du corps comme dans la nuit du monde. Le poète poursuit son inventaire de la solitude et de la souffrance. Ses mots sont ceux du coeur, ceux des nerfs et des dents. La complainte de Louis Jacob continue d'aiguiser notre mémoire du monde. Cette musique grinçante nous empêche de ronronner de contentement. Ce recueil, en écho au précédent (*Sur le fond de l'air,* 1984), nous fait entendre la poésie de Jacob comme celle des «protest songs» (...). »

Jean Royer, *le Devoir,* 1988.

(à propos des *Trains d'exils*) « (...) La langue soignée du récit n'est certes pas étrangère à cet intérêt non plus que les descriptions très réalistes de scènes de combats et autres. Ce qui surtout retient, c'est la chaleur humaine, le pari pour la vie, la confiance en l'avenir et l'amitié que partagent des protagonistes que tout devrait séparer. Comme quoi l'on peut faire de la bonne littérature avec un choix judicieux des bons sentiments. »

Raymond Laprés, *Nos livres,* 1987.

(à propos de *Les temps qui courent*) « (...) L'écriture est d'un calme étrange, réaliste. (...) tout ça donne un petit chef d'oeuvre de poésie. C'est un livre ouvert comme je les aime, ouvert à toutes les interprétations. (...) C'est vraiment un très beau livre. »

Roch Poisson, *En toutes lettres,* 13 mars 1990.

« Kafka a écrit que la littérature était une arme contre la pesanteur de la vie, *la hache qui brise la mer gelée en nous.* Mot qui convient particulièrement bien au premier roman solo de Louis Jacob, (...). Ce livre émouvant et dérangeant vient dire la fragilité de la condition humaine en même temps que, mine de rien, il remet en question notre civilisation oisive et déliquescente. Tout en se faisant un inestimable hymne à la vie, à la paix, même si ce dernier mot n'est jamais écrit. Louis Jacob a su exploiter à fond une idée ingénieuse, et on est fasciné comme devant une image terrible dont on ne peut détourner les yeux. »

Michel Laurin, *Le Devoir*, avril 1990.

« (...) Nous sommes ici dans le registre de la fable (...). Mais surtout le registre de la fable permet d'instaurer la distance ironique entre le narrateur et le destin funeste qu'il affronte. En ce sens, du point de vue de l'écriture, le roman de Louis Jacob est une pure réussite. Une écriture ferme et précise, toujours en retrait de l'émotion, qui ne cède pas au piège du lyrisme grandiloquent et qui donne à entendre, de l'intérieur, l'éveil d'un enfant qui se mesure à la vie, à la douleur, à la solitude et à l'amour. (...) Je pense notamment à ce travail d'érosion de la logique du discours adulte qu'effectue la langue des enfants. (...) L'humour est manifeste, mais c'est un humour qui fait grincer des dents l'ordre établi des choses. C'est un humour salutaire. Un humour écologique. »

Guy Cloutier, *Le Soleil*, mai 1990.

EXTRAITS DE L'OEUVRE

poursuivre cris d'oiseaux jaunes aux
Caraïbes désirs cerceaux et mots
voilà s'accouplant près taillis peaux
baisers villes rouges et beauté semée
de lèvres au café noir des rêves

Avant-Serrure, 1977, p. 61.

Résidu : problème :   la lune a deux fesses collées
le soleil n'a qu'un oeil pour y voir
et à la fin du mois il n'y peut rien
quand elles rougissent gênées

question :   a) le cul est-il cosmique?
b) si affirmatif, à quelle hauteur?

Manifeste : Jet/Usage/Résidu, 1977, p. 36.

... un blanc
soudain le ramène à Montréal, mais très tempor
airement. toutes blondes, les fumées cachent de chev
eux cette ville qu'il a quittée avec peu de souven
irs. il écrit, mais maintenant, il rature le froid ivoi
re des yeux et peint de la glace bleue sur l'eau g
rise du fleuve. il pense qu'il a trop de suite dan
s les idées, ...

Double tram, 1979, p. 43-44.

la gorge du mot
son poivre en silence
l'état des phrases
dans l'ordre du monde

l'Image-titre, 1982, s. p.

39
il y a encore un amour par milliers
dans ces murs de camps
des barbelés qui frisent des cheveux arrachés
par mèches quelques têtes au bout
et des pieds édentés qui germent têtes en l'air
boueux sur le gazon kaki d'un quelconque militaire
sur le fond de l'air frontière
sur le fond de l'air borgne.

Sur le fond de l'air, 1984, p. 54.

SOIR STREET

La nuit se hisse au col du jour
qui s'oublie sombre en lui-même
sous les doigts chaleurs du vent
qui respirent parmi les cheveux d'été

à 9 heures parcs des juillets canicules
au début des étoiles
sur la peau soir du ciel
se baladent avec les promeneurs
les vêtements déboutonnés de la ville
qui se déhanche sur les trottoirs de la vie.

Des noirceurs du corps, 1987, p. 33.

Les halètements se firent plus pressants, les mouvements furent plus prolongés et plus puissants. Puis les secousses surgirent lentement du fond des corps, comme venus du plus lointain des âges, avec la force de mille muscles tendus. La terre tremblait en eux. Alors les secousses s'imprimèrent violemment dans leur chair. De leurs poumons s'expulsa l'angoisse qui les tenaillait et qui retourna d'un coup aux ténèbres d'où elle était montée. Pendant quelques instants, la guerre cessa et le monde s'apaisa.

les Trains d'exils, 1987, p. 58-59.

L'année se termina quelque part au printemps. Les avions faisaient moins de trous la nuit. Les pompiers dormaient un peu plus. Mon père et tante Lanoline travaillaient toujours autant. À l'occasion, l'eau ne coulait plus du robinet. Quand cela arrivait, Manoume me laissait seul avec Zop et Zin. Elle se rendait à pied à deux ou trois rues de la maison pour quérir de l'eau à même un camion de pompiers qu'on installait là pour les besoins de la population. Je ne jouais pas souvent dehors parce que les feuilles des arbres étaient recouvertes de couches de poussières qu'on disait dangereuses. Et on répétait la même chose pour les rayons du soleil: que mieux valait les éviter. De toute façon, ils faiblissaient à vue d'oeil depuis un certain temps. Je regardais les avions passer dans le ciel. Ils ne creusaient plus de trous dans la ville. Panoume disait qu'ils allaient en faire pousser ailleurs et que c'était aussi bien comme ça. Panoume me rapportait de l'usine des pièces en acier que j'utilisais pour construire des maisons miniatures. D'ailleurs, autour de notre demeure, des gens s'agitaient toute la journée afin de remettre en état celles des habitations sur lesquelles était tombé un avion, ou un trou, ou un feu, ou un bruit. Il y avait du printemps dans l'air et comme je ne faisais plus pipi dans mes culottes, ça sentait bon comme de l'espoir répandu un peu partout et j'avais moins d'histoires de tristesse à raconter. Surtout le matin lorsque Panoume nous quittait pour l'usine. Et la nuit aussi, puisque nous pouvions dormir sans être éveillés par les bruits de trous. Quant au reste de la journée, il va sans dire qu'il m'inquiétait tout de même. Peut-être à cause de l'eau qui ne venait plus toujours au rendez-vous du robinet. Ou à cause des feuilles des arbres qui respiraient mal. Mais c'était le printemps et ça valait la peine, parce que tout le monde le disait. Alors ça m'inquiétait aussi.

Les temps qui courent, 1990, p.40.

INÉDIT

PANIQUE

Attends
Attends entre tes dents de grincements
attends sur la raideur de tes jambes
entre le tremblement des bras
dans le sismique de la poitrine
attends dans la mouillure de tes mains
attends dans ce sel la transpiration des images
entre les barreaux de ton visage
entre les claquements rouillés de tes tempes
attends parmi les mots mimes de tes voix
attends aux filets de tes yeux
attends entre les bascules d'horizons
parmi les saisons parmi les minutes
attends sur la soudure des mâchoires
sur le fixe du songe
attends le bruit du sang dans les tympans
la cavale de l'existence en écume
attends sous tes poings
attends sous tes pieds
attends dans ton corps habillé de ton corps
devant le vide de l'espoir
attends autour de ton cou accroché au plafond du temps
derrière le mur ton dos pointé par le bout des rafales

attends dans l'étau du souffle
dans les artères du battement
dans les couloirs de la nuit
longs comme tes regards à l'intérieur
attends dans les peaux de la chaleur
dans la vitesse des veines
dans le baillement de la pluie
dans la besogne des muscles
attends encore une fois
dans la sécheresse des lèvres
dans l'écarlate des fractures
attends attends une seconde
à la pousser du bout du pied
attends un peu plus loin
attends à la regarder un peu plus longtemps
attends soixante fois encore
et la terre aura culbuté le peut-être ciel
dans les profondeurs de la mer
parmi les alizés à devenir brûlants de t'attendre
de t'attendre pour te montrer la vie des incendies
attends   attends   attends

BERNARD POZIER

Né à Trois-Rivières le cinq février 1955, Bernard Pozier est poète, critique, directeur littéraire des Écrits des Forges et professeur au Collège Joliette De Lanaudière. Il a complété ses études de maîtrise avec un mémoire dirigé par Gatien Lapointe et intitulé : *L'intentionnalité comme processus de création dans la poésie* et ses études de doctorat avec une thèse sous la direction de Joseph Bonenfant : *Gatien Lapointe, l'homme en marche.* Animateur culturel, il a réalisé plusieurs séries pour la radio CFCQ-MF de Trois-Rivières : *Femme et créativité, l'Envers de la page* et *Week-end* , écrit de nombreux articles dans les journaux et revues littéraire au Québec et occasionnellement en France et en Italie. Ses principales collaborations : *le Nouvelliste, APLM, estuaire, Lèvres urbaines* (Québec); *Jungle, Levée d'encre* (France) et *Lectures* (Italie).

BIBLIOGRAPHIE

À l'aube, dans l'dos... (poésie), Trois-Rivières, Les Écrits des Forges, 1977.

Aut'bord, À travers! (poésie), Trois-Rivières, APLM, 1979.

Tête de lecture (poésie), Trois-Rivières, Les Écrits des Forges, 1980.

Platines déphasées (poésie), Trois-Rivières, Éd. du Sextant, 1981.

45 tours (poésie), Trois-Rivières, Les Écrits des Forges, 1981.

Lost Angeles (poésie), Montréal, Éd. de l'Hexagone, 1982.

Caroline romance (roman), Montréal, Éd. Arcade, 1983.

Bacilles de tendresse (poésie), Trois-Rivières, Les Écrits des Forges, 1985.

Gatien Lapointe l'homme en marche (essai), Trois-Rivières et Paris, Les Écrits des Forges, La Table Rase et Schena, 1987.

Ces traces que l'on croit éphémères (poésie), Trois-Rivières et Paris, Les Écrits des Forges et La Table Rase, 1988.

Un navire oublié dans un port (poésie), Trois-Rivières et Paris, Les Écrits des Forges et Europe/Poésie, 1989.

En collaboration :

Des soirs d'ennui et du temps platte (poésie), Trois-Rivières, APLM, 1976.

Manifeste : jet/usage/résidu, Trois-Rivières, Les Écrits des Forges, 1977.

Code d'oubli (essai-fiction), Trois-Rivières, Les Écrits des Forges, 1977.

Double tram (essai-fiction), Trois-Rivières, Les Écrits des Forges, 1979.

Choisir la poésie en France (anthologie), Trois-Rivières, Les Écrits des Forges, 1988.

Au cru du vent (Musée d'art de Joliette), Trois-Rivières, Les Écrits des Forges, 1990.

EXTRAITS DE LA CRITIQUE

(à propos de *A l'aube, dans l'dos*...) « Intéressant surtout par le mixte opéré entre le travail formel et la transcription du langage quotidien. »

Claude Beausoleil, *Mainmise*, décembre 1977.

« Plus que tout, peut-être la poésie de Pozier témoigne-t-elle de ce malaise de vivre entre deux continents, entre deux cultures, entre deux chaises. Il y a relativement peu de temps que nous sommes capables sans rougir de nous regarder dans nos propres miroirs. »

Michel Beaulieu, *le Livre d'ici*, février 1978.

(à propos du *Manifeste : jet/usage/résidu*) « Manifestement à lire pour entrer dans le corps du changement. »

Claude Beausoleil, *Mainmise*, décembre 1977.

« Un ouvrage récapitulatif de tendances et visions poétiques qu'il serait tentant de mettre en parallèle avec REFUS GLOBAL. »

Patrick Coppens, *Centrale des bibliothèques.*

(à propos de *Aut'bord, à travers!*) « On a procédé au lancement d'un mince volume de vers de Bernard Pozier. La cérémonie était présidée par Alphonse Piché qui a su relier cette poésie ultra-moderne à la littérature comme nous la comprenons. »

Claire Roy, *le Nouvelliste*, avril 1979.

« Des textes libres mais accessibles où l'humour et la satire tiennent une grande place. »

René Lord, *le Nouvelliste*, juin 1979.

(à propos de *Code d'oubli*) « C'est à ce jeu du délire, de l'improvisation dérivante et déviante que s'adonnent justement les auteurs de ce *Code d'oubli*. »
Gatien Lapointe, *le Nouvelliste*, juin 1979.

(à propos de *Double tram*) « *Double tram* (...) résonne comme certains nouveaux romans (sans toutefois cette vision chosiste qui les caractérise). Même écriture vouée au regard et au déplacement dans l'espace, comme s'il s'agissait avant tout de fixer avec exactitude les étapes de la découverte de soi, de l'écriture. »

Jocelyne Felx, *le Sabord*, décembre 1984.

(à propos de *Tête de lecture*) « Tête de lecture est plus provoquant et — corrolaire attendu — plus hermétique. Pourtant il y a là des intuitions sur trente ans d'écriture qui nous font respecter le jugement de leur auteur (...). Intuition décapante. »

Caroline Bayard, *University of Toronto Quarterly*, 1981.

(à propos de *Platines déphasées*) « En brisant la linéarité habituelle (si commode et si rassurante) de la présentation typographique, Pozier nous invite à expérimenter avec lui diverses vitesses de lecture. Notre rapport au texte s'en trouve profondément bouleversé. »

Marie-Andrée Hamel, *Livre d'ici*, août 1981.

(à propos de *45 tours*) « Lire la poésie de Pozier, c'est entendre battre le coeur de «la vie supersonique de l'Amérique universelle» avec tout ce que cela comporte d'attirant et de dérisoire à la fois. »

Donald Alarie, *Joliette journal*.

« *45 tours* se hasarde à inventer sur le vide la poétique d'une certaine chanson urbaine qui oscille entre le rimmel et la rimmette. Très fin de siècle du bout du monde. »

Pierre-Justin Déry, *Livres et auteurs québécois 1981*.

(à propos de *Lost Angeles*) « On ne peut s'empêcher de trouver dans le recueil de Pozier les fortes images et les mots-chocs qui semblent coller parfaitement à cette réalité, ce Los Angeles symbole où tout arrive (...). Résolument d'aujourd'hui. »

André Gaudreault, *le Nouvelliste*, avril 1983.

« L'écriture de Pozier privilégie de brèves notations relevant et d'un parti-pris de simplicité descriptive et d'un travail ludique sur les sono- rités (...). Dans la rencontre de deux altérités — une réalité américaine et la langue française — résident, pour le scripteur, l'occasion d'effectuer un travail de poète; et pour le lecteur, la chance de trouver en cette poésie une vraie jouissance. »

Neil B. Bishop, *French review*, mars 1985.

(à propos de *Caroline romance*) « Bernard Pozier a réussi avec *Caroline romance* à introduire la fiction dans la vie réelle d'une star. La magie opère (...). Pozier vient de publier un roman très court, bien ciselé, à la présentation impeccable (...) tout cela magnifiquement écrit. En quelques dizaines de pages riches d'assonances et de riantes sonorités. »

Réjean Bonenfant, *le Sabord*, automne 1984.

« Voici un livre à l'écriture pastel, brumeuse, comme le luxe vaporeux et le rêve dans lesquels évolue Caroline. Une écriture qui serpente entre les choses, qui monte et descend, qui coule parfois avec une étonnante fluidité. »

André Gaudreault, *le Nouvelliste*, avril 1984.

« Un rythme, trépidant, qui ne s'essouffle jamais. C'est une musique à l'image d'aujourd'hui. Des rengaines qui persistent dans la tête, comme des fragments de chansons des Rolling Stones. On ne les oublie pas. »

Hélène Rioux, *le Journal d'Outremont*, février 1987.

(à propos de *Gatien Lapointe l'homme en marche*) « Le livre de Bernard Pozier est sans doute un outil important pour pénétrer un peu l'univers d'une oeuvre par ailleurs d'accès difficile tant par son mode d'expression que par sa rareté. »

Raymond Laprés, *Nos livres*, mars 1988.

« Livre sans prétention, donc, mais fort utile par sa dimension bio-bibliographique et par ses descriptions des différents recueils et des constantes dans l'oeuvre. La biographie proprement dite ne concerne que le premier tiers du volume, mais l'ensemble est mû par la passion biographique : la volonté de parler d'un homme, en l'occurrence bien connu et bien aimé. »

Robert Major, *Voix et images*, printemps 1988.

(à propos de *Ces traces que l'on croit éphémères*) « C'est cette veine très inspirée que Bernard Pozier devrait poursuivre, en délaissant l'ordinaire pour lequel il n'est pas (ou plus) fait, en tant que prolifique auteur de talent. »

Michelle Roy, *le Nouvelliste*, 1er octobre 1988.

EXTRAITS DE L'OEUVRE

LES ROCKEURS DE 7 ANS

ils partent pour l'école au sortir du sommeil
ils se poussaillent ils s'impatientent
et enfin trois heures sonnent
pour venir les remettre à la vie.

cérémonieusement
ils lacent leurs souliers de course
ils endossent leurs jeans
et leurs t-shirts écrans
projettent leurs idoles dans les yeux des passants

des traits de crayons feutres leur servent de tatouages
les stickers de E.T. leur font de belles badges
et les rôles de leurs jeux
avec sérieux
font des rides de rêve
aux fronts barbares de leurs jeunes saisons

ils vont par les trottoirs en quête d'aventures
fébriles farouches et fiers
faisant crisser sur le béton
le pneu arrière de leurs mini-bicyclettes
intersidérales

fiers comme des paons
forts comme des titans
de la moindre algarade
avec leurs camarades
de leurs petites prouesses
ou d'avoir dit le mot «fesse»

et puis ils entrent en la maison
comme des riffs de guitares
et mettent des disques de rythmes
qu'ils miment autant qu'ils dansent

ils se font acheter des revues des posters
ceux qui arborent les chanteurs qu'ils connaissent
ils font des Rolling Stones des musiques de fêtes
brûlant innocemment quelques années trop brèves

ils sont chez eux quand sonne l'électronique
et n'ont cure de leur chair
quand ils se prennent pour des robots

l'oeil aux aguets
la lèvre retroussée
l'oreille tendue
les cheveux en bataille
et les linges en déroute

purs comme les héros de bandes dessinées
la tête dans les étoiles
toujours en guerre
et prêts à faire d'un détail un trésor

entre les fictions qu'ils réalisent
et le réel qui les invente
entre les planches de la clôture au fond de la cour
et sous le comptoir de la vie
en vagabonds de l'émotion
ils passent en contrebande
leurs grandes découvertes
et leurs petites sensations

barbouillés égratignés
ils partent en éclaireurs
au coeur de l'existence
souriants resplendissants

mais ils ne savent pas qu'au bout de leur territoire
au coin de la rue qu'ils ne tournent jamais
à la frontière de l'interdit
là où soudain l'on grandit

Rien
ne les attend
les rockeurs de sept ans

Bacilles de tendresse , 1985.

INÉDIT

TRAIN D'ATTERRISSAGE

dans la gare des amours incertaines
il y a des vieillards crachant leur désespoir dans leur mouchoir
des fillettes seulettes et des adolescents déchirants
des musiques et des fumées tristes
et des chansons de toutes les langues dans toutes les têtes
des chansons-thèmes et des chansons de rêves
des chansons souvenirs et des aires d'espérances
comme il y a des groupes et des couples
et des petits solos dramatiques
dans le spectacle secret des sentiments

dans la gare des amours brisées
il y a des horaires qui ne finissent jamais
des départs en tous sens et encore des arrivées
et toujours des gens nouveaux sur les quais de toutes les voies
qui se quittent se retrouvent s'attendent ou ne sont pas attendus
des qui pleurent des qui espèrent des qui rêvent et des qui ne rêvent plus
des qui se souviennent d'autres qui prévoient
et ceux qui s'imaginent qu'on leur répond quand ils toussent
et que leur ombre se dédouble dans le soleil de midi
sur le ciment de la gare des amours brisées

dans l'aérogare des amours sans histoires
il y a quelques couples allant-venant deux à deux
comme des corps à quatre pattes des humains à deux corps
complices de tous les vols de nuit sans nostalgie
ahuris face aux constants décalages aux courants décollages
et devant les personnes qui marchent seules
comme si cela n'était plus désormais possible dans leur esprit
tout simplement binaire
où l'extraordinaire est simplement normal
dans l'aérogare des amours amoureuses

DESCHAMPS

**MARCEL
NADEAU**

Marcel Nadeau est né le dix-neuf août 1938 à Saint-Pierre-de-Brough-ton. Poète, essayiste et journaliste, il détient un Baccalauréat ès arts du Séminaire Saint-Victor, un Doctorat en médecine de l'Université Laval de même que l'équivalence du Doctorat en médecine (1977) de l'Université d'État de Port-au-Prince. Médecin généraliste à Cap-de-la-Madeleine depuis 1968, il a collaboré à l'ouverture d'un dispensaire médical à Pont-Sondé (Haïti) en 1976.

Co-fondateur du Cercle Gabriel-Marcel, il a été journaliste de 1976 à 1978 au *Bien Public* et rédacteur du *Bulletin du Cercle Gabriel-Marcel* de 1979 à 1985. Il a remporté le Prix de Poésie de la Société des Poètes canadiens-francais en 1959 de même que le Prix de la Société du Bon Parler francais.

Marcel Nadeau a collaboré à *En Vrac, le Nouvelliste, le Bien Public, APLM, Bulletin du Cercle Gabriel-Marcel* et au *Beffroi.*

BIBLIOGRAPHIE

Astrolabe (poèmes), Trois-Rivières, Éditions Le Bien Public, 1977, 158 p.

Géodésiques (poèmes, suivis de *Niska, l'art et l'homme* , essai), Mont-Tremblant, P.A.I., 1979, 160 p.

OEUVRE TRADUITE

Robayo, L., *Niska, the art and the man,* P.A.I., 1979, p. 100-155.

ÉTUDES SUR L'OEUVRE

Leclerc, Raymonde, *l'Hebdo Cap-de-la-Madeleine/Trois-Rivières,* 16 mai 1979, p. 26.

Piché, Alphonse et al., *le Bien Public,* n°s 14-16, 14 avril 1978, p. 4-5.

EXTRAITS DE LA CRITIQUE

(à propos de *Astrolabe*). « Ces miniatures poétiques se lisent sans fatigue, tout en faisant profondément réfléchir, car elles contiennent la somme du destin humain : ses joies, ses peines, ses silences, l'âpreté de vivre. »

> Maurice Huot, «Marcel Nadeau, un poète sensible et délicat», in *le Bien Public,* 14 avril 1978, p. 4.

« (...) nous découvrons cette forme d'impressionisme subtil où le rêve se marie à la réalité; où l'éveil trouble à peine le songe poursuivi; et cette propension à une forme de romantisme renouvelé, alliée à la facture moderne de l'écriture nous apporte une oeuvre originale et bien sentie. »

> Alphonse Piché, «Marcel Nadeau, *Astrolabe* ou l'invitation au voyage», in *le Bien Public,* 14 avril 1978, p. 5.

« Ces médaillons sont des oeuvres denses et serrées, bien que le texte conserve une allure cursive qui le rend facilement accessible. (...) Malgré de trop nombreux mots abstraits et quelques constructions prosaïques, les poèmes de Marcel Nadeau, par leur concision même, atteignent un haut niveau d'expression. »

René Lord, «Deux poètes : Michelle Guérin et Marcel Nadeau», in *le Nouvelliste,* 20 mai 1978, p. 15.

« *Géodésiques :* c'est la terre, la plénitude de l'homme (...). L'homme crée son territoire et le fait vivre. »

Luce Saint-Pierre, «Un lancement de livre dans la région», in *le Messager régional,* Saint-Jovite, avril 1980, p. 6.

EXTRAITS DE L'OEUVRE

ARLEQUIN

Il est là triste et beau, comme une fête,
L'arlequin. Il est là, méditatif, silencieux.

Son corps fut souple, délié.
Le voici maintenant alourdi du secret
D'aimer et de pleurer

Dénudé, soumis au vertige d'une passion
Avant que l'exil, la mort ne surviennent,

Dans cette naissance à lui-même
Pour dire l'étrange bonté,
Les gestes sereins d'une tendresse,

L'arlequin crée le temps d'une métamorphose.

Le Beffroi, vol. II, avril 1987, p. 89.

ARLEQUINE

Arlequine, ma soeur, te voici rêveuse
Et tendre.

Suivant l'ordonnance d'une joie,
Telle une âme à l'intention du jour,
Tu deviens celle qui se voue
A la mesure vaste d'une passion.

Invisible douleur
Comme le seuil d'une vie éperdue,
Comme le pur éclat d'un regard,

Tu vis l'audace d'être, l'attente d'une fête.
Tu proclames le destin d'une fidélité.

Le Beffroi, vol. II, avril 1987, p. 90.

LES CYPRÈS

à Clément Marchand

Parmi l'ocre
et le gris bleu d'un paysage,
Les cyprès rutilent.

La magnificence de leur silhouette
Rêveuse
Illumine ce jour de sérénité.

Grâce exquise
D'un ciel de fin de saison.
Temps de la voyance embrasée.

Ces arbres
Glorifient l'hymne au silence,
L'ardente prière des champs.

Astrolabe, 1977, p. 46.

DON QUICHOTTE

La lumière illumine votre armure,
Noble chevalier.
Malgré la nuit,
Le ciel est d'une transparence rare.
La terre parfait la démesure de ses horizons.

Comme à la veille d'un combat singulier,
Un rien vous enchante.
Le malheur, la peine ou l'ennui
Gardent-ils leur raison d'être?

Noble chevalier,
N'ayez crainte!
La grandeur d'une âme
N'est faite d'aucune tristesse
Et l'amour peut demeurer l'épreuve suprême.

Rien n'est chimère, Don Quichotte.
Même le désir
Sait dicter les passions.

MARGARET PATTERSON

DENUIS SAINT-YVES

Né à Louiseville en 1952, Denuis Saint-Yves mourra «quelque part entre l'an 2000 et l'an 3000». Après des études primaires et secondaires à Louiseville, il a fait des études universitaires à Trois-Rivières, «nom que j'affectionne particulièrement, dit-il, parce qu'il me fait penser à la pêche... une vocation pour moi, tout comme la poésie». Professeur au Collège de Gaspé depuis 1989, il confie aimer cette région «pour ses rivières à saumon, faut-il le préciser». Deux rencontres ont été décisives dans sa vie : Gatien Lapointe et Léo Ferré, et d'autres à venir: « peut-être quelqu'un, quelque part, que je ne connais pas encore». S'il a pris Denuis comme nom d'auteur, c'est «pour toute cette nuit à traverser calmement, en mouchant dans la question des êtres et des rivières». Ses principales collaborations : *Liberté, estuaire, Urgences, APLM, Cahiers de Cap-Rouge, Dérives, nbj*, et, sur un autre plan, les revues *Sentier Chasse-Pêche* et *FQSA*.

BIBLIOGRAPHIE

En débordement de quoi (poésie), Trois-Rivières, Les Écrits des Forges, 1978.

Temps traversier tout (poésie), Trois-Rivières, Éd. du Bien Public, 1979.

Mourir s'attendre quelque part (poésie), Trois-Rivières, Les Écrits des Forges, 1979.

Petite transe en je (poésie), Trois-Rivières, Éd. du Bien Public, 1980.

Parler ne s'entend pas (poésie et correspondances), Trois-Rivières, Les Écrits des Forges, 1981.

Orifices (poésie), Trois-Rivières, Les Écrits des Forges, 1984.

Pour équarrir l'absolu (poésie), Trois-Rivières, Les Écrits des Forges, 1986.

Clandestin comme l'enfance (poésie), Trois-Rivières, Les Écrits des Forges, 1988.

Tranches de ciel (poésie), Trois-Rivières, Les Écrits des Forges, 1990.

EXTRAIT DE LA CRITIQUE

« Pendant tout l'hiver 1980, Denuis Saint-Yves a fait parvenir à Gatien Lapointe, son éditeur, des poèmes qu'il accompagnait toujours de courtes réflexions pour «faire le point, confiait-il, sentir qu'à Trois-Rivières j'ai un raccord merveilleux avec ce qui s'appelle la réalité de l'écrivain, que je ne suis pas au bout du monde mais près de la mer». *Parler ne s'entend pas* témoigne de cette complicité. Les poèmes apparaissent dans la page de droite alors que les lettres se livrent dans celle de gauche comme autant de moments d'une pensée, d'une émotion, d'une écriture.

« (...)Le sort d'un signe fraternel (d'un sens, d'un poème) se joue comme ça dans la main nerveuse du lecteur-auteur. Mais comment savoir lancer? Comment reconnaître ce qui se dit? Personne n'est expérimenté. Les règles n'ont jamais été apprises. Les bruits se répandent certes. Ils écoutent aux portes. Mais parfois ils s'égarent. Ils se fracassent contre des obstacles imprévisibles. Tout est à recommencer. On rebrasse. Rien n'a jamais vraiment été dit, nommé. Rien n'a vraiment commencé. Si «parler ne s'entend pas», c'est qu'il n'y a que des bruissements du corps, que des voix qui essaient de traverser l'espace, que des sons qui vibrent, pluriels, incandescents, dans le remuement de tous les possibles. »

Gérald Gaudet, *le Nouvelliste*, 9 janvier 1982.

EXTRAITS DE L'OEUVRE

Tu touches un arbre une feuille pousse. Tout frémit pourvu que tu le veuilles à commencer par les mots qui ne dévoilent que l'essentiel. Ce peu de présence qui te voile si humblement l'absence d'hier dont tu as perdu la trace. Cette clé au sourire de papillon qui te lèche l'âme. Ce livre qui bifurque hors du temps par cet arbre plein de sueur. Un nid ouvert comme une mer d'automne à la dérive que tu grattes à la guitare. Cette science, à l'eau de rose qui te sépare de Dieu à ton insu. Cette cicatrice de la matière où tes illusions se meurent. Les lèvres du vent qui t'habitent sans te remuer à force de ne plus t'apercevoir au miroir de ta jeunesse. Puis, mes mots bouée et feu que je te mets en évidence afin que tu me retrouves, comme à présent. Tu as le mouvement du silence quand tu roules à zéro mille à l'heure dans la nuit. Je te vis semblable à un canot sur l'eau à l'aube. Ce grand paysage au-delà de la nuit, tes cheveux qui se dénouent et à mes côtés tes yeux que tu ranges. Si fine, ta jambe, qu'une pluie d'étoiles pourrait s'y poser. Tout ce qui vit. L'envers des mots pour se retrouver. Ta main, même l'absence ne peut l'éloigner et tes gestes que tu danses, tout le chemin. Ce soir, je t'offre, à mon sang. Je m'agite sur ton front et je m'interroge à partir de toi... Ce grand paysage au-delà de la nuit. Toute musique se parle.

En débordement de quoi, 1978, p. 30-31.

RECEVEZ

recevez ce lieu, il dure. hommes, de confins de la tentation, qui monte en vous, comme une route sans fin, allez. cela se dit qui est une patience de durer, belle transe universelle, unique.

un feu déploie son aile, fouille la nuit. les horizons, sur le front des hommes, font signe d'avancer. là, le pas, encore, et ses séquences d'absolu. quoi, toujours, ce serait, a et z, une intention de bonheur, une vie?

l'aveu se perd
qui compare la nuit
à l'aube
quand vous fermez
les yeux

l'espace le temps
qu'est-ce que c'est
quand vous trébuchez
sur les ombres
du doute

«Feux nomades», in *estuaire*, aut. 1986, n° 42, p.28.

J'AI MARCHÉ

j'ai marché longtemps à dos d'une parole
sommaire qui écumait tous les ports de
ma destinée. ça ressemblait à un papillon
épinglé, beau, mais combien distant.
puis j'ai dit : quand sur la plage
Haldimand les sabliers s'époumonnent
à parler à mon petit, lui va se
baigner pour se laver du sable.
je marche à ses côtés. toujours
nous émeut cette empreinte qu'on
laisse sur le sable comme
une muse.

«Géographies pour dire», in *estuaire*, été 1988, n° 49, p. 7.

CAR LES POÈMES ONT AUTRE CHOSE À FAIRE

car les poèmes ont autre chose à faire que
d'évacuer les sens ou non, que de saisir
ces horizons qui se déplacent
implacablement dans le désir.
car? je te vendrai un de ces jours
sur la place publique comme
un leurre dénudant
la surface.

LA LUMIÈRE BRISAIT SES CARREFOURS

la lumière brisait ses carrefours au coin
des lèvres. quelqu'un s'avançait pour être
l'envers ou l'endroit. la prairie tombait
pile dans ces rues offertes au regard
qui s'y étend depuis.

Clandestin comme l'enfance, 1988, p. 59.

INÉDITS

AVANT QUE

Avant que de jeter des cailloux
sur la surface gelée de l'eau
comme pour se débrouiller
avec l'âge
comme pour se débrouiller
avec le fond des âges
l'aube gratte
démesurément
les yeux

RETOUR

après de singuliers combats
avec le temps
dans une sorte
d'inconscience
tout est dans tout dit-on
pour ne pas perdre
rétrospectivement
la dernière chance
de revenir de loin

HARVEY RIVARD

NÉGOVAN RAJIC

Né le vingt-quatre juin 1923 à Belgrade, Yougoslavie, dans une famille de professeurs de lycée, il obtient son Baccalauréat en 1941 au moment où son pays est entraîné dans la Seconde Guerre Mondiale. Dans l'impossibilité de poursuivre ses études pendant l'occupation, il exerce différents métiers et combat dans la résistance. Après la guerre, il refuse de s'inscrire à l'association officielle des étudiants et quitte clandestinement son pays d'origine en juillet 1946. Après avoir séjourné dans des prisons, des camps de concentration et camps pour personnes déplacées en Autriche, en Italie et en Allemagne de l'Ouest, il arrive enfin en France en octobre 1947. Pour subsister, il exerce différents métiers manuels avant de reprendre à partir de 1950 ses études d'ingénieur grâce à une bourse du Comité pour l'Europe Libre. De 1956 à 1969, il est d'abord ingénieur de recherche au Laboratoire de physique de l'École Polytechnique de Paris puis professeur d'électronique dans l'enseignement technique à Strasbourg. En 1969, il émigre au Canada où pendant dix-sept ans il enseigne les mathématiques au Collège de Trois-Rivières. Depuis 1986, il se consacre exclusivement à l'écriture. Ses principales collaborations : *L'Analyste*, *The South Slav Journal* (London, England), *Humanitas*, *Écrits du Canada français*, *le Sabord* et *XYZ*.

En 1978, il recevait le Prix Esso du Cercle du Livre de France pour son récit *les Hommes-taupes*; en 1980, le Prix Air Canada pour une nouvelle intitulée *Une histoire de chiens* ; en 1984, le Prix Slobodan Vovanovitch, décerné par l'Association des écrivains et artistes serbes en exil pour *Master of Strappado* et en 1988 le Prix Littéraire de Trois-Rivières pour *Sept roses pour une boulangère*.

BIBLIOGRAPHIE

Les Hommes-taupes (récit), Montréal, Éditions Pierre Tisseyre, 1978.

Propos d'un vieux radoteur (nouvelles), Montréal, Éditions Pierre Tisseyre, 1982.

Sept roses pour une boulangère (récit), Montréal, Éditions Pierre Tisseyre, 1987.

Service pénitentiaire national (nouvelles), Québec, Éditions du Beffroi, 1988.

EN TRADUCTION

The Mole Men, Ottawa, Oberon Press, 1980. Traduction du récit *les Hommes-taupes*.

The Master of Srappado, Ottawa, Oberon Press, 1984. Traduction du recueil de nouvelles *Propos d'un vieux radoteur*.

Seven Roses for a Baker, Ottawa, Oberon Press, 1988. Traduction du récit *Sept roses pour une boulangère*.

EXTRAITS DE LA CRITIQUE

(à propos des *Hommes-taupes*) « Le roman de Négovan Rajic reprend à peu près tous les clichés du genre fantastique (...), apparaît peu original. Négovan Rajic a enlevé toute crédibilité à son personnage. »

Pierre Berthiaume, *Lettres québécoises*, n° 13, février 1979.

« J'avouerai pour ma part que les qualités formelles n'ont pas suffi à me séduire : j'ai lu ce livre sans ennui mais sans réel plaisir. C'est sans bavure et sans éclat. »

Réginald Martel, *la Presse* , 18 novembre 1978, p. D3.

« Le livre de Négovan Rajic s'impose dès les premières lignes par la qualité d'une écriture sobre et très efficace. Ce livre si uni a un grand pouvoir. Le petit récit d'à peine cent cinquante pages aérées de Négovan Rajic est un grand livre. »

Robert Melançon, *le Devoir*, 11 novembre 1978, p. 23.

(à propos de *Propos d'un vieux radoteur*) « En quelques phrases brèves, Négovan Rajic réussit à créer dans ces nouvelles une réalité hallucinante aux couleurs raffinées de la paranoïa. »

Jean-Roch Boivin, *Montréal ce mois-ci*, mai 1983.

(à propos de *Sept roses pour une boulangère*) « J'ai abandonné la lecture des *Démons* pour celle du récit de M. Négovan Rajic : *Sept roses pour une boulangère*. Abandonné? Voilà un grand mot car dans Négovan Rajic, j'ai retrouvé Dostoïevski. C'est le même sens du monologue, le même univers de regrets et d'occasions manquées... Négovan Rajic reconstitue religieusement cet univers (du bonheur perdu) où le rêve se greffe sur la réalité; on se demande lequel fut le plus beau. Aucun livre n'est plus actuel que *Sept roses pour une boulangère*. À long terme, ce narrateur est dangereux. Son style éclaire comme une flamme. Que fait la flamme? Elle brûle. Beaucoup de lecteurs de Négovan Rajic sentiront passer le feu. »

Jean Éthier-Blais, *le Devoir*, 27 février 1988.

EXTRAIT DE L'OEUVRE

Au-dessus de ma tête s'agite et grouille la multitude et si l'homme «qui me veut du bien» le voulait vraiment, il y a longtemps que j'aurais quitté le fond de ce puits. Seulement le veut-il vraiment? Et à qui la faute? À lui? À moi? À nous deux? Et ce jeu cruel d'espoir et de désespoir auquel il me soumet depuis si longtemps, n'est-ce pas à lui-même qu'il l'inflige? Et les hommes de bonne volonté, ne savent-ils pas que sous leurs pieds un être en chair et en os consume ses dernières forces vives?

Non. Il ne sert à rien d'implorer la compréhension et la pitié des autres ni de soi-même. C'est dans son coeur ardent que l'homme doit puiser la force pour s'en sortir. Rien ne m'empêchera de quitter bientôt mon puits. Je sais, la remontée ne sera pas facile. Le puits est profond, ses parois en acier inoxydable dur et lisse n'offrent guère de prises, mais je sortirai...je sortirai...je le jure!

Et pour sortir, il me suffit de regarder le monde et d'apprendre. N'avez-vous jamais regardé une araignée monter allègrement le long d'un mur? Je ferai de même le long des parois en acier inoxydable.

De nouveau vous me traitez de fou. Je ne vous en veux pas. D'ailleurs, je considère cela comme un compliment. L'homme n'a jamais rien créé de vraiment grand sans un grain de folie.

Mais un être humain n'a pas de ventouses au bout de ses membres comme en ont au bout de leurs pattes ces insectes, me dites-vous.

D'accord... d'accord, mais pourquoi ne pourrait-il pas les acqué- rir à force de volonté et d'exercices acharnés? pourquoi? L'homme n'est-il pas un éternel mutant?

Et que ferez-vous pour rendre vos ventouses collantes?

Je mordrai mes lèvres jusqu'au sang et avec ce liquide rouge et gluant je collerai les paumes de mes mains et les plantes de mes pieds aux parois en acier inoxydable. Pas à pas, gauchement, comme le premier spécimen de la nouvelle race des hommes-araignées, je grimperai jusqu'en haut. Derrière moi resteront les traces sanglantes de mes pattes, mais je sortirai... non pas tant pour sauver ma vieille carcasse exsangue, mais pour ramener à la lumière du jour mon seul trésor, le souvenir d'hommes au destin estropié.

«Le puits», in *Service pénitentiaire national,* 1988.

INÉDIT

Le train avale la nuit et la plaine du Pô. Il n'y a pas si longtemps, un autre train m'emportait loin de Belgrade en roulant à travers la Panonie, une autre terre fertile aux vastes horizons. Parfois, un pont passe dans un bruit assourdissant, les poutres d'acier hachent la vue du voyageur et sous la pleine lune, un cours d'eau ondoie, entre les rives limoneuses, comme un corps voluptueux. Puis, de nouveau une lueur solitaire vacille dans la campagne endormie. Sans doute, une de ces grosses fermes semblables à des fortins dont les hautes murailles et les lourdes portes cloutées gardent la mémoire du temps des maraudeurs et des soudards battant la campagne.

Derrière quelques-unes de ces lueurs, à l'instant où le train nous amène vers un avenir incertain, la maisonnée termine le repas du soir dans la tiédeur de la vaste cuisine campagnarde. On discute des moissons qui achèvent, des semailles d'automne qui commencent, des mariages et des héritages. On se couche tôt à la campagne. Bientôt, dans quelques pièces crépies à la chaux, les corps musclés se glisseront entre les gros draps de lin. Les mains calleuses, guidées par le désir, se tendront vers la taille potelée d'une femme. Des titans s'uniront aux cariatides. Puis la chair apaisée, ils sombreront dans le néant. Le fortin s'endormira pour de bon. Seuls les chiens dans la cour continueront d'aboyer contre la lune.

Pourquoi ne pourrais-je pas prendre racine dans ce monde de quiétude où la mort et la naissance arrivent aussi simplement qu'une averse de printemps ou un orage d'août? Pourquoi ne pourrais-je pas devenir garde-barrière dans ce pays? Pourquoi?

Au fond, je me demande s'il n'y a que deux races d'hommes sur cette terre : la race des gardes-barrières et la race des mécaniciens de locomotives. Les premiers, fixés au croisement d'une route et d'une voie ferrée, vivent au rythme des trains qui passent. À l'heure de l'express de nuit, ils se lèvent pour baisser la barrière. Quand la lanterne rouge du dernier wagon disparaît dans les ténèbres, ils tournent la manivelle pour ouvrir le passage à niveau, puis se recouchent dans leur lit encore tiède.

Les seconds, les mécaniciens, juchés sur leurs mastodontes d'acier, ne cessent d'avaler les espaces obscurs, le regard rivé sur le point fuyant où se croisent les rails. Devant eux, le long faisceau de lumière perce la nuit, éclaire les ponts et les tunnels arrivant à toute vitesse. Aussitôt happés, ils sont rejetés dans le passé. Et pendant ce temps les voyageurs somnolent la bouche ouverte ou dorment dans les sleepings douillets.

Comprenons-nous bien, il ne s'agit que d'une image. On peut être de la race des mécaniciens sans jamais quitter sa boutique de cordonnier comme on peut être voyageur de commerce avec l'âme d'un garde-barrière. Le pire, c'est de n'être ni de la race des garde-barrières ni de celle des mécaniciens. C'est mon destin. Je suis de la race des métis. C'est une malédiction... ou un don du ciel... qui le saurait?

LOUISE LEMIEUX

**FRANCINE
DÉRY**

Née à Trois-Rivières le vingt juillet 1943, Francine Déry a fait des études classiques à Trois-Rivières au Collège Marie-de-l'Incarnation et complété sa formation à l'U.Q.A.M. et à l'Université de Montréal. Pigiste en correction et révision de manuscrits, elle consacre la plus grande partie de son temps à l'écriture. En 1986, elle quittait le poste de secrétaire générale de l'Association des éditeurs canadiens, poste qu'elle occupait depuis 1979. Poète, elle a principalement collaboré à *Possibles,* à *estuaire* et à la *nbj.*

BIBLIOGRAPHIE

En beau fusil (poésie avec des collages de Célyne Fortin), Saint-Lambert, Éditions du Noroît, 1978, non paginé.

Un train bulgare (poésie avec des monotypes de Renée Devirieux), Saint-Lambert, Éditions du Noroît, 1980, 84 p.

Le noyau (poésie avec dessin et conception graphique de Serge April),Saint-Lambert, Éditions du Noroît, 1984, 92 p.

Le tremplin (poésie avec deux dessins de Monique Dussault), Saint-
Lambert, Éditions du Noroît, 1988, 96 p.

EXTRAITS DE LA CRITIQUE

« Depuis *En beau fusil* (...) les textes de Francine Déry travaillent le
langage de façon personnelle. La fougue qui habitait les premiers textes
est devenue exploration plus méthodique d'une démarche qui à travers
le rêve et la narration prend la forme d'un plaidoyer pour l'intelligence
créatrice. Une fois les assauts perpétrés contre le langage et les formes
sociales oppressantes, une fois fait l'inventaire des révoltes à fleur de
peau, Francine Déry a entrepris le périple de dire ce qui dans le plus
pulsionnel du mot donne à comprendre et à poursuivre. »

> Claude Beausoleil, «Francine Déry, Les mots de la
> révolte», in *les Livres parlent*, Trois-Rivières, Écrits
> des Forges, 1984, p. 94.

(à propos de *le Noyau*) « (...) Ce livre (...) de Francine Déry nous
inquiète, nous dérange, nous entraîne de l'autre côté des portes. Nous
risquons les vertiges du voyage de l'eau et «La noyée transporte le
manuscrit vacillant de l'onde». »

> Jean Royer, «Pour une nouvelle invitation au
> voyage», in *le Devoir,* 13 avril 1985.

« (...) Verveine évolue le plus souvent dans une «chambre d'écriture»
où elle écrit et invente pour s'écrire et s'inventer, pour transformer, à la
manière d'une alchimiste, un réel qui n'est ici ni la «réalité», ni une
catégorie ontologique que viendrait revigorer la poésie, mais une matière à travailler, à investir par l'imagination, tout comme le texte lui-
même. C'est un réel social dont le temps est «le futur simple immédiat».
(...) «L'art» se ménage un inconfortable espace critique sur ce tremplin
où coexistent intimement l'angoisse du saut et le plaisir de l'envol. Au
moins atténue-t-il l'angoisse en gardant possible, au milieu d'une
société qui en est jugée dépourvue, une utopie fondée sur le désir et le
rêve, voire le simulacre de cette utopie (ce que certaines curiosités du
texte - l'importance de la photographie ou celle d'un objet comme la
poupée - peuvent faire penser). L'écriture en serait le refuge ou la forge.
(...)
(à propos de *le Tremplin*) « Le dernier mot du récit «Sautez!» est
précédé, quelques lignes plus haut, de cette phrase sibylline: «Il est tard

et la fumée d'une cigarette opalise le sens à donner au texte.» Libre de faire ou non ce don, le lecteur saura désormais que ce qui importe pour la plongeuse, c'est le trajet de l'arc qu'elle tracera dans les airs sans jamais se laisser dicter de figures imposées, même s'il arrive que «les rêves tombent ensuite et meurent sur les trottoirs comme des marguerites de neige». »

Pierre Popovic, «Aériennes», in *Spirale*, mars 1989, p. 10.

EXTRAITS DE L'OEUVRE

(...) je retourne à mon creuset   mon pas de deux
                je nage et cherche dans mon épouvante
                je comble et décuple au manège de la pensée
        élixir de lucidité   malgré le stress intempérie dans le
mouvement   je m'enfante à chaque jour   et quand je pose
la jambe au trépied d'affinités d'autres lèvres s'écartent et
déversent le sourire des fleuves aux bavardages des conscrits
        des vies s'écrivent et convergent   la minute qui vient je
serai l'étincelle hurlevent sur carré de marbre de milan
        petite cousine de la pucelle d'orléans   j'habiterai une
sombre villa peuplée de ventouses et de cobras   je sais le
secret qui me changera en dragon fumant   ma magie trouera
les ventouses et les cobras et je me métamorphoserai en lépidop-
tère   ordre d'insectes comprenant les papillons dont les quatre
ailes membraneuses sont le bla bla bla du larousse dernière édition.

(...) je suis femme à qui l'on a raconté un mensonge de volupté
        je refoule mon désir pour mieux le gonfler   c'est un prince
un royaume   un grand cru   je l'ai chambré   à moi la clé de la
cave   mes doigts tremblent érigeant un mur entre toi et moi
        je crée mon désir et ma négation   j'entends ton sexe battant
l'oriflamme   au prochain jour férié je boirai à ton écorce juteuse
        tes pétales liquéfiées inonderont ma substance en volutes ascen-
dantes   nous banderons nos vies en fracassantes conjonctions
        mon amour   ma race   ma fluviale principauté

279

je te dirai les plus beaux vers
te chanterai les mal aimés
en grande extase apollinaire
éclaboussant ma voie lactée

En beau Fusil, 1978.

LA CHAMBRE DE L'ÉCRITURE

L'histoire aurait pu se dérouler dans une chambre d'hôtel, dans une chambre d'enfant, la vôtre, ou dans une chambre d'hôpital. À Montréal, à Paris, à Vienne. Chambre noire d'un siècle devant, chambre close d'un siècle passé. Ou encore, sous les toits, ou à la fenêtre donnant sur le jardin. Le jeu consiste à imaginer.

Dans la chambre de l'écriture, elle s'installe dans un plan qui ne la quitte plus. En équilibre au-dessus du vide, bravant la phobie des chutes, l'auteure tend les cordes et les ponts. Elle écrit aspirée par les vertiges de l'insondable et de l'incréé.

Le jeu consiste à inspirer les murs et à les séduire jusqu'à l'abandon aux graffitis du personnage et de l'auteure. Jusqu'à la transparence.

Aussi, l'histoire aurait pu se dérouler dans un cloître ou dans un coffre à jouets. Précisément. Se méfier du silence et de l'énigmatique maison des poupées.

L'histoire aurait pu tisser sa trame dans un musée. Dans une nervure réservée à la dite histoire et devant un tableau entre l'oeil et le tableau, pièges communicants.

Dans la chambre de l'écriture, l'auteure branchée aux veines d'un circuit pare-crise de véhicules écrivant, s'adonne à la phrase parfaitement utopique du poème. Il est tard et la fumée d'une cigarette opalise le sens à donner au texte.

Le Tremplin, 1988, p. 87.

INÉDIT

Dans la percée du magma les corps giclent
multiples fusions de la naissance et de la mort
repaire de la femme-louve
citées cavernes aux violences écarlates des esprits
accolés aux décrets des imprécations souveraines
de la raison

le miroir permet une lecture de l'excès
il suffit de féconder le hurlement
rond et bleu de la bête
dans la trajectoire de la lune
d'un continent l'autre
habité

poursuivre la chevauchée de la légende
par-dessus les fleuves encore imprécis de l'ancêtre

l'Excessive et mutante graphie élabore en
descentes et montées la vision millénaire

et se lit

tel un écrit d'entre les eaux troubles
du poème et de la prose émerge
insulaire et visionnaire

ainsi de l'île mélodique à la surface de la question
pour l'interprétation finale des symbolisations
à fréquences d'histoires et de fragments modulés
par les sévices intuitifs
à pourfendre le matériau dur
des civilisations.

RÉJEAN BONENFANT

Né à Saint-Narcisse de Champlain le vingt et un décembre 1945, Réjean Bonenfant a obtenu un Baccalauréat en Pédagogie, un Brevet A, un Baccalauréat spécialisé en Lettres de l'Université du Québec à Trois-Rivières et une Maîtrise ès arts en création littéraire de l'Université de Sherbrooke. Enseignant, il a fait du syndicalisme. Il a siégé au comité de rédaction du *Sabord* et à l'exécutif de la Société des écrivains de la Mauricie.

Réjean Bonenfant a remporté en 1989 le Prix du Conseil Pédagogique Interdisciplinaire du Québec. Il est membre de l'UNEQ et du PEN Club international. Il a collaboré à *Hobo-Québec, Écrits du Canada francais, Make-Up, Terminus, estuaire, APLF, Moebius, XYZ, En Vrac* et au *Sabord*. Maintenant, Réjean Bonenfant se consacre exclusivement à l'écriture.

BIBLIOGRAPHIE

L'écriveule (roman), Montréal, Éditions La Presse, Coll. «Romans d'aujourd'hui», 1979, 158 p.

Un amour de papier (roman), Éditions La Presse, Coll. «Romans d'aujourd'hui Série 2000», 1983, 197 p. Réédition à l'Hexagone, Coll. Typo, 1990, 177 p.

Mourire aux éclats (recueil collectif), Trois-Rivières, Éditions Mouche à Feu, 1983, 35 p.

Les trains d'exils (roman, en collaboration avec Louis Jacob), Montréal, l'Hexagone, Coll. «Fictions», 1987, 199 p. Réédition dans la coll. Typo, 1990, 209 p.

La part d'abîme (nouvelles), Montréal, VLB Éditeur, 1987, 157 p.

ÉTUDES SUR L'OEUVRE

Blouin, Louise, «*Les trains d'exils* ou la vie malgré tout», postface à la réédition de *Les trains d'exils*, Montréal, l'Hexgone, Coll. Typo, 1990.

Gaudet, Gérald, «Le pari de demeurer adolescent», in *Voix d'écrivains*, Montréal, Éditions Québec/Amérique, 1985, p. 82-87.

Gaudet, Gérald, «L'extase poétique», in *XYZ*, n° 15, automne 1988, p. 63-69.

Gaudet, Gérald, «Le silence amoureux», préface à la réédition de *un Amour de papier*, Montréal, l'Hexagone, Coll. Typo, 1990.

EXTRAITS DE LA CRITIQUE

(à propos de *l'écriveule*) « L'auteur manie bien la langue et fait avec justesse ses idées; plus important encore, il réussit souvent à transmettre l'émotion. »

Madeleine Bellemare, *Nos livres,* mars 1980, n° 80.

« (...) on ne reste pas indifférent devant cet atelier d'écriture(...). L'auteur varie les niveaux de langue et, en même temps, manifeste une profonde maîtrise de la parole et de l'écriture (...). »

Gilles Dorion, *Livres et auteurs québécois 1979.*

(à propos de *un Amour de papier*) « Le sac à malices de M. Bonenfant est presque inépuisable. (...) Et on court derrière lui, trouvant tout juste le temps de savourer ici tel bonheur d'expression, ailleurs telle subtilité psychologique, là encore la très juste mesure d'émotion et d'ironie qui rend les personnages attachants et quasi vraisemblables. »

Réginald Martel, *la Presse,* 11 juin 1983.

« Si l'on me demandait quel roman proposer en milieu étudiant dans des ateliers d'écriture, je dirais *un Amour de papier.* Pour la fraîcheur des sentiments. Pour la fête de l'écriture, de l'intelligence et du coeur. »

Madeleine Ouellette-Michalska, *le Devoir,* 25 juin 1983.

(à propos des *Trains d'exils*) « Ce qui surtout retient, c'est la chaleur humaine, le pari pour la vie, la confiance en l'avenir et l'amitié que partagent des protagonistes que tout devrait séparer. »

Raymond Laprés, *Nos livres,* n° 7094.

« (...) il ne s'agit pas d'un roman de guerre. C'est plutôt un roman d'amour et d'amitié, thèmes qui sont traités de façon assez convention-nelle mais sans mélo, avec beaucoup de délicatesse, de profondeur et de vérité. (...) Voilà donc un roman bien construit, bien écrit, sans défaut. »

André Gaudreault, *le Nouvelliste,* 30 mai 1987.

(à propos de *la Part d'abîme*) « *la Part d'abîme* se ressent comme douze histoires d'angoisse, soutenues par une écriture fort descriptive, tantôt cinématographique, tantôt théâtrale, très proche du spectacle, de l'exhi-bitionisme. »

Georges-Henri Cloutier, *le Sabord,* n° 19, été 1988.

« On expie beaucoup dans ce livre, aussi bien ses rêves que ses cauchemars, on paie pour les châteaux en Espagne et le péché de différence. (...) À l'évidence, Réjean Bonenfant s'est amusé sérieuse-ment du début à la fin, avec une sorte de joie lucide, sensible et généreuse. »

Christian Mistral, *Guide Mont-Royal,* 20 janvier 1988.

EXTRAITS DE L'OEUVRE

Si seulement tu consens à te définir par tes mots, à éclore en eux (...), je serai convaincu que je te possède entièremnent. Les coins d'ombre ne font pas vivre; il faut néanmoins les laisser à ceux qui y croient. Tu as probablement l'impression de payer très cher le droit au bonheur ou à l'amour. Ne sois pas triste. Tu as sûrement découvert que c'est en notre absence, sans nous, que notre vie avance, que la vie vieillit et nous assassine un jour. C'est en la tête des mots, c'est au coeur de la tête que l'anti-mort nous éblouit. L'ivresse de l'amour ne sait qu'apeurer la mort et l'éloigner. J'ai envie de te dire que je sais déjà que le corps triomphera, qu'un jour il n'aura plus peur de la mort, l'accueillera, nous obligera même à assister à la tombée du rideau. Puis Laurence et Frédéric, toi et moi, nous nous relèverons, tes rêves suspendus aux miens, mes désirs enfouis sous les tiens, et nous nous dirigerons vers un point lumineux que nous serons alors surpris de voir aussi bien. Nous marcherons ensemble sur une voie royale, céleste. Nous serons blancs, nous serons ivres. Eternellement, infiniment, nous serons en marche vers cette lumière du dedans de nous-mêmes. Tu y seras le plus beau rayon d'après l'éclipse. Nous serons partout où l'amour rit et fleurit.

Un amour de papier, 1979, p. 100-101.

Des jours ont passé. D'autres jours encore. Et des nuits. Tout ce temps, témoin des petites effusions, ne nous protégeait de rien. Lentement, les hauts plaisirs s'érodaient. Nul vent de passion ne soufflait sur ce brasier qui n'était plus que cela : un brasier. C'est le goût de la cendre dans la bouche qui fait rêver à la tendresse quand l'amour vient à s'absenter. À nouveau, j'escaladais le mur d'enceinte de cette tendresse qui se dérobait et je n'aurais su dire de quel côté j'allais choir. Lequel des gouffres m'attirait le plus? La haine? Le néant? Le vertige s'emparait de moi. Je retardais le moment de plonger, me désagrégeant lentement dans l'ennui. J'étais comme emmuré dans ce nombril magnifique que j'avais rencontré dans un bar.

«En accéléré», in *la Part d'abîme,* 1987, p. 144.

Laurent doit se hâter de tout ranger car ce sera, d'une minute à l'autre, l'heure du facteur. C'est le moment de la journée où il se sent fébrile, nerveux et heureux. Comme ces moments aigres-doux du samedi, avant qu'il ne lise les journaux. Ces jours-là, il lit tout. Pour retarder son plaisir, il passe outre aux cahiers littéraires auxquels il reviendra quand il aura tout son temps. Le moment venu, il regarde d'abord s'il est question de lui quelque part et, constatant qu'il en est aussi absent que les autres samedis, il lit tout de même les quelques articles qui ont attiré son attention. Il en va de même pour le courrier, «c'est impossible qu'il ne reçoive rien». Il connaît tant de gens, lui qui a eu à tour de rôle, et parfois concurremment, un père, une mère, trois frères, deux soeurs, une femme, un fils, une fille, un amant, une maîtresse, trois éditeurs, un agent littéraire et bien sûr quelques amis pour l'aider à voir clair dans ce Pandémonium. Surtout qu'aujourd'hui, vingt et un décembre, il a quarante ans! Ce solstice lui suggère qu'il lui reste peut-être plus de nuits que de jours! «Ça ne s'oublie tout simplement pas», se dit-il. Et voilà le facteur qui repart. Laurent court à la boîte aux lettres pour n'y trouver que des feuillets publicitaires. Comme les journaux du samedi, il les lira tout de même.

«Solstice d'hiver», in *la Part d'abîme,* 1987, p. 152.

INÉDIT

DÉMAQUILLAGE

C'est probablement parce que j'aimais les bretzels que cela est arrivé. Ce soir-là, j'avais le goût de la différence. Je voulais me délier les doigts, réveiller ces longs serpents qui émergent tout à coup, comateux, du noeud de vipères qui me tient lieu de passé. Quelque chose demandait à naître. Je nouai mes longs cheveux, en prenant soin de camoufler les quelques cheveux blancs qui me sortent des tempes comme des filaments de feu.

J'avais poussé la porte du Bar-Bar et déjà gravi le long escalier, d'où m'était parvenue cette musique de mitraille qui faisait trembler la rampe à laquelle je m'appuyais. Une bonne vieille chaleur animale m'avait accueillie, effluves odorants dans lesquels je reconnus rapidement la part de sueur, celle de la fumée, et la haute teneur en alcool de l'haleine du préposé au vestiaire, éberlué devant «la madame». C'est comme ça, une vieille dans le ghetto des jeunes. Comme pour tirer un trait sur le sentiment d'étrangeté qui commençait à m'assaillir, je me dis alors: «C'est ma fête! Désormais, ce sera toujours ma fête!»

Quand je pénétrai d'un pas résolu dans le bar, j'esquissai, comme une amie me l'avait conseillé, un grand sourire et un petit signe de la main vers la masse anonyme des danseurs, saluant ainsi une personne tout à fait imaginaire. Ce geste témoignerait de ma désinvolture et de ma familiarité des lieux. Tous reconnaîtraient, à n'en pas douter, l'évidence de mon équilibre, et salueraient le bonheur qui émergeait de moi d'ainsi réussir à concilier l'âge, la musique, la fête, la nuit et la disponibilité. La quête du tendre bien enfouie au creux de mon corsage trop serré, je m'avançai insouciante vers l'extrémité du bar. Une vieille habituée. Machos s'abstenir.

Je commandai une bière, et puis scrutai d'un lent regard les étals des danseurs, refusai ce verre vide que le barman m'avait tendu. Je pris une gorgée à même la bouteille, jetai cette fois-ci un regard panoramique sur le marché des rêves: je reconnus qu'ici les enchères montaient, que là un krach venait de fossiliser une petite blonde et que là-bas, plus loin, ronronnait un «has been» de mon âge. On m'avait vue; je m'éloignai.

J'avais conscience d'ouvrir une parenthèse dans ma quarantaine. Mes enfants s'amusaient dans un café voisin et je leur avais permis d'aller dormir chez des amis. Mon mari, lui, en voyage. Pour quelques jours. En ce moment même, sans doute dégustait-il la version charnelle de la délicate discussion philosophique que nous venions d'avoir juste avant son départ. Eh oui, c'était ça, la fidélité était plus importante que l'exclusivité. Que valait une cueillerée de foutre, donnée ou reçue, en regard des projets de l'amour durable? en regard du bercail que l'on partage? en regard des rêves communs encore possibles? En regard de l'éternité? Pourquoi les échanges nocturnes et les jeux de vases communicants, qui surviennent forcément, dérangeraient-ils qui ou quoi que ce soit? «On se rend dans les bars pour taquiner des humeurs et caresser des fantasmes qui se lamentent dans le noir», m'avait-il dit. Le reste venait tout seul. «On vient au monde tout seul. Et on meurt tout seul. Entre les deux, l'amour nous fait croire qu'on ne l'est pas. C'est beau d'y croire mais, quand on sait, on sait... On rentre toujours seul.» Je lui avais dit que je comprenais. Je m'étais dit que je comprendrais.

L'heure avançait. Déjà, un passant m'avait demandé l'heure, un inconnu m'avait demandé du feu, un prétendant m'avait offert une cigarette et un fiancé était venu me demander si je m'ennuyais. Pauvres hommes!

C'est lorsque le barman m'avait apporté une bière offerte par un admirateur ventru qui souriait béatement entre ses deux mentons et ses trois fronts que je relevai la tête. Un vrai mari.

288

Finie, la passivité! Vite, la fuite! Et pourquoi pas la chasse à mon tour? Je me dirigeai vers la table d'un jeune solitaire, étudiant sans doute, et je lui donnai la bière que l'on venait de m'offrir. Je le quittai aussitôt car j'avais peur qu'il me dise «merci maman» et j'allai commander une autre bière au comptoir.

C'est à ce moment précis où mes doigts fouillaient dans le plat de bretzels, près de moi, que je touchai sa main. Je retirai la mienne rapidement. Il prit un long bretzel et me le tendit en disant: «Tu fumes?» Nous avons éclaté de rire. Il était beau, les cheveux frisés, l'oeil foncé. Une barbe de huit jours qui ombrait sa timidité et son audace. Il se leva, fit une révérence, et il allait sans doute se présenter quand je lui dis:

- T'es grand mais t'es beau!

Il a ri. Longtemps. Peut-être venait-il de venir au monde pour avoir tant de fraîcheur au visage, autant de flou dans les yeux et de sucre dans l'haleine. Je me rendis compte que je venais peut-être de l'effrayer en lui faisant ainsi la cour. Je me repris aussitôt.

- T'es beau... mais t'es grand!, dis-je en insistant sur le «grand», comme pour rétablir une distance dont je ne ressentais aucunement le besoin. Il a ri encore. Moi, je souriais.

Nous avons parlé de tout sauf du temps qu'il faisait. Nous avons parlé des bretzels bouclés et de ceux qui ne le sont pas; de nos enfances et de notre faim; des plus grands bonheurs qui nous étaient arrivés et de notre soif. De la recherche de son orientation sexuelle qu'il avait égarée quelque part, des voyages que nous avions faits l'un sans l'autre, des désirs fous qui resserraient mon corsage, de notre rêve de nous imaginer vieux.

Nous ne nous touchions pas, mais les fumées de nos cigarettes s'amusaient à se tordre et à se confondre. Il parlait à mon oreille, frôlait mes cheveux, me grisait de la chaleur de son souffle. J'enlevais, quelque peu chatte, des poussières imaginaires sur ses épaules et ses avant-bras.

La musique s'était calmée. Les laissés-pour-compte, tels des puzzles désaccordés, venaient de se lever pour la dernière danse. Chacun tentait désespérément de reconstruire, sur le Boléro de Ravel, l'intégralité de son petit casse-tête personnel. A cette heure de la nuit, quand les clients et les vendeurs du temple sont gris d'alcool et de fumée, tous les morceaux du puzzle se ressemblent. L'âme concède la victoire et se fait alors minuscule pour que les formes s'épousent. Nous nous sommes aussi levés et nous avons dansé, tremblants, l'oeil luisant. Je lui ai dit:

- Tu viens prendre un café chez moi?
- Non... je ne prends pas de café.
- Alors, une dernière bière? dis-je en rougissant, déjà blessée d'appréhender un refus, déjà fragile d'imaginer qu'il viendrait.
- Non, je vais y aller pour toi. Je veux voir jusqu'où on va trembler.

J'étais émue. Je ne voulais pas lui révéler que c'était la première fois, que je venais tout juste de blanchir les scories du passé. Que je redevenais vierge. Je secouai la tête et mes cheveux tombèrent sur mes épaules, engendrant le fou rire de mon petit jeune.

- Allez viens, dit-il, on va aller faire des noeuds dans nos bretzels. (...)

LAUSELL

GAÉTAN
BRULOTTE

Gaétan Brulotte est né à Lévis le huit avril 1945. Il a obtenu une Maîtrise ès arts de l'Université Laval en 1972 et un Doctorat en Lettres de l'École des Hautes Etudes en Sciences Sociales de Paris en 1978. Professeur au Cegep de Trois-Rivières et à University of South Florida, il a aussi enseigné à l'U.Q.T.R, University of California et University of New Mexico. Ex-président de la Société des Écrivains de la Mauricie, il a réalisé de nombreuses émissions de radio, a écrit deux scénarios de film, prononcé de nombreuses conférences au Canada et à l'étranger.

Il a remporté plusieurs prix littéraires dont le Prix Robert-Cliche en 1979, le Prix Adrienne-Choquette en 1981, le Prix France-Québec en 1983 et le premier prix au concours d'oeuvres dramatiques radiophoniques de Radio-Canada en 1983. Pour *Ce qui nous tient,* en 1989, il remportait le Prix littéraire de Trois-Rivières et finissait deuxième au Prix Goncourt de la nouvelle.

Romancier et nouvelliste, Gaétan Brulotte a collaboré à *Liberté, l'Arc, Études littéraires, Vie des Arts, le Sabord, Spirale, le Devoir, le Nouvelliste, le Soleil, Châtelaine, Trois, Possibles, the Comparatist,* et à *Écrits du Canada français.* Il travaille actuellement à son prochain roman *le Chantier naval* (titre provisoire).

BIBLIOGRAPHIE

L'emprise (roman), Montréal, Éditions de l'Homme, 1979, 208 p. (Prix Robert-Cliche 1979). Édition remaniée en livre de poche: Montréal, Léméac, Coll. Poche/Québec, 1988, 158 p.

Le surveillant (nouvelles), Montréal, Les Quinze éditeur, 1982, 122p. (Prix Adrienne-Choquette 1981). Éd. Cassette, Magnétothèque des Aveugles, Montréal 1982. Édition remaniée en livre de poche: Montréal, Léméac, Coll. Poche/Québec, 1986, 192 p.

«Les messagers de l'ascenseur», in *Dix contes et nouvelles fantastiques* (recueil collectif de nouvelles), Montréal, Les Quinze éditeur, 1983.

«La contravention», in *Des nouvelles du Québec* (anthologie), Montréal, Valmont éditeur, 1986.

«Plagiaires», in *Plages* (recueil collectif de nouvelles), Montréal, Éd. Québec/Amérique, 1986.

«Le rêve de tomates», in *l'Aventure, la Mésaventure* (collectif de nouvelles), Montréal, Les Quinze éditeur, 1987.

«Candy Store», in *25 ans après* (recueil collectif de nouvelles), Québec, Les Presses Laurentiennes, 1987.

Ce qui nous tient (nouvelles), Montréal, Éd. Léméac, 1988, 140 p.

Reconstruction de Jean-Paul Lemieux (essai), Montréal, Éd. Fides, à paraître.

EN TRADUCTION

Double exposure, trad. par David Lobdell, Ottawa, Oberon Press, 1988.

The watcher, trad, par Matt Cohen, Toronto, Porcupines Quill, 1989.

The secret voice, trad. du *Surveillant,* par Matt Cohen, Porcupine's Quill, Toronto, 1990.

ÉTUDES SUR L'OEUVRE

Dalley, Winnie, *the Absurd in Le Surveillant by G. Brulotte* (thèse), B.Y.U., (U.S.A.)

Fisher, C. (sous la dir. de), *Gaétan Brulotte : une nouvelle écriture* (ouvrage collectif), Montréal, à paraître.

Mesavage, R.M., «Conceptual rhétoric and poetic language» in *le Surveillant,* by G. Brulotte, Quebec studies, 3, 1985.

EXTRAITS DE LA CRITIQUE

(à propos de *l'Emprise*) « Roman fascinant, oeuvre d'un romancier au fort talent. L'auteur s'affirme comme un des écrivains importants de sa génération. »

> Louis-Guy Lemieux, *le Soleil,* 12 mai 1979, p. F-7.

« Une brillante entrée dans le monde littéraire. »

> René Lord, *le Nouvelliste,* 28 avril 1979, p. 17.

« Fait sensation. »

> Jean Prasteau, *le Figaro,* 7 mai 1979, p. 30.

« Du langage, Brulotte fait ce qu'il veut, avec cette distance qui lui évite à la fois la banalité et les naïvetés. Tout cela est l'affaire d'un vrai écrivain. »

> Réginald Martel, *la Presse,* 5 mai 1979, p. D 3.

« Un premier roman qui est bien plus qu'une promesse : une réussite. »

> Pierre L'Hérault, *Livres et auteurs québécois,* 1980, p. 36.

(à propos du *Surveillant*) « Un écrivain, un vrai, qui sait écrire et qui sait raconter, qui se promène avec une aisance remarquable dans toutes les espèces d'absurde qui composent notre monde.»

> Gilles Marcotte, *l'Actualité,* avril 1983, p. 118.

« Thématique universelle inspirée de petits faits quotidiens, mais non anodins; sens aigu de l'ironie; habileté dans la construction du texte; intelligence de l'écriture, tout fait de ce recueil de nouvelles une grande réussite. »

Noël Audet, *le Devoir,* 18 décembre 1982, p. 23.

« Gaétan Brulotte est sans nul doute l'un des meilleurs jeunes auteurs signalés par un prix. »

Francine Bordeleau, *Nuit blanche,* n° 23, mai-juin 1986, p. 33.

« À compter parmi les meilleurs textes publiés au Québec, simples, sobres, pourvus d'une sorte d'intelligence de l'émotion originale et riche. »

René Lapierre, *Liberté,* avril 1983, p. 82.

« Parmi les meilleurs recueils parus depuis le début des années 80. »

Jean-François Chassay, *Spirale,* mars 1986, p. 13.

(à propos de *Ce qui nous tient*) « De tous les lauréats du Prix Robert-Cliche, Gaétan Brulotte est sans doute celui qui aura le mieux accompli ses promesses d'hier, le seul finalement qui aura donné à son écriture la dimension d'une oeuvre littéraire avec tout ce que cela comporte à la fois de maîtrise de la langue, de rigueur et de risque dans les enjeux de sa démarche. »

Guy Cloutier, *le Soleil,* 17 janvier 1987, p. F-10.

EXTRAIT DE L'OEUVRE

Avec la découverte du faire par l'écriture, l'univers entier, autrement parcellaire, fragmenté, découpé, éparpillé, gagnait un nouveau centre d'intérêt. Une très forte complicité s'instaurait entre le biotope et l'intelligence. Il y avait entre eux comme un échange d'énergie : le monde devenait oeuvre, et l'être humain, entreprise. Corps, esprit, réel : une même histoire, un même corpus de récits, un même mouvement pour débusquer ce que Tromb appelait le ton juste.

Souvent Tromb rencontrait des gens qui répétaient sans cesse : «Je voudrais écrire»» Mais ils ne faisaient rien pour réaliser cette volonté. Voilà une de ces expressions, à la fois débile et prétentieuse, qui l'irritait fortement et que pourtant il devait accueillir avec compassion quand un interlocuteur la lui servait. Il ne comprenait pas qu'on puisse dire : «Je voudrais écrire» et en rester là, à laisser ce désir virer sur son ancre. Car lorsque le flot de l'écriture nous transporte vraiment, croyait-il, lorsque le feu de la création nous brûle au plus près, on se met à l'oeuvre et on y va dans les mots, on patauge dans la page, on s'éclabousse d'encre, les phrases nous sortent de chaque côté de la tête, on y risque sa peau, on s'y perd, on s'y reprend, on s'y abandonne, on n'en revient plus, peu importe, mais on fait quelque chose. On ne se contente pas de susurrer éternellement : «Je voudrais écrire». On fonce. Le monde m'aura ou c'est moi qui l'aurai, criait Tromb, exalté, dans la classe silencieuse. Et au bout de la traversée, on se retrouve affaibli ou plus fort, parcouru ou perdu, mais transformé. Car le faire bouleverse radicalement notre rapport à la réalité et à nous-même, et peut apporter des bienfaits aux autres, à la société, à la civilisation. On n'atteignait pas toujours infailliblement ces sommets, mais il fallait au moins se les fixer comme visée ultime.

Faire ou ne pas faire. Telle est la véritable question. Il fallait construire avec l'espoir d'élargir le champ de l'expérience humaine, d'accroître la vie, d'acquérir une vision organisatrice et libératrice ou simplement pour survivre à toute école de destruction. Tout tenait donc dans un mot : BÂTIR. Personne ne devait jamais l'oublier. Bâtir, oui, au risque de sa vie, s'il le fallait. Tromb insistait beaucoup là-dessus. Sur le caractère impliquant et même dangereux de l'expérience, il n'hésitait pas à revenir et, à ce sujet, il aimait à relire le poème de son ancien élève, Mardalis :

Venez par ici
— Il y a l'abîme
Rapprochez-vous
— On peut tomber
Venez venez
— C'est trop haut
Plus près vous dis-je
— On a le vertige
VENEZ AU BORD
Ils y vinrent
Il les poussa
Ils s'envolèrent

Tamrie, elle, tomba. Tromb la découragea, l'attaqua sans ménagement, de plus en plus durement au fur et à mesure que le trimestre avançait. En lui faisant lire à haute voix plus souvent qu'aux autres des parties de ses compositions, il la démolissait dès la première ligne. Il ne lui pointait pas seulement les défauts de son travail, il signalait ouvertement ce qui clochait en elle et produisait tel effet dans son texte. «Répétez : «Je suis conne d'avoir écrit ça»». Il s'acharnait sur elle, comme s'il voulait s'en débarrasser. Un soir, il alla plus loin que d'habitude. Il l'insulta et la dévalua atrocement. «Vous n'avez aucun talent. Vous présentez des torchons goudronnés de clichés. Qu'est-ce que ce style qui sent la bouse écrasée sous le gros sabot d'une vache? Vous avez le choix entre rester nue toute votre vie ou pourrir dans votre placard.» Elle rétorqua en lançant ses feuilles en l'air : «C'est assez! Je préfère la nudité éternelle à vos crachats sadiques! J'en ai assez! C'est trop dur! Je ne peux plus continuer!»

Tromb alors répliqua : «Bien. C'est donc que vous êtes prête à commencer.»

Ce qui nous tient, Montréal, Léméac, 1988, p. 90-91.

INÉDIT

POMMES DE TERRE LEACOCK

Choisissez une douzaine de grosses pommes de terre fondantes préalablement pelées et façonnées en forme et volume d'un oeuf ordinaire. Cuire à l'eau salée. Égoutter complètement. Faire rissoler au beurre à la poêle. Salez et poivrez. Tasser dans de petits moules à darioles, beurrés. Les démouler sur un plat de service, les arroser de crème, les saupoudrer de Parmesan râpé et les faire glacer à la salamandre. Rassembler toutes les pommes de terre ainsi préparées dans un grand moule à flan. Laisser quelques secondes pour qu'elles se placent. Les aplatir légèrement avec une fourchette sans les briser. Ajouter du lait, quelques parcelles de beurre frais. Tenir couvert sur feu doux, juste le temps nécessaire pour absorber le lait et le beurre. Mélanger le tout et former délicatement une purée. Mettre au four pour la dessécher quelques secondes. Lier hors du feu avec un oeuf entier et quatre jaunes par kilo de purée. À même le moule, découper des rondelles et former des galettes d'une épaisseur de trois millimètres. Les empiler dans une sauteuse. On doit les obtenir sèches et croquantes. Les tailler en bâtonnets fins et longs rigoureusement égaux. Placer ces allumettes dans une casserole. Les mouiller de lait bouillant additionné d'une partie de crème fraîche. Ajouter une pincée de sel et un soupçon de muscade. Chauffer sans laisse bouillir. Le bon degré de réussite se constate si les allumettes montent à la surface liquide. Ne recueillir alors que celles qui arrivent à flotter avec une cuiller trouée. Garder les restes pour un potage.

296

**RÉMI
TOURANGEAU**

Rémi Tourangeau est né à Sainte-Anne-du-Lac le huit mai 1938. Il a obtenu une Licence ès lettres (Lettres modernes) de l'Université Laval et un Doctorat ès lettres de l'Universite de Rennes. Professeur et critique, il enseigne les littératures québécoise et française depuis 1972 à l'Université du Québec à Trois-Rivières. Il a principalement orienté ses recherches sur l'histoire du théâtre québécois. Il fait partie du Centre de recherches en Études québécoises à l'U.Q.T.R. Ex-président de la Société d'histoire du théâtre du Québec, Rémi Tourangeau a remporté le Premier prix du Concours des peintres internationaux de ville de Laval en 1967.

Il a publié une quarantaine d'articles dans diverses revues québécoises. Il a notamment collaboré au *Dictionnaire des oeuvres littéraires du Québec,* à *Québec français* et à l'*Histoire du théâtre au Canada.*

BIBLIOGRAPHIE

L'Église et le théâtre au Québec (essai en collaboration avec Jean Laflamme), Montréal, Fides, 1979, 356 p.

Répertoire des troupes de Trois-Rivières (en collaboration avec Raymond Pagé), t.1, Trois-Rivières, Éditions CEDOLEQ, 1984, 145 p.

Trois-Rivières en liesse (aperçu historique des fêtes du Tricentenaire), Trois-Rivières et Joliette, Éditions CEDOLEQ / Pleins bords, 1984, 208 p.

125 ans de théâtre au Séminaire de Trois-Rivières (essai), Trois-Rivières, Éditions CEDOLEQ, 1985, 180 p.

ÉTUDES SUR L'OEUVRE

Beaudry, Pauline, «Une ample comédie à cent actes divers... L'Église et le théâtre au Québec», in *Réseau,* vol. 12, n° 9, mai 1981, p. 20-22.

Filteau, Louise, «Trois-Rivières en liesse. Apercu historique des fêtes du tricentenaire», in *Jeu,* n° 38, 1986.1, p. 257-258.

Hébert, Bruno, «125 ans de théâtre au Séminaire de Trois-Rivières», in *les Cahiers de Cap-Rouge,* vol. 13, n° 4, 1985, p. 61-67.

Laperrière, Guy, «L'Eglise et le théâtre au Québec», in *Revue d'Histoire de l'Amérique française,* vol. 35, n° 1, juin 1981, p. 108-111.

EXTRAITS DE LA CRITIQUE

(à propos de *l'Église et le théâtre au Québec*) « L'ouvrage (...) rédigé dans une langue élégante et avec rigueur scientifique reste un apport précieux à l'histoire littéraire du Québec et contribue à une meilleure connaissance de l'histoire de l'Eglise catholique implantée en terre québécoise. (...) De par sa bibliographie exhaustive et la pertinence de ses textes souvent inédits, il se révèle un document indispensable pour les chercheurs désireux d'approfondir de nouveaux sujets à peine explorés. »

Marcel Fortin, «L'Église et le théâtre au Québec», in *le Droit,* 11 octobre 1980, p. 16.

(à propos de *Trois-Rivières en liesse*) « Réfléchir sur le sens de la Fête pour en retracer la signification profonde, voilà à quoi nous convie *Trois-Rivières en liesse* . (...) Très bien documenté, cet ouvrage, en plus de fournir un témoignage complet sur les Fêtes du Tricentenaire de

Trois-Rivières, permet une réflexion sur le sens de telles célébrations. Le caractère profondément sociologique de l'étude en fait un livre de retrouvailles avec ses origines pour tout Trifluvien ou Québécois soucieux de remonter à ses sources culturelles. »

> Guy Godin, «Pour retrouver le sens de la Fête : Trois-Rivières en liesse» in *En tête,* vol. II, n° 8, 8 octobre 1984, p. 8.

(à propos de *125 ans de théâtre au Séminaire de Trois-Rivières*) « Rémi Tourangeau et ses collaborateurs ont réussi à doter la vénérable institution plus que centenaire d'une mémoire fidèle et bien meublée. Ils sont ainsi arrivés à nous communiquer la ferveur qui a dû présider à leurs travaux les plus austères. »

> Jean Panneton, in *Revue d'histoire de l'Amérique française,* vol. 39, n° 4, printemps 1986, p. 610.

EXTRAIT DE L'OEUVRE

Les Fêtes trifluviennes de 1934 ont une fonction régénératrice qui renvoie au temps mythique de «l'Âge d'Or» et de la Permanence, le temps de tous les possibles, qui donne à la vie une dimension nouvelle et imaginaire. Dans cette perspective, les Fêtes du Tricentenaire sont avant tout une ardente apothéose du passé, en face du peu d'inquiétude du présent et de l'avenir.

Cette dimension particulière de la fête populaire qui était, pour ainsi dire, en rupture avec la vie ordinaire, ne se retrouve plus aujourd'hui. Elle est remplacée par une nouvelle dimension qui donne un tout autre visage à la fête dans notre société. À titre d'exemple, il n'est que de considérer les célébrations du 350ᵉ de Trois-Rivières. Parler de ces Fêtes, c'est inverser, à peu de chose près, ce que nous avons souligné sur le Trois-Rivières d'antan : autre conception du temps qui se fait ici linéaire et non plus cyclique; autre perception d'un espace multiplé et éclaté; autre éthique sociale qui appelle à la tolérance et non à la tempérance; autre définition de l'histoire considérée comme moteur du présent et de l'avenir et enfin, autre stratégie des Fêtes tentant d'affirmer le réel plutôt que de le transcender.

De fait, un rapport nouveau du temps et de l'espace s'est instauré dans une société des loisirs qui a pris le pas sur la société du travail. Les Fêtes elles-mêmes ont pris la couleur des loisirs dans une civilisation où le déchaînement collectif total de la fête cérémonielle tente de disparaître. Avec elles, il s'agit moins de rêver le passé ou avec le passé que d'en actualiser la présence momentanée, l'espace d'une fête, pour mieux affirmer la puissance du présent et les promesses du futur. Et ce, même si des activités comme le Pageant historique 1984, le circuit patrimonial ou l'exposition de photographies historiques cherchent à illustrer les aspects majeurs de l'histoire de Trois-Rivières. Si l'on rappelle ce passé, c'est moins avec la nostalgie d'une époque heureuse que pour orienter le développement futur de la ville.

Il y a un sens à ce mouvement qui accompagne le changement, mais qui enlève l'homme à l'histoire, plutôt qu'il ne l'y entraîne. On peut dès lors se demander si la population d'aujourd'hui ne préfère pas l'élan gratuit correspondant au désir de l'instant où le désir d'un élan vers l'inconnu. Le fait anecdotique des Fêtes de 1984 reflète en tout cas la logique d'une société de consommation qui accentue l'éphémérité des objets, des rencontres et des valeurs. C'est là une conception linéaire de la temporalité où l'on admet, inconsciemment ou non, une évolution, une marche du monde moderne vers un mieux-être. Ainsi, on n'hésite pas à parler des Fêtes du 350e comme d'un «chemin à parcourir» où le temps ancien tente de s'abolir.

Le concept de spatialité s'est aussi modifié. Point n'est besoin d'insister sur les espaces qui se sont transformés. Le pôle unificateur assumé par l'église ou la salle paroissiale ne tient plus aussi solidement qu'autrefois. Les centres d'intérêt et de communication se dispersent davantage dans des lieux nouveaux et souvent éphémères qui naissent et meurent au rythme des modes : bars, cafés, salles de spectacles, stades sportifs, cinémas, etc. Tous ces espaces foisonnent, se diversifient et s'entremêlent comme les idéologies. Les Fêtes du 350e n'y échappent pas dans une ville de plus en plus immergée par des lieux nouveaux à occuper. Rien d'étonnant qu'elles aient perdu ce caractère d'homogénéité des Fêtes de 1934 pour s'afficher comme une manifestation spontanée de groupements divers. À notre avis, leur langage respecte une autre rupture qui marque l'univers de la fête : celle du cours normal de l'économie invitant aux dépenses et, par là, aux débordements. Un tel langage permet l'excès et la transgression ou, si l'on veut, la disposition joyeuse à fêter en toute spontanéité.

Trois-Rivières en liesse, 1984, p. 158-159.

INÉDIT

AU-DESSUS DES SAISONS

Il n'y a d'intéressant que l'âme qui se dévoile tout à fait. Peu importe si cette âme est belle ou affreuse; il suffit qu'elle parle d'elle, qu'elle raconte nettement ses visions.

Parfois, j'ai l'impression de l'entendre me parler de l'Invisible. C'est comme si elle faisait partie d'un autre MOI, d'une autre substance. Je n'ose encore m'en convaincre, mais je l'imagine facilement s'arracher de mon corps, s'en éloigner pour un temps, puis revenir à lui d'un monde bienheureux pour me résumer ses voyages. À certains moments, je l'écoute frapper du pied sur le seuil de mon corps. Elle s'approche. Elle insiste. Elle veut lui apprendre ses allées et venues qu'il a envie de connaître. D'autres fois, sans y rentrer, elle se contente de passer au-dessus de lui, le regarde agir pour son seul plaisir.

Tout à l'heure, je sentais ses yeux me couvrir de protection. Je prenais le train pour Montréal. J'eus une étrange réaction dès que les wagons se mirent en marche. Une force toute-puissante, extraordinaire, jaillit du plus profond de moi-même. Aussitôt une curieuse intuition naquit. Mon âme s'échappait de moi, s'élançait quelque part en déployant un étonnant pouvoir. À cet instant précis, une image floue traversa mon esprit, m'apparut ridicule. Je crus qu'un corps invisible, fait d'yeux entièrement, voyageait avec moi, au même moment et vers la même direction, mais dans une autre durée et un autre espace. Seul le mouvement délimitait l'horizon des paysages que j'admirais infiniment. Ce même mouvement du corps et de l'âme glissait toujours sous des yeux différents sans jamais s'accorder au rythme de mes perceptions sensibles.

Ainsi, de la fenêtre du train, mes yeux regardaient défiler un cortège de paysages printaniers chargés des fleurs d'avril pendant que d'autres regards fixaient leur attention sur les fruits de l'été de juillet. Ces yeux de l'âme, comparables à mille bouches avides, délectaient déjà voracement des sensations bizarres. Ils percevaient d'autres réalités qui ne correspondaient pas à celles des yeux du corps. Les premiers contemplaient des spectacles que les seconds espéraient voir. Ils devançaient les saisons sans raison, changeaient les décors jusqu'à les déformer complètement. Voilà une chose que je ne m'explique pas.

D'où vient cette puissance mystérieuse capable de bouleverser mon monde intérieur? Je ne sais. Ce qui m'étonne le plus, c'est d'entendre l'âme me raconter en sens inverse des aventures qui me sont familières. Alors, je revis à l'envers certains moments tragiques ou comiques de mon existence. Inopinément, j'ai tout de suite le goût d'entrer dans la forêt sombre et magnifique de mes rêves. Mais quand je recompose mentalement ou par écrit ce langage de l'âme, je recommence à vivre pleinement sous de nouvelles saisons produites sans doute par mon imagination.

HARVEY RIVARD

MARC
GARIÉPY

Né le trois octobre 1952 à Trois-Rivières, Marc Gariépy a étudié au Séminaire St-Joseph, au Collège Laflèche, à l'Université de Sherbrooke de même qu'à l'Université du Québec à Trois-Rivières où il a obtenu un Baccalauréat ès arts en 1985.

Écrivain à temps complet, il a collaboré au *Bulletin du Cercle Gabriel Marcel,* aux journaux *le Nouvelliste* et *le Bien public* et aux revues *Moëbius, A.P.L.F.* et *Écriture française dans le monde.*

BIBLIOGRAPHIE

L'inlassable errance (poèmes), Sherbrooke, Éditions Naaman, 1979, 72 p.

La mort aurorale (poèmes et proses), Trois-Rivières, Éditions du Bien Public, 1986, 145 p.

EXTRAITS DE LA CRITIQUE

« C'est encore la munificence, les mille éclats des pierres précieuses. La phrase est longue et haletante. Le verbe est superbe. Les images sont magnifiques. »

Michelle Roy-Guérin, *le Nouvelliste.*

« (...) où le labourage verbal, mené avec un acharnement délirant, mettait en évidence des perles difficiles à oublier (...) il suffisait de quelques sons-images qui me fassent toucher l'inconnu. »

Jean-Pierre Issenhuth, *Liberté.*

« Aussi imprévu dans sa pensée qu'inattendu dans son style, Marc Gariépy, dans une transgression allègre de toute logique, travaille ici à la réinvention de nouveaux sens, à partir d'une déconstruction verbale qu' eût sans doute tolérée Rimbaud, sinon approuvée. »

Clément Marchand, «Postface» à *la Mort aurorale.*

EXTRAITS DE L'OEUVRE

MONACAL PLEUR
(deuxième version)

Pleurs clos comme tôles divorcées, écorce noueuse où le chant promène, victorieux, le claquement des soutes, l'épanchement arc-bouté devant ce royaume qui recule, ces soleils moribonds dussent-ils naître, offrande de gloire muette, traversée du vent telle une bête léchant les doigts paralysés où bavent les heures automnales du ciel. Mais cloué au gibet, à l'art comme les semailles et les bercails, le grand voyage aux clairs abysses et rêves d'absolu cri, le sillage, la moisson, la sonde épousant la muraille de la vigne, crocs où connaître les vierges cataclysmes. Pavés reçus tels des clameurs de vergers hissant vers l'Autrefois leur port qui, joignant les nuages vaporeux aux pauvres récifs, abrite la métamorphose des pierres ancrées dans l'attente et hurlant les grands ravages du silence dont l'étouffé blâme me prenait la gorge quand j'étreignis ton fardeau, mon corbeau mort avec, dans les mots, cette âme révoltée et tes pas dans la nuit qui ne cesse notre écart. Je fus comme la brûlure d'une forêt dont les bleuets qui poussent, cachent dans ta bouche, ma morte pélerine et mon sort atroce. Dès lors les bois périrent et, spectateur affolé, mon coeur voyait toutes les bêtes s'enfuir jusqu'au Berger qui me criait la vérité.

BRUME AVEUGLANTE
(deuxième version)
I

Socle terreux, étonné par le bel été, escorté comme un phare par le charme de l'âtre, tu illumines le saule aux pleurs de gloire, joie mourante lorsque muette déflagration, la houle trempe ton coeur comme un couteau transperçant le nuage et tombent les gouttes Ô Rêverie funèbre, dans le manoir crevassé par l'Éclat d'une Rose que le vent déferlant, dépose tel un fanal pauvre à ma porte. Les peuples affamés reposent en douleurs soutenues, par la lande, érables de toutes sortes. La faulx attend, tempête sur le pont, les enfants fuselés comme un poulpe au front, automne amer où gelés, le courage et la lâcheté furent décapités par la vérité dont le cloître saisonnier, silencieusement érige, blafard paysage, nouant ses fous rivages, l'orgasme de l'âme à l'espérance le haut Nom. Cathédrale géante, succombé nectar, nos lèvres sustentées épuisèrent la beauté où l'inconsolé, le mage comme dôme ensanglanté, troua le monde vers son sépulcre quand mai passa telle ton épaule baignant par la pureté la riveraine ici chantée comme en un temple.

II

L'incursion des flots brumeux par les yeux, atmosphère rare traversant la plaine, sacrée nymphe que les méandres châtient, que l'éros forme, le cou rauque louvoyant dont la gorge muette craque sous la lune, cristalline cîme, tes pas allègres sonnent comme le hululement des hiboux, O Monde Ô Sonde! Pavots enlaçant la chrysalide, tumeur pleurée dont l'équipage échoué vers les coquillages, nos deux bouches prennent, fenêtres des rues blafardes, pendant les rêves moulinés, les songes et les chants de l'aube, vastes, résonnent. Les illusions vers les rivages s'en vont, griffes enfantées que ton visage rassemble, lorsque mon pollen ressemble à ma turbulence, ma nausée, mes sanglots. Promène sous le reflet d'un hublot, ton ivresse comme une nacelle, néant-battement que la ville solitaire dévaste. Ce cratère perpétue l'Aimée, comme souffle l'hiver, fureur aimantée dans ses appels éperdus vers le noble printemps, terre ourlée de nos noces où voyagent les outardes, dans la chapelle gravée. Les feux galopent, obéies sphères.

INÉDIT

Songe perpétuel où la mer devant l'alerté monde, par l'ondoyante écume, de son néant hélas prostré sur le moelleux appât du temps, vespéral écoulement, décèle le balloté espace de sa quête, brûlante volupté, l'Ange tel l'écroulement blessé de ses flammes, plonge dans le sacré marasme, palpant du forgé désastre, le vol des éclatées ramures. La torturée nacelle, d'un azur déployant ses rêves, par la paralysée putrescence du passé, tempête arrachant d'un basculement la résurgence, Ô Rasades, Ô Noyades, dont le décrété rachat par la moëlle serpentant l'ocellé fracas, comme l'ombre recelant les pubescents écueils, sombre dans les hanches telles les feuilles d'un gouffre, escaladée carène, des profondeurs remonte, rayonnante nervure allumant le souffert stupre. Rempart terré, la grande clarté par les ruts, tels d'un géant écart les galbes, où la vendange, vagues consolant les rasements, comme le val et ses agglomérés cercles, durant le fût attenté, coraux coruscents, fête son automne, en la chambre Pâle, tel le gémissant vent par les venelles, dont le fantôme errant, de sa sépulcrale douleur l'arrêt du hasard, comme la grâce traversant sa geôle, osmose, fougue, dans le spleen, métamorphose les gelures, créature enclose sous les chaleurs, pleurs.

GILLES MASSE

PIERRE-JUSTIN DÉRY

Né à Grand-Mère le 5 novembre 1952, Pierre-Justin Déry poursuit des études de doctorat en littérature québécoise à l'Université Laval. Il détient une Maîtrise ès Arts (Lettres) de l'U.Q.T.R. Poète, critique littéraire, essayiste et performeur, de 1976 à 1984, il fut membre du comité de lecture des Écrits des Forges et il est président du Cercle Jung de Trois-Rivières qu'il fondait en 1987. Chargé de cours à l'U.Q.T.R. depuis 1979, il fut recherchiste au Centre de documentation en littérature et théâtre québécois de 1972 à 1974. Ses principales collaborations : *Livres et auteurs québécois, Dictionnaire des oeuvres littéraires du Québec* (t. IV et V),*le Sabord, estuaire, Revue des Forges, le Nouvelliste, la nbj.*

BIBLIOGRAPHIE

Topographies 1 (poésie), Trois-Rivières, Les Écrits des Forges, 1979, 106 p.

Topographies 2 (poésie), Trois-Rivières, Les Écrits des Forges, 1983, 106 p.

ÉTUDES SUR L'OEUVRE

Haeck, Philippe, «L'apprentissage de l'écriture», in *Livres et auteurs québécois 1979*, p. 169-170.

Pozier, Bernard, «Pierre-Justin Déry offre un texte riche», in *le Nouvelliste*, 8 novembre 1980, p. 19.

Trottier, Benoit, «Du hasard à la dictature du lecteur : Les Écrits des Forges», in *Voix et images*, vol. 5, n° 3, printemps 1980, p. 604-605.

EXTRAITS DE LA CRITIQUE

« Pierre-Justin Déry, tremblant d'horizons, impatient, brûlant à mesure ses métamorphoses.»

> Gatien Lapointe, «Les Écrits de Forges. Au coeur du Québec», in *estuaire*, n° 9-10, décembre 1978, p. 118.

« *Topographies 1* : jubilation du verbe. Eté de la langue qui roule sur elle-même, collier d'images végétales qui tissent les corps de la femme feuillue et de l'homme arbre. J'ai pensé en lisant ce premier livre de Pierre-Justin Déry au premier livre de Paul Chamberland, *Genèses,* (...) par le ruissellement des images mythologiques, des mots «poétiques», croyant par là se donner naissance : «arbres sonores de pulpes et cantiques / la fugue des branches violente l'heure / saison de pourpre naissance»(p. 45). Cette «topographie / verte écriture de terre»(p. 51) est faite à partir d'une confiance naïve (native!) dans le lyrisme traditionnel, d'où cette rhétorique superbe qui se déploie partout; y voir encore une façon qu'a le paon de déployer ses plumes pour séduire la femme : «lézards reptiles et serpents rampant entre les dunes souples de la femme, viennent tremper leurs fièvres aux liqueurs de sa peau» (p. 20) (...) »

> Philippe Haeck, «L'apprentissage de l'écriture», in *Livres et auteurs québécois 1979*, p. 169.

« Pierre-Justin Déry décrit (...) de façon pressante : la femme, sujet de préoccupations constantes, n'est pas la femme du quotidien et du social, mais la femme déesse, la Femme aux mille exploits : «pour que la femme taille de glauques diamants (...) la femme façonne l'étamine et la forêt (...) pour que la femme puisse extraire l'homme de la cuisse de l'arbre» (p. 16). L'auteur s'allie ainsi les arts divinatoires, se donne la force, et le recul surtout, que demande la «topographie» de trois personnes, d'une trinité en correspondance avec tout le cosmos, lieu privilégié d'une certaine poésie. De l'arbre façonné par la femme naît la généalogie : «arbre mon père ma soif ma brûlure», soleil «ravisseur de femelle». *Topographies 1*, livre sur l'identité, tout de descriptions et d'auscultations du sol; livre de revendications en fuite préparant l'autre départ (...) le vouloir d'une «neuve terre» dans *Topographies I*; vouloir atteindre sans intermédiaire un objet déjà ajusté à ses désirs.   »

Benoit Trottier, «Du hasard à la dictature du lecteur : Les Écrits des Forges», in *Voix et images*, vol. 5, n°. 3, printemps 1980, p. 604-605.

EXTRAITS DE L'OEUVRE

CONCERTO ZÉRO

Doubleton

Encadrés par l'illusion, voyons à gauche les sorcières batelières d'une grenadine griffure. Encadrés par l'illusion,voyons à droite le modulé divinatoire du châssis par le trou.

Vous n'écoutez même pas

Nous tous , soussignés, les musiciens, les vibrants, les pulsionnels, vos soupçons. Nous avons remarqué l'absence. Le mou. Cependant nous déclarons futur le rythme.

Rock

Bougabonderie pardelle mentalistole, ça semble triste. Plutôt. Juste assez. Triste musique pour ne pas rac-compagner la traînure des cyclones.

nbj, n° 214-215, automne 1988, p.70.

POUR UNIVERS
(extraits)

        Ne dire   que le centre   la musique partout
ni le diapason   ni l'ossature des cadences   ni la plus
                tendre intention
ni écho ni outrance   ni cette mutité de douleur
            ni les splendides amours
                    mais la musique partout

estuaire, n° 49, été 1988, p. 43.

                    * * *

        convocation   noire pinède   mugissement
            l'incendiaire trachée active le zénith
            ce sphinx de rugir au fond du soleil
            sphériques dilatant les cratères
            d'une bractée s'expulsent des aigles
            cône à griffures   bûcher d'inaltérable
            verbe qui comble d'épouvante tout l'espace
                énigme l'intense toponymie (...)

pictographique mer entaille la clavicule d'orme, réponse
mandibule avec des signes d'ancêtres, gémellaire l'anté-
rieur vagit;

druide traçant l'oeil des généalogies — FORÊT ROUGE
COLLECTIVITÉ DE L'ÉRABLE — nervure dévide la
sève, commune matière d'en bas;

vertige du fût, l'altitude propage sa toupie, tendu le mascu-
lin vers le féminin, très lointaine enfance en nous qui palpite,
striée de papillons métamorphiques, foin, la fougère la
pruche;

chiffre précédant le mot, noir vrac des visions, descente,
fracture, tout au bout l'arc du plus immémorial émerge neuf,
l'identique organe, hors logique un escalier sans rampe(...).

Topographies 2, 1983, p.57-59.

PLURIOLOGUE

Allo, poète, vacille-t-il, ton coeur pris d'oiseaux sur le noir?

Il n'a rien déclaré mais il parle, pour l'an prochain. Adieu donc!
Il n'a rien compartimenté parce que le pain des mots sèche rapidement
si près de Bouddha. Il doit s'inciser le poignet gauche ou la carotide juste
à la racine. Ah! Chienne de nuit! Il présente cette explication sans
douter : quel gigantesque s'il ose!

Elle survenue, folle déesse motorisée, la mort. Elle d'un coup qui
capte le nocturne. Du naturel! Avec componction, songe-t-elle, quoique
priant pour qu'il arrive, le maximal axe.

Il regarde également. Peut-être quelque distorsion. Lycanthrope.
Poète?

Elle transfuse l'étincelle. Ténèbres désarticulées. Flammes de
voyelles pour briser un maillon. Ne pas recomparaître chaque fois.
Espacer les fractionnements du temps jusqu'à l'idéal! Rechercher ce
calme et ce suspect d'une neuve consonne. Inspirer, l'essentiel est
d'inspirer. À fond!

Il se poursuit en sachant qu'il la précède. Il écrit ce qu'il
intenterait par un génie. Le poème reste au pluriel avec Montréal.
Nommez-la tant qu'il le faudra. Émotif, trop émotif. Tout papillon
tourbillonne tornade. Rudement, qu'il y va, qu'il y va! Sincèrement
jamais plus elle ne le comprendrait. Finalement il repart. Le proverbe.
L'adverbe. Le verbe.

Século, ce particulier qui soupçonne son maître de complicité,
vient de cloisonner sa jumelle Sécula. Séculorum soudain se présente au
seuil de l'âme. Sécula, d'un baiser, trouble le tain de son miroir. Século
regarde Sécula et l'embrasse aussi, sur l'autre face. Séculorum efface le
neutre. Le neutre même.

Elle opératrice des ordinateurs, des mortels parleurs qui se dé-
connectent. Compromettant le faune des éclairs noctambules. Elle vous
a mené jusqu'ici. Elle corrige la trajectoire des raisons, la beauté
prochaine, la grandeur du rejet. D'aborder le double, de le détruire, de

l'ombrager. Soutenir que l'offense jaillit vers l'esprit des enchanteurs. Enclanchant rythmique l'outrephone.

Dans la brûlante terre de sa démence, dans la galopade, voici le sillage de Bételgeuse l'Ordinatrice. Elle, des figurations métamorphiques dessous la cité, de la vibration d'yeux qui fendent la gorge. Elle, des synthétiques pluies infusant le pluriologue. Sans aller nulle part. Inquisition depuis le commençant textuel jusqu'au hasard.

PIERRE DESSURAULT

GUY
MARCHAMPS

Guy Marchamps est né à Trois-Rivières le vingt-deux avril 1958. Détenteur d'un D.E.S. en construction, il fut tour à tour afficheur, palettisier, machiniste de scène, commis de bibliothèque, auteur-compositeur-interprète, documentaliste, harmoniciste et... enfant de choeur. Et poète.

Co-fondateur de la revue culturelle *le Sabord,* il organise des récitals de poésie et des rencontres d'écrivains. Il fait partie de l'exécutif de la Société de développement des périodiques culturels du Québec.

Guy Marchamps a collaboré à *Osiris* (E.U.), *le Sabord, Passages, N'importe quelle route, Trois, estuaire, le Vol du hibou, Passages, Regart* (Belgique), *l'Arbre à paroles* (Belgique) et à *la Sape* (France).

BIBLIOGRAPHIE

Agonie Street (poésie), Trois-Rivières, Éditions Mouche à Feu, 1981, 24 p.

Night-Club Blues (poésie), Trois-Rivières, Éditions Mouche à Feu, 1981, 34 p.

L'Assassinge (poésie), Trois-Rivières, Éditions Mouche à Feu, 1983, 26 p.

Sédiments de l'amnésie (poésie, avec cinq dessins de Denis Charland), St-Lambert, Éditions du Noroît, Coll. L'Instant d'après, 1988, 74 p.

Blues en je mineur (poésie, avec six dessins de Yves Cadorette), St-Lambert, Éditions du Noroît, Coll. L'Instant d'après, 1990, 77 p.

EXTRAITS DE LA CRITIQUE

« Le public a aussi retrouvé ou découvert le poète Guy Marchamps, qui a consacré des moments toujours trop brefs à dire, s'accompagnant de son harmonica, de savoureux extraits de son oeuvre. Publiée en éditions restreintes pour une part, inédite pour l'autre part, la poésie de Marchamps est de celle qu'il faudrait diffuser davantage. »

Roland Héroux, *le Nouvelliste,* 24 octobre 1987.

« *l'Assassinge,* c'est presque un manifeste personnel. C'est le poète qui parle de son rôle. Et comme c'est son «ouvrage», le poète, télescopant les mots, ajoutant ici, supprimant là, invente à mesure son langage. On pourra trouver que les jeux de mots y prennent une place démesurée, mais c'est bien voulu comme ça. Un Assassinge, après tout, n'est pas un homme ordinaire. »

André Gaudreault, *le Nouvelliste,* 14 mai 1983, p. 13 A.

(à propos de *Night-Club Blues*). « Ce petit ouvrage, précise Guy Marchamps, a été écrit en trois nuits dans un cabaret «avec tout ce qu'il y a de bruits et de lumières en de pareils établissements». Et c'est justement une des qualités de Marchamps d'avoir pu rendre dans ses poèmes toute l'atmosphère particulière de ces nuits qu'on a à peu près tous connues à vingt ans. (...) Le moins qu'on puisse dire est que Marchamps est doué pour l'image.

André Gaudreault, *le Nouvelliste,* 17 novembre 1981.

(à propos des textes accompagnant l'exposition Normand Boucher).
« Les textes de Marchamps comportent une fort belle imagerie symbolique. »

René Lord, *le Nouvelliste,* 1 novembre 1980, p. 16.

« *Sédiments de l'amnésie* de Guy Marchamps est un beau recueil. (...)
De beaux moments font penser que Guy Marchamps porte en lui un
poète original, un exemple :

> telle était la lune
> dans le coffre arrière
> de l'univers
> ficelée avec des rayons
> de soleil

Faire quelque chose de relativement neuf en tout cas de tolérable avec
le cliché poétique par excellence : la lune, ce n'est pas à la portée du
premier venu. Je crois que Guy Marchamps a bien gagné à être publié au
Noroît.

Robert Melançon, *En toutes lettres,* R.-C., 24 mai 1988.

(à propos de *Blues en je mineur*). « C'est tout un programme de
niaiseries qui se propose à nous. »

Hugues Corriveau, *Lettres québécoises*, n° 60, p. 37.

EXTRAIT DE L'OEUVRE

IL Y A DES MOTS POUR TOUT

> Il y a des mots pour tout
> des cratères phonétiques qui chantent l'homme
> des blues de mots qui suspendent la misère
> sur la corde à linge du coeur
> des mots micro-ondes qui mûrissent plus vite
> des mots télévisés qui se regardent   se regarder
> et cela sans se voir

317

des matous de mots qui raclent le fond des poubelles cérébrales
des mots jouissant que l'on se répète
comme l'incantation d'un corps
des mots pour Dieu des mots pour Diable
des racines de mots enfouis sous les continents
et qui étreignent les fleuves de nos mystères
des pancartes de mots avec des mains aux bouts
des mots de joie pour les dames du même nom
et d'autres d'autres
qui sortent enrubannés de clairceur
par la bouche des enfants
des mots électriques des mots programmés
aussi des archanges de mots qui virevoltent
partout en nous comme des graffiti joyeux
et qui chantent malgré la tristesse
et qui balancent les harpes au dépotoir du paradis
des archanges de mots qui pètent d'amour
en des spirales de douceur qui enlacent chaque nuage gris
et font de l'argile pour créer des hommes éclatés
qui éclaboussent de sang lumineux les limousines cadavériques

il y a des mots pour tout
des caravanes de mots qui traversent les villes désertes
des mots de poète des mots de concierge
des mots qui cachent des mots qui ouvrent
des parenthèses de mots qui en disent long sur les mots
de fins mots affichés finement dans des cadres fignolés
des mots longs comme ça
des mots si difficiles
qu'il faut les pendre à la lettre
des mots tordus qui font un bruit de ferrailles dans le coeur
des mots de bien-pensant que l'écho refuse
des maladies de mots qui s'attaquent à toutes les parties
des mots collectifs des mots coléoptères qu'on collectionne
des mots enjoués des jeux de mots
des mots d'assassinge qui voyagent maintenant
dans les mondes innommés
des mots Satie Lara Kirk Albinoni Laprise Thivierge
des mots Klimov Langevin Brel Dallaire Dickinson
des mots Jaccottet Piché Bonenfant Dostoïevski Miro
des mots Klee Rimbaud Hammill Kerouac Costa-Gavras et Ducharme
des mots pour tous et pour toutes
des taudis de mots des conserves de mots

des mots millénaires qui habitent l'espace
des mots en orbite autour de la tête
des mots de plomb de manganèse d'amiante d'amante
des mots aimantés collés aux obsessions
des mots latins des mots latrines
des colimaçons de mots
des mots en queue de chemise dans le clair-obscur de la mémoire
des mots de Larousse de Robert de Littré d'illettré
des mots de Cambronne qui n'ont pas tous cinq lettres
des mots pour rire de l'impuissance des mots
des mots à mots pour traduire la langue-fleuve
des rock and roll de mots qui swinguent dans le moulin à prière
des mots de passe pour le canyon de la mort
des mots simples qui ont vécu

estuaire, n°. 40-41, 1985, p. 101-102.

INÉDIT

UN POÈME

Un poème
sur une feuille de papier
un verbe
à l'indicatif néant dirait Tardieu
des envies de commencement du monde
parce que le soleil
fait son fin sur Grande Allée
des cheveux de femme
que le vent fait bouger
la beauté n'efface rien
elle compose avec les nuances
mises en lumière par les ténèbres

sur le cercle du poème
le tableau de bord de l'infini

LUCIE LAMBERT

RÉJEAN
BEAUDOIN

Réjean Beaudoin est né à Shawinigan-Sud le vingt-deux novembre 1945. Après un Baccalauréat ès arts à l'Université Laval, il a obtenu une Maîtrise ès Arts et un Doctorat en lettres de l'Université Mc Gill. Il fut professeur au Cegep de Shawinigan, chargé de cours à l'Université de Montréal et à Mc Gill; il est présentement professeur de langue française et de littérature québécoise à l'Université de Colombie-Britannique.

Chroniqueur à Radio-Canada, il fait également partie du comité de rédaction de la revue *Liberté*.

BIBLIOGRAPHIE

Aléa (poèmes, eaux-fortes de Lucie Lambert), St-Sévère, Éditions Lucie Lambert, 1982.

Naissance d'une littérature (essai sur le messianisme et les débuts de la littérature canadienne-française, 1850-1890), Montréal, Éditions Boréal, 1989, 211 p.

EXTRAIT DE L'OEUVRE

PUEL
(RONDEUR DU MONDE ÉTOILÉ)

Maintenant que Midi est un vase renversé sur la terre

Une oeuvre ne se remarque pas d'abord aux signes qui l'engendrent, mais plutôt à l'impression qu'elle laisse de les précéder dans l'existence. L'intérêt redoublé qu'elle inspire alors d'en chercher la matière ne déçoit pourtant pas l'aperçu de sa première intuition. C'est ainsi qu'une lecture remonte lentement le courant confus anciennement ordonné par le poème à moitié submergé dans les mots qui ont lavé sa forme rescapée de leur haute marée.

> *Cargos, femmes nues, museaux, chevelures, pivoines, tu tireras la langue comme autrefois quand tu décalquais des continents et des îles, tu cerneras au passage une coïncidence et ce qui restera entre deux ratures tu le nommeras poème : un peu de terre remuée, un infime terrier de mots — ou bien toute la terre s'arrondissant sous ta main comme une pomme.*

Cette antériorité mystérieuse, dévoilée par le détour (ou le raccourci) du poème qui annule instantanément la prétention ontologique de l'objet, c'est cela, je crois, que j'ai voulu nommer tout à l'heure en parlant de la pré-existence poétique. Le poème ne baigne jamais que dans les eaux tumultueuses de l'instant, mais c'est pour en répercuter chaque fois les ondes sonores, échos prolongés d'une même conscience intemporelle. À cela du moins je reconnais, quant à moi, l'effet que j'attends de la poésie.

J'ai lu, par un enchaînement de hasards qui signale l'abord capricieux des poètes, trois livres de Gaston Puel. Je ne sais rien de lui que l'influence manifeste de René Char, le goût de l'édition soignée (ses livres sont imprimés sur une antique presse à bras), une oeuvre sans tapage, très patiemment construite, des années s'écoulant entre chaque titre, une vie de réclusion à la campagne, sans doute dans le sud-ouest de la France, et l'amitié indéfectible de Georges Mounin. Je ne prétends donc pas faire ici un travail critique. J'ignore tout, pour ainsi dire, de qui je veux parler. Je lis par pur désintérêt, je perds, ou plutôt j'engloutis des trésors de savoir dans cette lecture.

Puisque le soleil décline je dirai la ronde bosse d'un dos
d'homme
Il s'éloigne et le soleil pénètre dans sa bouche illumine ses dents
Il danse vers l'abîme Des herbes l'accompagnent
La poussière le suit dans l'ombre de ses jambes

Rien ne m'importe plus, je ne saurais dire pourquoi, à suivre la démarche d'insecte qui m'attache au pas de cet homme. À moins que mon regard ne se rive au contraire à l'astre indifférent qui visite la gloire de sa route :

À Midi l'arbre est fendu en deux par la cognée solaire
Et l'homme qui traverse son bois s'unit à la sève du monde

Je sens la mécanique céleste d'un jeu de poids et de contre-poids à l'oeuvre dans le corps charnel de cet itinérant. Il marche avec souplesse au milieu de masses hantées par le fond d'un abîme. Il semble porté par la même loi cosmique qui fait peser l'air sur la croûte terrestre et s'élancer les pics de montagnes vers le ciel. Et c'est un corps fragile qui flotte au gré de la substance du monde.

J'ai dit l'homme au matin allongé dans le creux d'une barque
Il dort
L'air s'appuie sur sa face
La vague le soulève

L'image primordiale chez Puel est évidemment tellurique. On pourrait distinguer dans ses poèmes une sorte de «Chant de la terre» qui rassemblerait le corps, le paysage, la femme et la mémoire. L'une des plus belles figures en est le château. Il s'agit, comme j'ai tâché de le dire, d'une poésie à l'affût de l'instant (jamais de l'intantané) qui ne renonce cependant pas à l'intuition totalisante, à ce que j'appellerais la rondeur cosmique, mais cette sphéricité n'est pas aperçue directement, elle n'est plutôt offerte qu'à la faveur de scintillement de ses pointes, sous une forme étoilée.

Étoile plissée, parfum dorloté, jardins sur la langue

Au service du visible et de la profondeur secrète, le poème n'en est pas moins la voix blanche, presque silencieuse, qui profère toute l'horreur du temps vécu, tout le train du sinistre présent, temps commun qui l'exile de toute communauté historique. On croirait que cette voix poétique est d'abord affirmative, éprise de sens, envoûtée de promesse, mais on découvre avec une émotion redoublée qu'elle ne trouve ses accents les plus vifs que dans la pauvreté du dénuement, dans la détresse intime de son chant. C'est la lumière transfigurée des peintres qui brille au fond d'une austère composition verbale, comme l'éclair d'un tableau dans l'ombre d'un musée.

Liberté, n° 167, octobre 1986, p. 13-15.

Oeuvres de Gaston Puel :

Ce chant entre deux astres, Lyon, 1956.
D'un lien mortel, Paris, José Corti, 1962.
Le cinquième château, Losne, La fenêtre ardente, 1965.
La lumière du jour, Losne, La fenêtre ardente, 1967.
L'évangile du Très-Bas, 1976.
Nature, Losne, Thierry Bouchard, 1979.
Terre-plein, postface de Georges Mounin, Losne, Thierry Bouchard, 1980.

DÉPIT AMOUREUX

Il me semble que je boude cette beauté. C'est qu'elle est trop parfaite, trop vertueuse, trop transparente; elle s'offre sans voile et ne réserve rien; on dirait qu'elle n'a pas de secret, que son charme ne peut opérer qu'en surface et qu'elle manque de chair. La limpidité est le contraire de la séduction. Elle n'a pas de bras pour retenir, mais ses jambes sont parfaites et toujours prêtes à s'enfuir dans une course sans hâte, aspirée par la seule gratuité de l'exercice, comme le mouvement sanitaire des joggers. A beau se dévêtir qui n'a pas fait de son corps l'enveloppe scellée d'une vie intime. Il faut plutôt quelque zone d'ombre et une certaine dose d'inavouable à la volupté. Qu'est-ce qu'une pureté sans mélange qui exclut tout rapport entre la hauteur et l'abjection? Ce pourrait être cette ville qui médite de refouler la géométrie au sein de la nature d'où les Grecs l'avaient tirée, ou de réconcilier l'urbanisme avec la santé, le climat avec la culture. C'est la sourde volonté de noyer l'homme dans l'espace, d'oublier le temps, d'abolir la mémoire et jusqu'au passage des saisons qui se chevauchent insensiblement au lieu de se succéder. C'est une sorte de léthargie mêlée à la douceur de vivre, c'est-à-dire tout le contraire du plaisir et certainement la négation du grégarisme. C'est l'égalité distributive des grandes pluies tièdes et d'un ensoleillement sans chaleur qui font la majesté des forêts totémiques et le bercement millénaire du Pacifique.

Vancouver n'est pas le bout du monde, mais plutôt la frontière de l'âme : là où tout être est délivré du fardeau de son intériorité. Rien de moins érotique cependant que la cité des corps absouts de la disgrâce de penser.

GUY TURCOT

MARCELLE ROY

Marcelle Roy est née à Nicolet. Elle a obtenu un Baccalauréat ès arts de l'Université Laval en 1956. Adjointe à la rédaction à *Recherches amérindiennes au Québec,* elle travaille dans l'édition. Poète, elle a été finaliste au Prix des jeunes écrivains du *Journal de Montréal* en 1982. Elle a collaboré à *Arcade, Questions de culture* (IQRC), *l'Arbre à paroles* (Belgique) et à *Châtelaine.*

BIBLIOGRAPHIE

Traces (poésie), Montréal, VLB Éditeur, 1982, 104 p.

L'hydre à deux coeurs (poésie), Saint-Lambert, Éd. Le Noroît, 1986, 92 p.

ÉTUDE SUR L'OEUVRE

Beausoleil, Claude, «le Trajet de parler», in *les Livres parlent,* Trois-Rivières, les Écrits des Forges, 1986, p. 194-196.

EXTRAITS DE LA CRITIQUE

(à propos de *Traces*). « Chez Marcelle Roy, la trace est une réalité plurielle et c'est justement cette pluralité qui nous fait croire en la particularité de sa parole. »

Stéphane Lépine, *Nos livres,* nov. 1982, n° 437.

« Un texte aussi profondément authentique ne saurait laisser indifférent. La mise en lumière des problèmes auxquels se heurtent ceux et celles qui cherchent en eux-mêmes leurs propres ressources peut éclairer les personnes qui s'y trouvent confrontées. »

Michel Beaulieu, *Livre d'ici,* 13 octobre 1982.

« Même s'il porte en sous-titre le mot «poésie», *Traces* est à lire comme un essai où le ton confidentiel et discursif emprunte aux ressources traditionnelles de la poésie une certaine économie du dire et le rythme intérieur de l'image. »

René Dionne, *Lettres québécoises,* n° 32, hiver 1983-84.

« C'est la conjonction d'une langue simple, d'un rythme sûr, et d'une réalité psychologique vécue et réfléchie qui fait de ces textes en vers libres ou en prose, un monde habitable, tendre, et lucide. »

Marguerite Le Clézio, *French Review,* n° 57, october 1983.

« Ces traces sont comme des morsures amères. »

Claude Beausoleil, *la Nouvelle Barre du Jour,* n° 135, février 1984.

(à propos de *l'Hydre à deux coeurs*). « Apprivoiser ses monstres toujours renaissants, vivre sa dualité et coudre les filets du passé et du présent pourraient qualifier le projet du livre (...). »

Louise Blouin, *estuaire,* n° 45, été 1987.

« Deux, et même trois ordres de discours se côtoient et s'interrogent, se répondent, etc. Il y a d'abord l'histoire d'une femme qui a «marché tout le jour. Elle a parcouru d'innombrables mémoires». Le second niveau est dans l'ordre du poème (...). Les dessins suggèrent peut-être une troisième lecture (...) Ils viennent, de fait, ponctuer le texte. »

Paul Bélanger, *Nuit blanche*, n° 27, mars-avril 1987.

EXTRAITS DE L'OEUVRE

Le bruit de mes pas sur le trottoir
me suit me précède m'accompagne
partout autour de moi et en moi
net et décidé
je l'écoute avec ravissement
c'est le son de mon existence qui frappe mon oreille
je marche

Les trottoirs n'en finissent pas de provoquer mon pas
j'étincelle en marchant.

Traces, 1982, p. 79.

Tu me bois et tu me caresses
et c'est toi que tu fais naître à nouveau
tu te découvres léger   nuage   brume   poème
quand tu te pensais lourd et viril   un homme
et tu es à la fois femme
je t'offre toi et moi conjugués
et tu me rends à moi-même ma propre image
que j'avais égarée au cours des siècles

Traces, 1982, p. 82.

Solitude de cailloux
agates
et la mer au dedans
dans le trou minuscule
du poème insensé

ombilic arraché
naufragée
je ne tiens qu'à un fil
à jamais abîmée

quand je m'échappe
fumée
les mots pourront-ils un jour
me retrouver

L'hydre à deux coeurs, 1986, p. 40.

INÉDIT

L'oiseau-comète a jailli de ma plume. Oiseaux-flammèches,
arbres-désirs. Pillards errants sur les fourrés en délire.

Les oiseaux-regards embroussaillés d'amour déchiquètent du
bec d'innombrables fruits aux ardeurs écarlates, et les noyaux
caqueteurs fracassent les feuillages en clafoutis fébriles et
ininterrompus.

Vents d'anges et infinie frénésie. Des rires d'arbres dégringo-
lent en feuillanges, et des lézards à plumes hochant la tête
s'échappent en lueur de tornade.

W. B. EDWARDS

**GILLES
PELLERIN**

Né à Shawinigan le vingt-six avril 1954, Gilles Pellerin est détenteur d'un Baccalauréat avec majeure en littérature française et mineure en anthropologie et d'une Maîtrise en littérature française de l'Université Laval. Co-fondateur et secrétaire des Éditions L'instant même, nouvelliste, il fut rédacteur en chef de *Nuit blanche* (1985-1987), gérant de la librairie Pantoute de Québec (1983-1985) et professeur à l'université (1980-1982) et au Cegep (1976-1978). En 1988, il recevait le Grand Prix Logidisque de la science-fiction et du fantastique québécois pour le recueil *Ni le lieu ni l'heure* et devenait le lauréat du concours de nouvelles d'anticipation de l'Office franco-québécois pour la jeunesse avec «*Le songe*». Ses principales collaborations : *Livres et auteurs québécois, Nuit blanche, Lettres québécoises, XYZ.*

BIBLIOGRAPHIE

Les Sporadiques aventures de Guillaume Untel (nouvelles), Hull, Éd. Asticou, 1982.

Ni le lieu ni l'heure (nouvelles), Québec, Éd. L'instant même, 1987.

Principe d'extorsion (nouvelles), Québec, Éd. L'instant même, 1991.

331

EXTRAITS DE LA CRITIQUE

(à propos de *Ni le lieu ni l'heure*) « Cet ouvrage de Pellerin (...) se rattache en partie au domaine de la littérature fantastique qui «privilégie d'abord et avant tout le destin individuel de l'homme et ses états d'âme. Le fantastique est une littérature de l'intériorité» nous dit Claude Janelle dans un dossier de *Québec français* (n° 50, 1983, p. 44). Tantôt, chez Pellerin (...), il s'agit d'un terme de vocabulaire propre au genre qui cherche l'effet de permutation, tantôt c'est toute la phrase ou le paragraphe, qui fait basculer l'atmosphère, quotidienne un temps, dans le monde déroutant d'une autre réalité parallèle où le personnage se découvre, fort conscient de ce qui se passe et le dépasse jusqu'à le piéger. »

Georges-Henri Cloutier, *Solaris*, n° 74, p. 17.

« Cela se passe dans l'autobus, dans une gare ou au coin de la rue. Dans une soirée mondaine, une conférence ou une laverie automatique. Un bar à la mode, les latrines, le métro. La vie quotidienne, me direz-vous. En un sens, oui. Mais l'intérêt de *Ni le lieu ni l'heure* de Gilles Pellerin (...) est ailleurs. Par exemple dans le ton qui n'est jamais grave, entre l'humour (parfois hermétique) et l'insolite (toujours familier) : «Il faut chercher du côté de ce qui ne survient pas» (p. 61). Bien qu'elle soit extrêmement travaillée, l'écriture de Gilles Pellerin cherche et atteint généralement le naturel, elle cite plus volontiers le monde que la bibliothèque, un monde qui chevauche allègrement le fantasme et l'objectivité. La première vertu de ces instantanés est de ne jamais appuyer, et il se trouve qu'ils rencontrent comme par hasard un curieux plaisir de lecture qu'ils n'ont jamais l'air d'avoir sollicité; et pourtant... Le raccourci de l'expression en sert l'intensité, sans confiner à la sécheresse. En somme, une parfaite maîtrise de l'art de raconter ce qui n'est ni événement ni anecdote ni même incident : la sensation que vous éprouvez de coudoyer un corps endormi à vos côtés dans un autobus, la façon dont le marchand vous rend la monnaie, des traces de pas sur la neige ou le fait d'étrenner une paire de souliers neufs. Ce sont, je l'ai dit, des textes courts et qui pourraient sembler minces. Certains le sont du reste. Mais ces vols en rase-mottes, à la frontière de l'en-deçà, ne vont pas sans une sorte d'audace. Sans compter que toutes ces mésaventures ont pour décor la vieille capitale qu'on soupçonnait bien de recéler quelques secrets, mais pas tout à fait de cet ordre...»

R(éjean) B(eaudoin), *Liberté*, n° 172, août 1987,
p. 126-127.

EXTRAIT DE L'OEUVRE

ET SENTIMENTALES

Il marchait dans les vieilles rues de Trois-Rivières, dans les rues de son enfance, depuis longtemps il marchait dans quelque chose d'ancien, il venait tout juste d'en prendre conscience - bon dieu, depuis combien de temps? - et il n'était pas question de son enfance, mais d'une rue familière et inconnue. Il était envahi par l'incertitude des lieux, par leur excroissance vorace. Les maisons étaient exagérées, les angles inquiétants - cette façon d'entasser les encorbellements, les escaliers intérieurs qu'on devine sous la brique, d'autres solitudes aussi, les hangars concurrents - tout finirait par se rejoindre par-dessus la rue pour boucher la nuit et c'était son seul repère sûr que la nuit, il la traversait en somnambule étonné - depuis combien de temps? - il la reconnaissait à ses lueurs noires, à l'emprise qu'elle exerce sur l'esprit, comme une main placide et affreuse qui voudrait en exprimer l'angoisse, qui serrerait très fort, il venait de saisir que la nuit ne s'était donné des airs de folie et de géométrie absurde que pour retarder le sentiment absolu que Monique l'avait quitté, accentuer la certitude que Monique était sortie de sa vie, qu'une fraction du monde cessait de correspondre à la quiétude, que Monique était partie, partie, qu'il n'en avait peut-être rien su , qu'il n'y avait plus rien à faire, que les causes de son départ s'étaient accumulées sans qu'il ait agi, c'est tellement difficile tout cela, ils s'étaient aimés, peut-être s'aimeraient-ils encore - mais attendre? - et puis non puisqu'il ne lui restait plus en partage que les douloureux effets de la séparation, la barre dans le ventre, les tortures à hauteur de tempes, l'amour dont on se demande s'il a vraiment existé - oh ça oui, il le faut! Monique l'an dernier, l'amour de Monique, l'amour dont il ne restera rien sinon les souvenirs, mais les souvenirs tournent au gris quand ils cessent de faire mal et Monique était déjà en creux, l'absence en lui s'était creusé un nid, chacune de ses cellules pouvait en témoigner et puis la nuit anguleuse. Il marchait dans les vieilles rues de Trois-Rivières et ce n'était plus Trois-Rivières, au coin de la rue Sainte-Geneviève commençait l'inconnu, la crainte, il en était rempli, marcher seul dorénavant, s'abandonner à la lente fatigue, à l'énorme fatigue qui s'était uniformément déposée dans son cerveau comme une suie tenace.

Extrait de «Et sentimentales», in *Ni le lieu ni l'heure*, 1987, p. 59-60.

L'ART QUELQUEFOIS

Il ne me serait jamais venu à l'esprit que le sommeil pût être un art si nous nous en étions tenus à la déraison de la première fois, soudaine comme l'orage qui nous surprendrait en pleine nuit, encore haletants contre le flanc de sa voiture, s'il ne m'avait ensuite été donné de me coucher parfois à son côté après nos étreintes, de le rendre à cet état qui le transfigure et dont il n'émerge que cruel à mon endroit, le matin venu, feignant de croire qu'ensemble nous ne sommes jamais davantage que la conséquence du verre de trop, que ce que consent la proximité fortuite des bars ou même le travail supplémentaire, *en équipe*, comme nos voitures cette nuit-là, garées par hasard dans la même rue, faisant équipe à notre insu, lui se précipitant dans la sienne dès que la pluie s'était abattue, et moi dans la mienne, sans autre issue que de rentrer puisqu'il avait déjà disparu, puisqu'il semble obéir à un mécanisme d'horlogerie secret qui bat le rappel au dernier moment, le forçant à laisser tout en plan, le bout de phrase dont je ne connaîtrai jamais la fin, un restant de café, les dossiers que la veille il a apportés chez moi afin que nous les potassions ensemble et que je devrai remettre sur son bureau comme si de rien n'était, mêlés au courrier afin que rien ne suggère aux autres que lui et moi, parfois, parce que l'alcool a sur lui un effet inéluctable que le lendemain il réprouve de la manière la plus éloquente, en ne disant rien, en regardant le café refroidir comme si son visage devait s'y imprimer et me rappeler sa rogne une fois qu'il sera parti chez lui se raser, se laver, passer une chemise fraîche pour qu'au bureau rien n'y paraisse, même s'il arrive invariablement en retard dans ces circonstan-ces, sentant la lotion, avec cet air d'avoir découché qui lui vaudra les sous-entendus amusés qu'il s'empresse de réfuter de manière à ce qu'on ne croie rien de sa défense et à laisser flotter autour de sa personne l'aura de séduction qui lui va pourtant si mal, qui le rend presque vulgaire, si dissemblable alors au dormeur qu'il peut être, à l'artiste du sommeil qui règne parfois dans ma nuit, lui qui trouve toujours des dossiers urgents à m'apporter et qui accepte le dernier verre sans contrainte, chaque fois, heureux même de se dévêtir comme s'il était pris d'un coup de chaleur et que tout devait se résoudre dans l'orage qui s'ensuit, satisfait ensuite de me prendre à témoin de son sommeil inspiré, me prêtant son flanc car il devine que je pleurerai et que je ne supporterai ces moments insoute-nables qu'en plongeant en lui jusqu'à ce que le matin le rappelle à l'ordre et moi à son ressentiment muet, opaque et amer comme le café qu'il réclamera à la seule fin de se murer dans sa surface glauque, pressé de regagner la peau de celui qu'il est aux yeux des autres, la peau de tout le monde et peut-être pire car alors il exhale l'after-shave, il souscrit à l'amusement des autres au-delà de ce qu'ils réclament pour égayer la matinée, confondant pitoyablement sa suffisance avec la testostérone dont il serait le pourvoyeur universel, sans daigner s'apercevoir des traits que sa vulgarité enfonce en moi, mais pas assez creux pour me délivrer de son empire, et qui me rappelle trop bien que le sommeil des autres désormais me dégoûte, que leur affaissement m'est devenu intolérable comme sa transfiguration m'est nécessaire, que les bruits de leurs rêves m'affligent autant que sa conversation au bureau quand il suggère d'autant plus volontiers le désordre de ses nuits qu'il me sait là, sûr de mon silence absolu comme de son talent inné à dormir, comme de l'éblouissement dans lequel me jette son sommeil, quoi qu'au préalable il m'ait fait, m'ait dit ou tu, «Je sais ce que tu penses, mais ce n'est pas ça», convaincu avec raison que je n'ai rien compris à sa seule confidence, aux seuls mots que l'amour lui ait inspirés, et que cela ne saurait néanmoins m'inciter à lui demander une explication.

Principe d'extorsion, 1991.

INÉDIT

MONSIEUR BELL

Elle m'exhorte à ne pas l'oublier, il y a du crachin sur la ligne comme si elle m'appelait d'Irlande, d'un rocher du fond de la mer, et que je tenais le rôle de M. Bell (mais dur d'oreille). *Ne m'oublie pas* ..., comme si je pouvais me l'enlever de la tête, elle dont l'exhortation provoque en cet instant des trombes sur l'Atlantique, des remous qui mettront les bateaux en péril, *Ne m'oublie pas*..., les mots se rendent à grand-peine jusqu'à moi, le téléphone est l'invention la moins sûre et je ne serais pas surpris que la standardiste lui demande de répéter, de parler plus fort, il pourrait y avoir des commères à l'écoute, mais non il ne s'agit que de remettre des pièces dans la fente à monnaie, j'entends que nous le faisons tous les deux, moi des vingt-cinq cents, elle?, dans l'espoir de faire taire l'employée et avec elle le chœur cruel qui chuinte sur la ligne, *Ne m'oublie pas*..., elle a pris sa voix de pluie, je m'en imprègne comme d'une nécessité ultime, j'ai tout l'Atlantique dans l'âme, comment pourrais-je lui répondre? lui demander où faut-il que je ne t'oublie pas? où? je harcèle le crochet commutateur dans un geste de téléphonie absurde comme je l'ai vu faire dans les films anciens, *Allô? Allô?* , il me semble entendre encore *Ne m'oublie pas...* mais c'en est déjà l'écho , un caprice de la ligne, je ne fais que ça t'oublier, ta voix s'efface, tes gestes disparaissent, délavés par l'océan entre nous, *Allô? Allô?*, il n'y a plus rien, j'ai commencé à t'oublier.

**JACQUES
THIVIERGE**

Jacques Thivierge est né à Trois-Rivières le deux juillet 1952. Il détient un Baccalauréat en enseignement du français de l'Université du Québec à Trois-Rivières. Chansonnier, il anime également des ateliers de chansons et de poésie dans le milieu scolaire.

Lauréat du Festival de la Chanson de Granby en 1979 dans la catégorie auteur / compositeur / interprète, il a collaboré au *Sabord,* à *En Vrac* et à *Écrits: Nord/Pas-de-Calais.*

BIBLIOGRAPHIE

Amourire (poésie), Trois-Rivières, Éditions Mouche à Feu, 1982, s.p..

Red light mil neuf cent cinquante-sept (récit), Trois-Rivières, Éd. Blanche Fleury, 1982, 98 p.

Avec les mêmes mots (chansons), Trois-Rivières, Éd. Blanche Fleury, 1989, 92 p.

EXTRAITS DE LA CRITIQUE

« Un produit neuf et authentique chargé des plus belles promesses. »

René Lord, *le Nouvelliste,* 4 avril 1979.

« Il ne suffit pas de voir, il faut aussi pouvoir montrer et Jacques Thivierge a les qualités pour le faire. »

André Gaudreault, *le Nouvelliste,* 10 novembre 1981.

« Il fait des paroles et, j'peux vous l'dire, c'est dans c'qui sait le mieux écrire une chanson par ici, à l'heure actuelle. »

Gilles Vigneault, *le Devoir,* 28 août 1982.

« Ce bonhomme a un potentiel énorme. Du chien comme Vigneault qui en dit d'ailleurs le plus grand bien. »

Jean Beaunoyer, *la Presse,* 3 février 1983.

« Une thématique fleurant la sincérité un peu candide, soutenue par une belle voix de baryton-basse, dans un langage d'avant l'informatique. »

Clément Trudel, *le Devoir,* 3 février 1983.

« Rimes, pieds comptés, un sens musical hors du commun, Jacques Thivierge a en lui, selon le mot de Radiguet, assez de nouveauté pour se permettre de respirer une rose. »

Guy Marchamps, *le Sabord,* mars 1985.

« Permettez-moi, avec une profonde sympathie, de vous présenter un grand poète optimiste, M. Jacques Thivierge. »

Maurice Borduas, présentation de *Avec les mêmes mots,* 1989.

EXTRAITS DE L'OEUVRE

Le temps a les mamelles taries
Haletant
Couché sur le flanc
Comme une vieille truie
Et nous
Qui tétons plus que notre part
De peur d'en manquer
Nous en avons vomi partout
Ca sent le temps perdu
Ca pue.
Recyclons le temps!
Les dépotoirs débordent
De journées grugées à moitié
De siècles à peine entamés
Passés à en parler.
Tout ce temps volé
À remonter des horloges
À se donner l'heure
À se vouloir arrêter!
Oh! Nelligan
Les noirs maçons du deuil
En délayant sur toi leur encre
Ignoraient-ils que leurs mains
Avaient là neigé partout
Les pastels givrés
Qui t'avaient mis au monde?

Amourire, 1982, s. p.

(...) Chemin faisant je ramasse un pigeon blessé que je fourre au chaud sous ma chemise. Son coeur bat sur le mien. Nous avons tous les deux les ailes repliées à cause de la blessure des hommes.

- On va lui mettre du peroxyde sur sa patte, ça va l'aider à guérir.
- Penses-tu qu'il va vouloir rester chez nous?
- Ah ben là, on n'a pas grand place pour garder ça à maison.

Puis, comme en feuilletant à l'envers les pages de mon livre d'images, nous sommes passés lentement de la ville à chez nous.

Ce soir-là, avant de m'endormir, j'ai revu les visages de la ville. Tous différents, venus de nulle part et de partout à la fois. Comme des milliers d'enfants à deux têtes essayant d'ouvrir leur bocal.

Red light mil neuf cent cinquant-sept, 1982, p. 87.

Encor mon coeur qui fait le pitre
À risquer le tout pour le tout
À traverser des ponts de vitre
Dont on ne voit jamais le bout.

«Encor mon coeur», in *Avec les mêmes mots,* 1989, p. 65.

Il a fait ses amours
Comme d'autres font leurs silences
On ne dit pas toujours
La vérité comme on la pense;
Quand on a marché nuit et jour
Les arpents de la connaissance
Le sentier de l'enfance
Ressemble au chemin du retour.

«Julien», in *Avec les mêmes mots,* 1989, p. 36.

INÉDIT

JE REVIENDRAI CHANTER

Quand j'aurai travesti
Tous les démons de la planète
Quand j'en aurai fini
D'apprivoiser l'homme et la bête
Quand j'aurai mis d'accord
Tous les clairons de la querelle
Quand les gardes du corps
Iront jouer à la marelle

Quand j'aurai marié
Les Russies et les Amériques
Quand j'aurai fait pleurer

Tous les bouffons de politique
Quand j'aurai mis dehors
Tous les auteurs de la souffrance
Quand le livre des morts
Ne sera plus écrit d'avance

Je reviendrai chanter
Heureux sous ta fenêtre
M'auras-tu oublié
Ou attendu, peut-être?

Quand je verrai debout
L'honneur qui marche sur la honte
Quand des rois à genoux
Auront à me rendre des comptes
Quand je serai vainqueur
De ma force et de ma faiblesse
Quand je serai plusieurs
À vivre un début de jeunesse

Quand je boirai de l'eau
À même le pot des rivières
Quand il fera plus beau
Et quand je vivrai sur la terre
Quand le dernier drapeau
S'enlisera dans sa frontière
Quand je serai le mot
Qui laisse passer la lumière

Je reviendrai chanter
Heureux sous ta fenêtre
M'auras-tu oublié
Ou attendu, peut-être?

AURORE DESSUREAULT-DESCÔTEAUX

Aurore Dessureault-Descôteaux est née à Saint-Narcisse de Champlain le dix mai 1926. Autodidacte, elle quitta l'école du rang à l'âge de douze ans.

Elle a été la présidente fondatrice du comité d'animation de la bibliothèque Hélène B. Beauséjour de Grand-Mère. Animatrice au Cegep de Shawinigan et professeure à la Commission scolaire Régionale de la Mauricie, elle a prononcé au-delà de quatre cents conférences. Elle a été proclamée Madame Châtelaine en 1969. Elle a remporté le prix France-Canada pour la *Légende de Ti-Gus Collo*. En 1988, on l'a fait citoyenne d'honneur de la ville de Grand-Mère et elle reçut, cette même année, le trophée «Arts et culture» pour la Mauricie.

Auteure et téléromancière, Aurore Dessureault-Descôteaux a collaboré à *Vertet* et à *Image de la Mauricie*. Elle collabore également au *Nouvelliste* depuis 1986.

343

BIBLIOGRAPHIE

En suivant les roulières (monographie), s.l., Éditions Paquet, 1982, 247 p. (épuisé).

Entre chien et loup (roman), Paris, Éditions Flammarion, 1986, 217 p. (épuisé).

Entre chien et loup (téléroman) Télé-Métropole. (Depuis 1984, 120 émissions de 30 minutes et 61 émissions de 60 minutes). Ce téléroman, qui a remporté la première place au niveau des cotes d'écoute en décembre 1989, continuera en 1990-1991.

EXTRAIT DE L'OEUVRE

ENTRE CHIEN ET LOUP

Célina remet son capot ciré et embrasse Jérémie sur les deux joues avant de le quitter; les deux mains dans les siennes, elle le remercie pour tous les services qu'il lui a rendus. Elle sourit et affirme :
- J'me sens d'attaque pour demain, sois pas inquiet pour moé, mon p'tit frère.
Jérémie lui montre la chambre de leur père par un signe de tête.
- Veux-tu y parler?
- Non! Y saura ben assez vite c'qui m'arrive. Tel que j'le connais, y s'ra pas content. On dirait qu'y s'rend pas compte que j'suis p'us une enfant, y faut que j'fasse ma vie. P'is ta femme a pas eu d'autres malaises depuis les noces?
- Ça m'a tout l'air qu'on va avoir la visite des sauvages une aut'fois. Ses maladies retardent, mais c'est pas sûr.
- Un bébé, c'est un cadeau du ciel, surtout pour un habitant. Embrasse-la pour moé, ajouta Célina en se retournant une dernière fois.

Elle avance dans le noir, guidée par la lueur qui brille pour la dernière fois à la fenêtre de sa maison. Elle ne s'habitue pas à cette noirceur opaque, si lourde qu'elle pèse sur ses épaules. Elle craint toujours de faire une mauvaise rencontre, mais il est inutile de fouiller l'obscurité pour déceler quelqu'ombre étrange : elle n'y voit rien. Elle pousse un profond soupir de soulagement en entrant chez elle, comme si elle avait vaincu un énorme danger.

*   *   *

Le trente et un juillet mil huit cent quatre-vingt-seize, les Bernier quittent leur maison aux fenêtres barricadées, aux portes solidement cadenassées. Wilfrid conduit la charrette à foin remplie de meubles et de caisses jusqu'en haut des ridelles, tandis que Jérémie aide Célina et Alice à prendre place à l'arrière du boghei, assoyant Laurianne et Marilou à ses côtés. La voiture prend la route alors qu'il fait presque nuit. Célina préfère qu'il en soit ainsi car elle se sent incapable de répondre aux saluts des gens du rang St-Valère, pas plus qu'elle n'a le goût de donner les raisons de ce déménagement impromptu. Laurianne se retourne pour jeter un dernier coup d'oeil du côté des Trépanier. Ils sont là, debout sur le perron, on dirait une famille qu'un statuaire a figée dans le marbre. Elle n'aurait jamais dû regarder en arrière... Jérémie l'a compris; il lui enveloppe les épaules de son bras gauche. La chaleur humaine et l'assurance qu'il dégage lui redonnent confiance. Laurianne, du fond de son coeur, dit adieu à ses pommiers et à son ruisseau maintenant esseulé, adieu à tant de joies et de plaisirs qui ont coloré sa vie; mais c'est avec un soupir de soulagement qu'elle songe à la fin des labeurs sur la ferme.

Les rideaux de mousseline se soulèvent de porte en porte et des silhouettes apparaissent dans la pénombre. Célina les reconnaît toutes. Finies les longues nuits de veille au chevet des mères en attente. Dorénavant, la vie ira sans elle. Un sentiment d'inutilité l'envahit et réduit la femme forte en une pauvre créature qui n'en peut plus de voir défiler toutes ces petites têtes entourant leurs mères; au jour de leur naissance, elle a entendu le premier vagissement de chacun.

Le «dépôt» est encore loin; Célina ferme les yeux, pressée d'en finir avec ce qui fut toute sa vie. Elle relève la tête et ordonne :
- J'vous avertis, les petites filles, dans les chars, j'veux que vous restiez en place. Tâchez de ne pas me faire honte devant l'monde.

Le roulement de la voiture sur le chemin de terre est doux. Célina et Alice ne disent mot, au fond du boghei. Sur le siège avant, Marilou assise bien droite, regarde en avant, tandis que Laurianne, la tête inclinée sur l'épaule de Jérémie, dort profondément.

Entre chien et loup, 1986, p. 56 - 58.

L'ENFANT DE LA VILLE

Chaque été, ma cousine de la ville vient passer le temps des vacances chez nous, à la campagne. J'envie son teint diaphane et son corps gracile. Elle va et vient avec la légèreté d'un papillon en quête de plaisir et de liberté.

Le soleil pointe à peine à l'horizon que déjà la fillette a pris son envol. Pieds nus dans la terre fraîchement retournée, elle trottine derrière mon père qui passe le sarcloir entre les rangs de patates. Elle pétrit des poignées d'argile et les lance au cheval en riant aux éclats. Mon père lui rappelle que c'est l'heure du déjeuner, mais il en faut plus pour calmer ses ébats.

Ma cousine court à la grange et grimpe sur la plus haute poutre avant de plonger dans la tasserie de foins avec une agilité qu'aucun interdit ne gêne. Les cheveux noués de bourgeons de trèfle et les jambes égratignées par les chardons séchés, elle glisse dans la batterie et s'éloigne en sautillant jusqu'à l'enclos des cochons.

Debout sur la clôture de perches, l'enfant de la ville saute dans la mare boueuse où se vautre la truie. Elle a tout juste le temps de la saisir par les oreilles et d'enfourcher sa monture. Ses cris de joie se mêlent aux grognements de la bête qui court à gauche et à droite afin de se débarrasser de sa cavalière.

À ce jeu succède l'escalade du cerisier près du puits. Elle grimpe au faîte de l'arbre pour y cueillir des grappes mûries à souhait. Les orteils rivés à la plus haute branche, le papillon gracile et insouciant se balance au-dessus du trou noir sans se douter que l'on ne sort pas vivant du puits.

JEAN-JACQUES RINGUETTE

GÉRALD GAUDET

Né le vingt-sept mars 1950, Gérald Gaudet est professeur de littérature au Collège de Trois-Rivières depuis 1975. Détenteur d'un Baccalauréat spécialisé en littérature québécoise et d'une Maîtrise ès Arts (littérature québécoise) de l'Université Laval, il est en train de terminer une thèse de Doctorat à la même institution où se précisent ses champs d'intérêt : la littérature québécoise, l'histoire littéraire, la psychanalyse et les mouvements de l'imaginaire.

Membre du comité de rédaction de la revue de poésie *estuaire* depuis 1984, Gérald Gaudet en est le directeur depuis 1985. On lui doit quelques numéros spéciaux : «la séduction du romanesque», «France Théoret / l'imaginaire du réel», «Question de poésie»...Collaborateur régulier à *Lettres québécoises*, on a pu aussi lire ses contributions comme chroniqueur au *Nouvelliste* (1981-1982) et au *Devoir* (1985-1988) sans oublier ses critiques ou ses entretiens parus dans *estuaire, XYZ, le Sabord, Livres et auteurs québécois*, le *Dictionnaire des oeuvres littéraires du Québec*, le *Magazine littéraire* et *Urgences* notamment. Animateur culturel, il a produit pour la radio MF de Trois-Rivières une série d'entretiens sous le titre de *Présence de l'écrivain*, organisé des colloques : «Question de poésie», «L'écriture au féminin»...et coordonné plusieurs lectures publiques : au Mélomane, au Patrimoine, à l'Odyssée... Gérald Gaudet est poète, essayiste, critique et intervieweur littéraire.

BIBLIOGRAPHIE

Une poésie en devenirs (essai), Trois-Rivières, Les Écrits des Forges, Coll. «Estacades», 1983, 98 p.

Voix d'écrivains (entretiens), Montréal, Éd. Québec/Amérique, Coll. «Littérature d'Amérique», 1985, 290 p.

Lignes de nuit (fiction poétique), Montréal, Éd. de l'Hexagone, 1986, 89 p.

Il y a des royaumes (fiction poétique), Montréal, Éd. de l'Hexagone, 1989, 66 p.

Le lendemain du monde (fiction poétique), avec des huiles de Céline Veillette, Montréal, Éd. Estuaire, 1990, s.p.

EXTRAITS DE LA CRITIQUE

(à propos de *Voix d'écrivains*) « À n'en pas douter, Gérald Gaudet aime les écrivains. Et comme tous les amoureux de la terre, s'il ne s'en explique guère, il en parle beaucoup. Et, ma foi, fort bien.(...) C'est du livre d'abord qu'est né le désir de rencontre. Et cette rencontre de l'écrivain n'a d'importance - ultimement - que si elle nous renvoie au livre. La véritable passion de Gaudet, c'est la passion des livres.

« (...) De quoi nous parle-t-on ici? essentiellement des rapports que les écrivains entretiennent avec l'écriture. Nous sommes toujours confrontés aux questions qui agitent l'univers depuis qu'il s'inscrit dans des textes. Pourquoi écrit-on? De quoi parlent nos livres, sinon de ce qui bouleverse encore les êtres que nous sommes? La vie. L'amour. La mort. D'où vient que les mots cessent d'être des mots seulement, se muant en autre chose qu'on appelle la littérature? «On écrit toujours un seul livre», confie Gilbert La Rocque à l'auteur. «...mes personnages, répondra Louis Caron, ce sont des gens qui marchent dans la forêt le soir en sifflant un petit air, et la différence d'un bouquin à l'autre serait l'air qu'ils sifflent». Alphonse Piché reprend la même idée : «...l'idéal ce serait d'écrire *un* poème». »

Ivanhoé Beaulieu, «La passion des livres selon Gaudet», in *le Devoir,* 29 juin 1985, p. 21.

« Il faut savoir gré à Gérald Gaudet d'avoir mené ses interlocuteurs jusqu'à la confidence, jusqu'aux propos échangés discrètement, à voix basse, comme si de parler haut dans les clairs-obscurs hivernaux où semblent avoir eu lieu ces vingt-cinq rencontres pouvait représenter un manquement à la bienséance, voire à la pudeur.

« Ces *Voix d'écrivains* sont donc des voix intérieures, les voix d'un hiver qui n'en finit pas, même si c'est dehors la lumière éclatante de juillet. Voix d'hiver, car d'elles émerge souvent une sorte de tristesse lente, celle qui vient aux êtres qui savent à la fois sans issue, inévitable et indispensable leur quête d'une solution au grand mystère universel. Mystère singulier et non pluriel : *tout* composé de fragments. Voix d'hiver, feutrées, presque honteuses par moments : derrière l'affirmation assurée, péremptoire même, souvent transparaissent (comme un regard contredisant les mots) le doute, la confusion, une timidité peut-être de l'écrivain qui tout à coup se sent, se sait entraîné lucidement et logiquement dans un monde qui, par l'écriture, lui est normalement d'autant plus familier qu'il n'est alors ni lucide ni logique. Son propre univers créateur. Chaos qu'il tente d'ordonner ici par le biais de raisonnements sentis et à la fois artificiels, puisque toute tentative d'élucidation est d'avance vouée à l'échec. »

Marie-Josée Thériault, *Lettres québécoises,* n°39, automne 1985, p. 76.

(à propos de *Lignes de nuit*) « Avec le premier recueil de Gérald Gaudet (...), nous voici dans les «zones du tendre» où sont évoqués les secrets et les sentiments d'un quotidien amoureux. Le poète se défend de la passion et, pour conserver les joies de l'intime, s'en remet à la tendresse comme condition de survie. «Le détachement sera ma tendresse exacte», conclut-il. Ecrit dans un langage déjà maîtrisé, ce premier recueil veut aller au bout du sentiment amoureux. Une histoire des corps s'y déroule, toute en nuances et fragilités, qui est aussi une histoire d'écriture. (...) Cette voix personnelle de Gérald Gaudet vient nous rappeler les liens privilégiés qu'entretient la poésie depuis toujours avec l'intime et le quotidien. »

Jean Royer, *Introduction à la poésie québécoise / les poè- tes et les oeuvres des origines à nos jours,* Montréal, Éd. Leméac, Coll. «Bibliothèque québécoise», p. 134-135.

« Gérald Gaudet a si souvent et si bien parlé des autres, il a donné tellement de lui-même à les expliquer, à les faire connaître par ses livres, par ses articles, par son enseignement que nous finissions par croire qu'il s'y donnait tout entier. (...) *Lignes de nuit* vient donc à son heure pour nous rappeler que, si leur auteur écoutait si bien battre le coeur des textes, c'est que son attention était soutenue par ce qui vivait en lui et que sa discrétion - ou sa timidité peut-être-l'empêchait de révéler directement.

« "Tout devrait pouvoir se dire". C'est vrai, mais le risque est grand. Des gardiens veillent à la porte de l'ombre : la pudeur, la décence, les usages et plus encore, sans doute, l'extrême vulnérabilité de celui qui expose ainsi ses désirs, ses colères, les lames de fond qui l'emportent du plus lointain de ce corps.

« "Tout devrait pouvoir se dire" mais "il importe de retenir le cri". C'est à partir de là, me semble-t-il, que se construit un des aspects les plus originaux de ce livre. Il raconte cette tension fascinante qui habite l'acte d'écrire : est-il possible de contempler lucidement l'éblouissement de la démesure? Est-il possible de s'avancer dans l'exactitude et la précision sans perdre le contrôle, sans dire insolemment ce que l'on croyait encore taire? (...) La tendresse est une condition de survie devant les ravages du désir. Elle lui donne jour et en masque la violence, car Gérald Gaudet a horreur de la violence, même de celle qu'il devine en lui. »

> Hélène Thibaux, *estuaire*, printemps 1987, n° 44, p.81-82.

« Aucune trace de cette attention au visible chez Gérald Gaudet, dont *les Lignes de nuit*, traduisent surtout l'aventure conflictuelle du coeur et du corps. Les assauts répétés du désir et de la passion se disputent les extravagances douloureuses d'une conscience en mal de tendresse et de retraite. La nuit, c'est ici la nuit baudelairienne du "recueillement", apaisante et bienvenue, en même temps que le moment privilégié d'une outrance corporelle exacerbée, des "scintillements de la chair". Le poète voudrait minimiser la démesure, mais son effort se heurte à la violence de la passion. Il n'est pas dupe de cette impuissance, lui qui écrit : nous nous aimerons en désordre. »

> Gabriel Landry, *Continuum*, 16 mars 1987, p. l6.

(à propos de *Il y a des royaumes*) «(...) "Qui désire ainsi en moi." L'amour est une épreuve, celle du sujet à la recherche de l'autre. Or cet autre, selon Gérald Gaudet, c'est soi-même abandonné à l'instant terrifiant et coupé de son passé. Dans sa deuxième fiction poétique (...), Gérald Gaudet parcourt (...) le chemin qui mène vers ce lieu interdit qu'est l'amour. (...) Ce recueil exhibe une écriture souple et abstraite, mais qui rejoint le réel par l'emploi d'un langage métaphorique circulant dans le corps et ses sensations. »

Yves Jubinville, in *le Devoir*, 20 mai 1989, p. D8.

EXTRAITS DE L'OEUVRE

L'ENTRETIEN

Se méfier et continuer. Sonder et prolonger. Se perdre et se retrouver. *Écrire.* Casser des miroirs. Aller au bout de ses impulsions. Projeter ses désirs, briser sa vision. *Franchir.* Trouver sa voix. Chercher des mots oubliés. Reprendre le temps volé aux tendresses. *Durer.*

Autant de nécessités et de passions en mouvement pendant que la main transcrit et détaille dans son grain la pulsion de créer qu'il m'importe de redécouvrir dans la diversité de leurs textures. Alors s'entre-tenir. Dire l'intime et la rumeur, fixer ainsi des moments de présence à soi et à l'autre pour dénoncer et s'attendrir... Mais comment toucher, se toucher très simplement au coeur de la pensée et de l'émotion, dans le langage? Dans la différence? (...)

Dans ce premier livre d'entretiens, j'ai voulu rencontrer l'écrivain au niveau de ce qui le fait humain en l'invitant à questionner et à rêver les thèmes que convoquent le désir et la passion dans son oeuvre. Il m'a semblé que l'entretien pouvait se prendre comme une manière d'accompagner, comme une façon aussi de prolonger le geste critique dans son plaisir de toucher le vécu, complexe, nuancé, différent, à travers le livre, de le déplacer même un peu en retrouvant dans les voix de la fiction des nécessités, des urgences. Et ce que chaque entretien a cru ici donner à entendre, c'est «la petite phrase» qui orchestre un moment de langage, le champ d'une expérience singulière, la textualité particulière d'une présence au monde et à l'écriture.

«Avant-propos», in *Voix d'écrivains* , p. ll-12.

351

LIGNES DE NUIT

Signature maladroite, ces mots que l'on suspend, ceux que l'on s'interdit tous les deux dans cet éblouissement du hasard, ils n'auront pas oublié d'aménager la délicatesse des suites malgré la fiction des peaux qui s'écrivent déjà de tous bords. Comment se dire le désir qui se prolonge à petits pas de danse où je me perds pendant que les néons déjouent les ravages des catastrophes personnelles et lui inventent une musique exacte?

Le noir brûle pour mille éclairs dans le champ des passions brèves sans dévier du poème : tant de choses dressées à coups de signes renversés dans la gueule rageuse des élans et des circonstances, tant de mots qui se tordent et disparaissent dans ce bonheur tout simple d'être ailleurs après les étreintes lentes, le temps de renouer avec l'espoir des zones lenteurs.

Ce soir, je sens de la débâcle au bout des nervosités, et cela vient comme un poing au coeur et me parle des accents pressés du désir, des dissections de la chance. Il y a l'invraisemblable désordre de l'instinct qui cherche, dans l'atmosphère feutrée, des petites audaces personnelles à prendre les lâchetés mouillées de certaines passions au cou des craintes trop familières.

J'aurai été l'épaule et le doute dans la scène. Que faudra-t-il maintenant à la main et à ses modes d'aisance pour écrire le versant ironique de la paume? Peut-être tout le temps impensé des nervosités, y esquisser la vision dans la suite et les profils des rendez-vous en allusion. Et si, entre la peur et la tristesse, j'inversais la précaution des sueurs. Le détachement sera ma tendresse exacte.

IL Y A DES ROYAUMES

Si, de jeu en artifice, je m'abîme au défaut du regard, le désir n'aura de précision que dans une alarme accordée à cette donnée brutale d'un châtoiement, ma chair avalant le destin jusque dans la phrase qui s'emmêle au défi de vider le signe secret de l'insensé. Il me faudrait écrire l'horizon anonyme de la séduction, ses transactions aveugles, ses exécutions hallucinées.

Est-ce en secret que les albums vont me donner coulantes et visibles les zones que ne livre plus la mémoire au milieu des ressacs? Le coeur pressent la falaise. Le temps, comme un filet de vie, s'égare et la nuit me rend le cerceau à partir des masques où ragent l'habitude et la déperdition des voies. Les lignes sur la paume imaginent la lèvre et l'eau.

INÉDIT

Le plus difficile me vient de cette douceur que ta voix a perdue en défaisant le vertige là où les sections accusent l'odeur des cauchemars et des commentaires, découvrent l'impossible beauté. L'état de la voix dans un poème me couvre et je m'y enfouis comme dans la mémoire des conversations lentes pendant que l'extase effleure l'ombre et tremble au milieu de la détresse que tu déposes en moi. D'un seul regard, tu me dis ta peur : la fragilité nous épuise et noircit la langue.

L'ÉCRITURE,
UNE FAÇON DE RENOUER AVEC LA SPLENDEUR

Ce que les oeuvres littéraires nous rappellent, à travers la rencontre de l'urgence et de l'exigence, à travers le dialogue du mot et de l'émotion, c'est que nous sommes loin du déclin, du désastre ou de la catastrophe en ce siècle où nous avons tous appris à faire le deuil de nos enthousiasmes. Car il y a la pensée, car il y a la recherche, car il y a l'écriture. Et la création est là comme une obstination du désir, comme un coup de main, comme un pari sur la beauté. Mémoire vive, insoutenable, mais fondatrice; artifices, ruses ou fracas de l'intelligence; passion de vivre, cri d'alarme ou fouille archéographique, l'écriture pointe pour nous rendre visibles des absolus voilés mais instables, pour nous afficher insituables, variés et irréductibles. Car l'écriture ouvre et oeuvre à travers le vertige des possibles. Car l'écriture est là pour renouer avec la splendeur.

MARCELLE CORRIVEAU

JEAN LAPRISE

Né à Trois-Rivières le deux octobre 1946, Jean Laprise est surtout connu comme chansonnier. Il détient une Maîtrise en poésie québécoise de l'Université du Québec à Trois-Rivières. Depuis de nombreuses années, il donne des spectacles poétiques, principalement dans les écoles. Co-fondateur avec Guy Marchamps du périodique culturel *le Sabord,* il en est toujours le directeur.

Jean Laprise a mis en musique plusieurs textes d'auteurs de la région, notamment Alphonse Piché, Pierre Chatillon et Nérée Beauchemin.

BIBLIOGRAPHIE

Mourire aux éclats (en collaboration), Trois-Rivières, Éditions Mouche à Feu, 1983, 35 p.

Chansons pour l'enfance, Trois-Rivières, Éditions Diane Bellemare, 1986, 56 p.

Renée-Anne et le gueulard (conte), Trois-Rivières, Corporation pour le patrimoine sidérurgique de la Mauricie, 1991, 65 p.

DISCOGRAPHIE

Chansons pour l'enfance (dix chansons, paroles et musiques), Trois-Rivières, Éditions Diane Bellemare, 1986.

EXTRAITS DE L'OEUVRE

PLUS DOUCE

Plus douce que nos soies
Plus chaude qu'un cachemire de Paris
Plus fraîche que les brises d'avril

Cette caresse venue de toi

Plus doux que nos soies
Plus chauds qu'un cachemire de Paris
Plus frais que les brises d'avril

Ces mots d'amour posés en moi

Plus que les soies   le cachemire et les brises
Il y a moi qui réapprend à vivre

À vivre de tendres caresses données
À vivre d'autant d'éternités reçues
À vivre en laissant l'amour réenfanter

POUR LA NAISSANCE ET LA CROISSANCE D'OLIVIER C.

O   comme un oeil   une parole
L   plume d'aile pour qu'il s'élève
I   long comme un premier sourire
V   deuxième lettre d'avenir
I   qui prolonge le premier
E   eh... pour dire tout ce que j'ignore
R   des rivières à parcourir

Mon tout un enfant comme un arbre
Mon tout Olivier qui grandit

356

INÉDIT

COMMENT CHANTER

Comment chanter que le ciel est beau
Quand sans arrêt on l'empoisonne
À coups de bonbonnes   de fourneaux
Et qu'on le perce jusqu'à l'ozone
Comment chanter que le ciel est beau!

Comment chanter que la terre est belle
Quand partout sur le territoire
Pour faire de l'argent à coups de pelles
On la transforme en dépotoir
Comment chanter que la terre est belle!

Comment chanter que la mer est pure
Quand on apprend qu'il y a des pays
Qui y déversent leur chiure
En se cachant au large la nuit
Comment chanter que la mer est pure!

Il n'y a plus que nos amours
Qui me laissent dire qu'il est beau
Le ciel qui m'élève dans tes yeux
Qui me laissent dire   qui me laissent vivre
Qui me laissent dire qu'elle est belle
Le terre qui s'entrouvre sous nos mains
Qui me laissent dire qu'elle est pure
La mer quand elle berce nos deux corps

Des fois je me dis que ce serait bien
Si nos dedans étaient dehors
Si ton coeur autant que le mien
Devenaient les maîtres du sort

D'un coup de baguette d'amours
Nous referions tout le décor
Nos nuits brilleraient au grand jour
La Vie vaudrait bien plus que l'or

MARCELLE CORRIVEAU

MARCEL
OLSCAMP

Marcel Olscamp est né le sept octobre 1958 à La Sarre, Abitibi. Détenteur d'un Baccalauréat ès arts en littérature québécoise et d'une Maîtrise ès arts en littérature de l'Université du Québec à Trois-Rivières, il est chargé de cours.

Poète, il a reçu une mention en 1984 de la Société des Écrivains de la Mauricie. Membre du comité de rédaction de la revue culturelle *le Sabord,* il poursuit actuellement ses études de doctorat en littérature à l'Université McGill.

Marcel Olscamp a collaboré à *Écrits du Canada français, le Sabord, Revue des Forges, estuaire, XYZ, le Beffroi* et à *la Nouvelle barre du jour.*

BIBLIOGRAPHIE

À gauche du mystère (poésie), Trois-Rivières, les Écrits des Forges, 1984, 64 p.

Midi craqué (poésie), Trois-Rivières, les Écrits des Forges, 1987, 63 p.

ÉTUDES SUR L'OEUVRE

Chatillon, Pierre, *En vrac,* n° 25, septembre 1985, p. 69-72.

Thibaux, Hélène, *estuaire,* n° 40, printemps 1988, p. 76.

EXTRAITS DE LA CRITIQUE

(à propos de *A gauche du mystère*). « Pleine et ronde comme la lune, à la fois royale et simple, (cette poésie) séduit dès l'abord (...). »

> Michelle Roy-Guérin, *le Nouvelliste,*
> 22 décembre 1984, p. 13 A.

« Pendant ce voyage, «l'exil sera la norme». N'y cherchez pas de repères topographiques non plus que d'indications routières; l'impératif est hors circuit. (...) Découvrez ces espaces, ces coins d'ombre et de lumière, ces régions qui parlent jusqu'au silence, qui s'infiltrent en vous, hors de vous (...). »

> René Coulombe, *le Sabord,* n° 6, mars 1985, p. 21.

« Il ne s'agit pas ici d'une poésie à messages, mais, lorsque je lis *A gauche du mystère,* je suis ébloui d'énigmes, et c'est là l'un des grands plaisirs du lecteur de poésie. »

> Pierre Chatillon, *En vrac,* n° 25, septembre 1985, p. 70.

« Dans ce premier recueil (...), M. Olscamp livre l'écho d'une sensibilité poétique très personnelle, mise à vif par une violence obscure dont le feu sournois ronge les choses du quotidien. »

> Hélène Thibaux, *estuaire,* n° 48, printemps 1988, p. 76.

(à propos de *Midi craqué*). « Parmi ces très beaux textes de Olscamp, quelques-uns retiennent l'attention par leur simplicité alors que d'autres, tout aussi beaux, véhiculent des symboles assez touffus et complexes. »
> J(ean) D(umont), *l'Apropos,* vol. 5, n° 2, 1987, p. 87.

« Ce qui se pressentait dans *À gauche du mystère* se confirme ici. Le monde perfide, livré aux marécages, aux moisissures, aux algues et aux araignées, plein de métamorphoses suspectes, de grimaces pourpres cache des intentions meurtrières sous les gestes innocents. Dans les errances du poète, la plaie s'élargit d'une immense nostalgie d'impossible douceur. (...) M. Olscamp est arrivé, il me semble, à jeter dans notre mémoire les marques sanglantes de ses épouvantes et de ses déchirures. Il arrive que ce soit là le rôle cruel de la poésie. »

Hélène Thibaux, *estuaire,* n° 48, printemps 1988, p. 76.

EXTRAITS DE L'OEUVRE

entrons dans la nuit les choses tremblent
des mots invisibles longent les routes
on parle dans les ronces

un millier de bouches chantent sur ma peau
les idées ont du musc et l'aventure éclate
entre mes mains et les jambes du jour

j'ai un masque dans la poitrine
on parle du rouge entre les astres
comme si les buveurs de lune étaient ailleurs

tes hanches luisaient

À gauche du mystère, 1984, p. 9

la mer
vaincue
qu'on arrache

qui s'enroule
comme un drap souillé

qu'on nettoie
de ses épaves

qui repose
étonnée
dans un placard en bois de femme

361

la mer
repliée
pense

Midi craqué, 1987, p. 63.

INÉDIT

CREDO

l'aube
est comme un drap jauni
sur le ciel

regarde
les rideaux durcis
les mouches du piano
la chaleur de la serveuse
les traces de doigts noirs
sur sa robe
le café sera tiède
comme une langue étrangère

à cette heure-ci
le clochard a répandu sa vie
dans le dortoir du fleuve
à cette heure-ci
la ville a des odeurs
de sens uniques
et de hanches froides
à cette heure-ci
le journal est un repas de roi
pour les mains des timides
qui parlent à la serveuse
qui voudrait dormir
entre les doigts d'un autre

je crois
à la neige sale
et aux camions noircis
qui roulent solitaires

vers les hôtels du nord
je crois aux anciens fauves
qui distillent le temps
dans les terminus
je croirai toujours
aux serveuses fatiguées
qui versent des cafés tièdes
près de leur coeur

mais dans le doute
il est permis
d'agiter ses clés
pour ramener la nuit
sur le comptoir étroit
des premiers matins

MARIE-ANDRÉE BEAUDET

Marie-Andrée Beaudet est née à Mont-Laurier le trois novembre 1947. Détentrice d'un Doctorat en littérature québécoise de l'Université Laval, elle a été chargée de cours en littérature française et québécoise aux Cegeps de Shawinigan et de Trois-Rivières et fut assistante de recherche à l'UQTR et à l'Université Laval. Elle travaille maintenant comme pigiste à des contrats de recherche et de rédaction en plus d'être collaboratrice au *Devoir* et membre du comité de rédaction de la revue *Québec français.*

Essayiste et critique, Marie-Andrée Beaudet a collaboré à *Livre d'ici, le Devoir, estuaire, Images de la Mauricie* (série de portraits d'écrivains de la Mauricie) et à *Québec français.*

BIBLIOGRAPHIE

L'ironie de la forme (essai sur *l'Élan d'Amérique* d'André Langevin), Montréal, Éditions Pierre Tisseyre, 1985, 158 p.

Langue et littérature au Québec, 1895-1914. (à paraître).

Charles ab der Halden (biographie), à paraître.

EXTRAIT DE LA CRITIQUE

« Quand le temps séparera les bons écrivains des meilleurs, M. André Langevin aura de bonnes chances d'appartenir au deuxième groupe. Chez son éditeur Pierre Tisseyre, comme il convient, paraît une intéressante étude sur *l'Élan d'Amérique,* ce roman qui marqua la rentrée romanesque de l'auteur après plusieurs années de silence. Dans *l'Ironie de la forme,* Marie-Andrée Beaudet aborde l'oeuvre «sur le plan de sa *littéralité,* c'est-à-dire sur le plan de ce qui la constitue comme oeuvre littéraire.

« Afin de *tamiser,* dit-elle, les influences formalistes qu'elle a choisies, l'auteur s'inspire aussi des travaux de Jean Rousset, qui «invite à vivre, à rebours, l'aventure d'écriture du livre. L'observateur s'immisce dans l'oeuvre, l'éprouve de l'intérieur, se confond à elle pour en apprécier toute la texture et tout le relief.

« Pour tout dire, Mme Beaudet a écrit un essai qui n'écrase pas l'oeuvre sous un jargon prétentieux. Au contraire, elle ouvre des pistes qui pousseront ses lecteurs à lire ou à relire un grand roman, ce qui est bien le plus beau rôle de la critique, même savante. »

Réginald Martel, «Chez les libraires, droit et histoire», in *la Presse,* 10 mars 1986, p. B 4.

EXTRAIT DE L'OEUVRE

Devant *l'Élan d'Amérique,* le lecteur a souvent l'impression d'être tenu sur le seuil d'un monde livré au plus grand désordre. La forme, d'entrée de jeu, bouleverse ses habitudes de lecture, lui impose un mode d'appréhension plus exigeant et plus actif.

Principalement dans les cinquante premières pages, le récit se présente comme un vaste ensemble de pistes brouillées. La linéarité, si commode et si pratiquée que l'on oublie qu'elle est, elle aussi, une convention romanesque, se trouve compromise. Les séquences se joignent et se disjoignent sans logique apparente. Les noms d'êtres et de lieux sont atteints de la même ambiguïté, de la même mouvance. Aucun centre solide, si ce n'est l'étonnant de ce décentrement même.

Bien que les règles de la «lisibilité» soient progressivement réintroduites avec l'arrivée du second protagoniste, l'impression d'éclatement demeure. La prolifération atteint tous les niveaux du texte. Comme «arrivée de toujours, qui (s)'en va partout», l'aventure du texte éveille chez le lecteur attentif tout un réseau de correspondances. Certains traits d'Antoine ou d'Hercule évoquent les traits de quelque héros du roman du terroir. La texture des propos sur le sort de ce pays dépossédé de lui-même et de son histoire remet en mémoire l'univers particulier de tel poème ou de tel roman des années '60. Plus ponctuellement, la mention d'un lieu replonge le lecteur dans l'espace physique et symbolique d'une oeuvre précédente d'André Langevin.

On objectera que ces résonnances que la critique formaliste a nommées intertextuelles sont à l'oeuvre dans tous les textes. C'est juste, mais ici ces liens agissent avec un tel caractère d'urgence et d'évidence qu'il paraît impossible de les éluder. Leur mise à jour s'impose, comme vont s'imposer certaines définitions préalables dont celle de cette notion d'intertextualité.

S'il est évident que l'éclatement est au coeur du récit et que cet éclatement est lié à un état de conscience, à une perte de sens, de mémoire, il est aussi évident que, par le biais de l'emprunt intertextuel, s'impose une mémoire collective qui s'inscrit et se survit dans cette parole consignée qu'est la littérature. Les faire parler, ces textes, faire jouer ensemble certains de leurs éléments, c'est, il faut le reconnaître, une façon de dynamiser le récit, de le conjurer ainsi en inscrivant le mouvement de la mémoire «tribale» dans un récit sur sa perte. Par là, entre la déraison de l'oubli et l'espoir réaffirmé dans le geste d'écrire, *l'Élan d'Amérique* soulève de ces questions qu'on dit essentielles.

L'ironie de la forme, 1985, p. 13-14.

INÉDIT

LANGUE ET CHAMP LITTÉRAIRE AU QUÉBEC, 1895-1914

> *Comme un poète-berger au coeur sentimental,*
> *J'aspirais leur prière en l'arôme des roses.*
>
> *Émile Nelligan.*

> *Les modernes, presque tous, surtout ceux à qui vont les*
> *faveurs de la mode et les caresses de la vogue, sont de*
> *mauvais bergers.*
>
> *Abbé Narcisse Degagné (au Premier Congrès*
> *de la langue française au Canada).*

À l'origine du renouveau littéraire qui se manifeste au Québec dans les premières années du vingtième siècle, Camille Roy voit la création de deux «groupements de travailleurs intellectuels» [1]: l'École littéraire de Montréal et la Société du bon parler français au Canada. De la seconde, il écrit :

> aucune institution n'a autant contribué à faire mieux estimer notre langue, nos traditions et notre littérature. Par sa revue mensuelle, *le Parler français,* (...) elle a rappelé sans cesse, elle aussi, vers nos oeuvres canadiennes l'attention du public, elle a stimulé le travail des écrivains; elle a mis en faveur ce que l'on a appelé, vers 1904, la «nationalisation» de notre littérature. [2]

Si l'histoire littéraire, après Camille Roy, continue d'associer, à travers la figure d'Émile Nelligan, l'effervescence littéraire du début du siècle à l'apparition de l'École littéraire de Montréal en 1895, la Société du parler français au Canada ne reçoit plus, quant à elle, que l'attention des spécialistes en études linguistiques. L'oubli est grave car il risque de fausser la compréhension de la dynamique littéraire de l'époque. D'ailleurs, si l'on ne retient de ce début de siècle que l'action de l'École littéraire de Montréal, il devient difficile d'expliquer la conversion esthétique qu'elle affiche en 1909. Bref, sur la question, il faut donner raison à Camille Roy.

La prise en compte du rôle littéraire de la Société est d'autant plus nécessaire qu'elle permet, en grande partie, de retracer le processus d'établissement de la domination qu'a exercée sur le champ pendant près d'un demi-siècle le courant régionaliste et, par voie de conséquence, de comprendre le quasi-silence qui, jusqu'à tout récemment [3], a entouré l'oeuvre des premiers écrivains modernistes du Québec. Ce groupe de jeunes esthètes dont Marcel Dugas se fera l'apologiste[4] constitue un troisième pôle d'attraction de la période. Ce n'est donc pas de deux grandes «associations d'esprits», selon l'expression même de Camille Roy, qu'il faut parler mais de trois qui connaissent chacune, à tour de rôle, leur année de grâce : 1899 pour l'École littéraire première manière, 1910 pour le «groupe des artistes» [5] et 1912 pour la Société du parler français au Canada. À l'origine de ces regroupements d'auteurs, on retrouve une intention commune : imposer la définition légitime du français littéraire au Québec. (...)

---

1 et 2. Camille Roy, *Manuel d'histoire de la littérature canadienne de langue française,* p. 100.

3. Quatre publications récentes ont permis de nuancer l'impression monolithique qui se dégageait jusque-là de la production littéraire du premier tiers du vingtième siècle :
   - Yvan Lamonde et Esther Trépanier, *l'Avènement de la modernité culturelle au Québec,*(Actes d'un colloque tenu à l'UQAM), Québec, l'Institut québécois de la recherche sur la culture, 1986, 319 p.
   - «Archéologie de la modernité. Art et littérature au Québec de 1910 à 1945», in *Protée,* vol. 15, n° 1 (hiver 1987), Département des Arts et lettres de l'Université du Québec à Chicoutimi, 178 p.
   - *Le Nigog, Archives des lettres canadiennes,* tome VII, publication du Centre de recherche en civilisation canadienne-française de l'Université d'Ottawa, Fides, 1987, 388 p.
   - Robert Lahaise, *Guy Delahaye et la modernité littéraire,* Montréal, Éd. Hurtubise HMH, Coll. «Cahiers du Québec-littérature», 1987, 549 p.

4. Sous le titre *Apologies,* Marcel Dugas a regroupé en 1919 une série d'articles consacrés à ses poètes préférés, ses amis «dévoués à l'idéal». Marcel Dugas, *Apologies,* Montréal, Paradis-Vincent éditeurs, 1919, 110 p.

5. L'appellation est de Camille Roy, *op. cit.,* p. 100.

**HUGUETTE
BERTRAND**

Huguette Bertrand est née à Sherbrooke le quatre avril 1942. Après ses études au Cegep de Sherbrooke, elle a été tour à tour secrétaire administrative à la Faculté des Sciences de l'Université de sa ville natale puis, elle fut potier-céramiste de 1975 à 1982 et, enfin, elle fit de l'animation sociale à Trois-Rivières-Ouest où elle réside depuis 1980. Elle a été secrétaire de la Société des Écrivains de la Mauricie de 1985 à 1988 et présidente de la même société de 1988 à 1990. Poète, elle a collaboré à diverses revues littéraires dont *Arcade, Moëbius, En Vrac* et *le Sabord.*

BIBLIOGRAPHIE

Espace perdu (poésie), Sherbrooke, Éditions Naaman, 1985, 64 p.

Par la peau du cri (poésie), Trois-Rivières, Les Écrits des Forges, 1988, 49 p.

Anatomie du mouvement (poésie), Trois-Rivières, Éd. en Marge, 1991, 57 p.

EXTRAITS DE LA CRITIQUE

« Huguette Bertrand-Rousseau vient de publier chez Naaman un recueil de poèmes *Espace perdu*. Quelle poésie dans ces images surgies de partout, imprégnées en profondeur dans le coeur de celle qui n'ose pas encore s'appeler un auteur! Cette nouvelle poétesse dont l'âge moyen s'épanouit dans l'écriture, évoque dans *Espace perdu* des violences de bélier, des douceurs d'agneau, des émerveillements d'enfant. Pour un début, c'en est tout un, et nul doute qu'il faut encourager Huguette Bertrand-Rousseau dans cette bonne veine. »

Michelle Roy-Guérin, *Le Nouvelliste* , 25 mai 1985.

« Presser le mot, le terme jusqu'à ce qu'il en sorte de la sueur, du sang, des larmes, de la tendresse, de l'amour, de la détresse, du désespoir: voilà l'un des mobiles majeurs de la poésie. Et c'est dans cette prime essence, dans ce jus humain que mijotent la plupart des poèmes de *Espace perdu*, que vient de publier, aux Éditions Naaman, madame Huguette Bertrand-Rousseau. Si, parfois, le verbe est dur, colérique, et nous frappe en pleine figure, d'autres poèmes nous charment par leur musique et leurs échos intérieurs. En somme, c'est une sorte de course à obstacles que la publication d'un premier recueil de poésie, et je crois que *Espace perdu* parvient, avec un rare bonheur, au fil d'arrivée. »

Alphonse Piché, *En vrac* , n° 24, juin 1985.

« Dans son second recueil de poèmes *Par la peau du cri* publié aux Écrits des Forges, (Huguette Bertrand) avoue avoir énormément travaillé pour trouver le mot juste, juste le mot qu'il faut et rien d'autre, élaguer, approfondir, creuser jusqu'à la moëlle pour arriver à exprimer l'inexprimable. Cette femme du milieu de la vie, qui apparaît si secrète, si raisonnable, exprime une poésie qui va jusqu'au délire. Elle se révèle dans la nudité du coeur et de l'âme. Elle entraîne ses lecteurs dans un tourbillon d'images charnelles, d'instants d'infini. Oui, des mots qui étonnent, des mots qui saisissent, qui enferment l'émotion comble, le désert de la tendresse, la soif, la faim, le désir. Les mots mêmes de la vie. Ce recueil valait qu'on le publie. »

Michelle Roy, *Le Nouvelliste* , 24 mai 1988.

EXTRAITS DE L'OEUVRE

ESPACE PERDU

I

La nudité du temps s'enroule
autour des matins refleuris

Je baigne mon corps
dans la rosée limpide des herbes suspendues

Je goûte la beauté
d'une fleur éveillée
au doux froissement
d'une aile brisée

II

Coeur séché derrière les volets entrouverts
refus de tendresse mendiée aux portes closes
les rires saccadés cachent la pendaison
            des oiseaux morts
tu restes couchée sur ta dépendance
tu abîmes la couleur de tes pensées
 en t'abritant sous l'ombre de ton ennui
ta solitude s'entache de notes vides
tu t'extasies devant tes murs gris peints en rose
morose
tes amours glissent au plancher froid et dur
gisante
tu fais l'amour en peau de vache
            entortillée autour de ton illusion

Espace perdu , 1985, p. 55.

PAR LA PEAU DU CRI

I

À quoi sert
rapprocher des mots
d'ambiance discrète
telle lenteur de pluie fine
d'un épouvantable cri
ce geste tend à mourir
près d'une folie d'automne

II

Des roses pâles
pour des nuits terroristes
des amours senteurs lavande
tuées proprement
sur des civières d'ébène
siècle éternel
café noir sang
bouches de feu
doigts d'écriture
effaçant   ainsi va la suite

III

Mon langage achève le pays parcouru
et ma pensée dégonflée a peur du cri
les mains gravées sur la source
corps poétique
des lieux les plus rares
les plus osés
et le jour se lève doux
comme le geste des yeux

Par la peau du cri , 1988, p. 12, 27, 36.

AU MILIEU DES CENDRES

I

Jusqu'à la fin du corps
cette senteur d'épouvante
décapant à la rude tâche
de nos amours
grattant l'éternité

déployée en vastes cris
une fureur vivement imite
la tendresse
suppose le retour
du mot entrevu
à la surface de la peau

et le siècle passe
comme une douleur
dans la poitrine du temps

II

Ce ne sont que des mots
de tout petits mots argileux
sous l'étreinte
ne font que de tout petits bruits
perdus dans un trou d'univers
persistent sur nos pages brûlées

de nos mains aiguisées
ces colombes translucides
par grappes d'olives
se rangeront dans la laine de l'histoire
leurs chairs brodées de fer
lambeaux de l'être
ses déchirures

GUYLÈNE
SAUCIER

Guylène Saucier est née à Louiseville le premier novembre 1960. Elle détient un Baccalaureat ès arts de l'Université Laval et un Certificat en francais écrit de l'Université du Québec à Montréal. Artiste-peintre professionnelle depuis 1984, elle poursuit également une carrière d'écrivain.

Guylène Saucier a remporté le Prix de la Société des Écrivains de la Mauricie en 1983 et, en 1990, elle a été lauréate de l'Office franco-québécois pour la jeunesse avec son texte *Poussières de chagrin*. Elle a collaboré à la revue *Châtelaine* («Café des commissaires», novembre 1984) et à Radio-Canada MF aux émissions *En toutes lettres* («Les Chats dans l'escalier», avril 1987) et *Inédits* («Des lunes sur ta robe», mai 1990).

BIBLIOGRAPHIE

Motel Plage St-Michel, Montréal, VLB Éditeur, 1986, 64 p.

EXTRAITS DE LA CRITIQUE

« L'intrigue se dénoue dans les dernières lignes de *Motel Plage St-Michel*. Une intrigue fort bien menée, où des questions nous reviennent sans cesse. (...) L'écriture est serrée, sans bavure. Le style est rapide et très imagé. On y passe d'agréables moments et, même si l'on peut regretter que cela ne dure, on en profite pleinement. D'ailleurs, à lire *Motel Plage St-Michel,* on se dit que trop d'écrivains nous volent du temps pour nous faire lire une prose pas toujours heureuse alors que Guylène Saucier, avec une économie de mots, réussit parfaitement à nous faire entrer dans le jeu de son récit. »

Jean-Francois Crépeau, *le Canada francais,* 15 octobre 1986.

« Il est intéressant de constater, au départ, que Guylène Saucier ne s'est pas du tout impliquée dans son premier livre... ce que font la plupart des auteurs à leur début. (...) Ce premier récit publié par une maison d'édition reconnue et non à compte d'auteur dénote un talent certain pour l'écriture chez Guylène Saucier. »

André Gaudreault, *le Nouvelliste,* 18 octobre 1986.

« Une douleur sourde, puissante, trace subtilement le récit de Guylène Saucier; composée de succession d'images à la fois saisissantes et troublantes, de phrases courtes, simples (...). D'une écriture sensible voire même sensuelle, tantôt les mots glissent et bougent sous nos yeux (...) tantôt ils nous agrippent brusquement le coeur : «Moi, je suis noire comme une tache»; «Si je crie, c'est que j'ai décidé de crier». Cette petite histoire de village, menée soigneusement, nous surprend par toute sa complexité. L'auteur y dévoile un talent certain et il faut, sans hésiter, profiter de la minceur du volume pour y goûter deux fois. »

Marie-Josée Ayotte, *le Sabord,* hiver 1986.

EXTRAIT DE L'OEUVRE

De grands corridors de bois. L'air pose ses pieds devant moi, me regarde souffler. Il fait tiède et humide. Il va bientôt pleuvoir.

D'une fenêtre, je guette les gens bouger autour de la piscine. Une longue rangée de serviettes bleues, jaunes, des petits damiers colorés à même le ciment. Les baigneurs sont nombreux aujourd'hui.

J'en profite pour monter au deuxième étage du motel. La dame est dehors. L'homme lit sur sa chaise. J'attends qu'ils remontent. Je les épie, à l'affut d'une erreur dissimulée au grand jour.

La dame défait son chignon avant de s'allonger sur le ciment. Un frisson parcourt les feuilles, s'étend sur les peaux. Les ronds de fumée d'un vieux portant des shorts à carreaux. Il est si blanc, comme une tache de lait sur une toile.

Il va pleuvoir. Les gens jettent des regards inquiets vers le ciel. Je compte les minutes, les secondes. Les gens se lèvent. Claude se dirige vers le hall d'entrée. Elle a l'air de me chercher des yeux.

Je vois le jeune homme se lever de sa chaise. Il suit ma cousine de près. Je devine son regard posé sur elle. Il lui touche doucement l'épaule, lui dit quelque chose. Claude répond oui de la tête puis s'échappe, farouche. Lui, je l'entends, qui monte l'escalier.

Le bruit de son pas. Je garde les coudes appuyés à la fenêtre. La dame est toujours allongée sur le ciment, les cuisses sèches, la peau tirée. Elle ne bouge pas, comme absente de la vie qui s'agite autour d'elle. Il a plu sur elle avant qu'elle ne se décide à regagner à petits pas le motel.

L'homme passe derrière moi. Il m'aurait sans doute saluée si je l'avais regardé. Il entre dans une chambre. Je devrais rester ici, pour voir si elle ira le rejoindre derrière la même porte. J'ai soudain la nausée. Je m'enfuis avec la peur aux talons.

L'escalier étroit. Elle est en bas, dans la lumière de la porte. Elle me sourit et se dirige vers moi. Je n'ose pas descendre, de peur de frôler de trop près son haleine. J'attends qu'elle arrive sur le palier. Il me tarde d'aller rejoindre ma cousine.

La femme me regarde droit dans les yeux. Il est trop tard pour me dérober à son regard. Elle me parle mais je ne saisis pas tout de suite ce qu'elle me dit à cause de son fort accent anglais. Elle veut m'entraîner au fond du couloir. Je résiste. Il y a Claude qui m'attend. La dame a ouvert la porte de la chambre juste en face de celle de l'homme.

Des peintures sont alignées sur un bureau. Toutes montrent les visages souriants d'une fillette, les cheveux devant les yeux. Des tubes de peinture traînent sur le tapis, autour du chevalet. Des vêtements sont répandus sur le lit défait. La dame sort une photographie d'une fillette qui ressemble à celle que l'on retrouve sur chaque toile, dans une pose identique.

La femme m'explique qu'il s'agit de sa fille, qui est morte. Elle voudrait peindre mon portrait, parce qu'elle trouve que je lui ressemble. Devenir le portrait d'une morte.

«Non merci, madame. Il y a une personne qui m'attend en bas. Somebody is waiting.»

(...) Je cherche des talons le seuil de la porte. Je dis bonsoir en lui tournant le dos. Puis je dévale l'escalier en me disant qu'elle est bien plus vieille que je ne l'avais imaginé.

Motel Plage St-Michel, 1986, p. 19-21.

INÉDIT

LA DENTELLE DU CYGNE

Une odeur de mer venue en premier. À la fenêtre. Les bras en croix et les seins collés à la vitre. L'été roule jusqu'au bout des champs. Un bruit faux. Celui d'une corneille. Il ne reste rien du sable que Jeanne léchait sur ses doigts, des cailloux piqués sous les pieds. Elle mettait sa face au vent du nord et jurait. On connaîtrait son nom. Jeanne Borgia. Un cri au-dessus des vagues pour enterrer le bruit de l'eau. Ici, dans ce village, il ne reste que le vent. Et le roulement des blés en tempête.

Jeanne recule d'un pas. Regarde ses jambes, ses bas. Elle se dresse sur la pointe des pieds, comme si elle chaussait des souliers à talons très hauts. Elle l'a déjà fait. Elle se souvient. Ailleurs, près d'une autre fenêtre. Un homme regardait au loin, par-dessus son épaule. La mer avait les flancs gelés de neige.

Un hiver à la mer. L'été ici, très sage. Ses frères n'osent même plus lui parler. Ils sont en bas, à faire semblant de jouer à l'enfance. Ses frères, ses cousines, ses tantes qui reculent d'un pas quand ils la voient, comme si elle traînait le mauvais sort. Jeanne s'approche de la commode, évite des yeux le miroir. Son ombre en mauve collée à la nuit. Elle prend un flacon de parfum au hasard, en verse sur son poignet. Des gouttes sur le plancher. Elle retourne à la fenêtre, essaie d'entendre à nouveau la mer. Elle grimace en buvant sur son bras cette eau amère.

DESCHAMPS

**JACQUES
RIOUX**

Né le huit juillet 1952, Jacques Rioux est professeur et écrivain. Détenteur d'une Maîtrise ès Arts de l'Université de Montréal, il enseigne la philosophie au Cegep de Trois-Rivières depuis 1978. En 1986, il recevait, ex-aequo, le Grand Prix Littéraire Guérin pour *Un jour à Vaudor*.

BIBLIOGRAPHIE

Un jour à Vaudor (roman), Montréal, Guérin Littérature, 1987, 427 p.

«Le détour» (nouvelle), in *Depuis 25 ans* , Québec, Les Presses Laurentiennes, 1987, 115 p.

EXTRAITS DE LA CRITIQUE

« Plus que des portraits de caractères, c'est un portrait de moeurs que nous présente Jacques Rioux dans ce roman que je persiste à qualifier de «philosophique», sans vouloir faire peur au monde. Rien de compassé

là-dedans. C'est le roman le plus fort que j'aie lu depuis des lustres (...).
Le sujet le plus *hot* qu'on puisse trouver en ces temps de déclin et le
traitement le plus classique qu'on puisse imaginer. C'est l'écriture qui
en fin de compte impressionne, qui ne trébuche pas sur les subjonctifs
et s'offre tous les luxes. Une écriture d'une telle maîtrise que j'imaginais
une histoire à la Emile Ajar. Information prise, Jacques Rioux existe et
c'est son premier roman. Qui va entonner avec moi «Un auteur nous est
né...» »

Jean-Roch Boivin, *le Devoir* , 15 août 1987, p. C-8.

« Alain Pontaut qualifie le roman de «récit profond et haletant».
Profond, oui. Haletant... non, car l'action est lente, lente même dans le
drame. (...) Mais tout cela est fort bien écrit, et certains passages
plongent le lecteur dans de profondes réflexions (...). Et la fin est
surprenante, donnant au roman une facette presque ésotérique. En fait,
tout est symbole dans ce livre. Même sa lenteur sûrement voulue et
mesurée. (...) Bref, un livre intéressant à lire, et qui ne ressemble
certainement à aucun autre. »

Michelle Roy, *le Nouvelliste*, 22 août 1987, p. 11-A.

EXTRAIT DE L'OEUVRE

Comment en était-il arrivé là? Joseph Moreau se rappela sa
journée de la veille, cette longue promenade dans M..., ses songeries
inutiles, ce sentiment d'être au bout du monde, au bout de lui-même, de
se voir comme un étranger. Il n'y avait donc plus d'aventure nouvelle à
l'horizon? Était-ce la fin? Dieu seul savait si des idées morbides
effleuraient son esprit. A moins... Qu'est-ce donc alors qui mijotait au
tréfonds de son être? Il eut soudain comme une révélation. C'était
l'évidence même : il n'avait pas été à la hauteur de ses rêves. Sa vie se
résumait à cela. Mais quels étaient ses rêves? Des produits naïfs de sa
jeunesse? Il avait désiré la gloire, il avait obtenu la respectabilité. Quant
à ses rêves de liberté... Allons! La liberté était harassante comme un
poids trop lourd à supporter. N'était-elle pas un fardeau ou, pire, quelque
chose comme un regret qui nous accuse et nous condamne quand on en
a mal usé? Oui, oui, c'est cela. Puis quoi d'autre? Il avait chanté d'un
coeur sincère la beauté du monde, il terminait «lamento», dans l'indifférence, sans écho, d'un mouvement languissant qui n'en finissait plus.
Il cherchait de toute son âme Dieu et le bien, il n'avait trouvé que l'enfer

384

et le mal. Or, toutes ces choses se trouvaient d'abord en lui, dans son âme viciée et corrompue. Il ne constituait qu'un coupable de plus, terriblement conscient par-dessus le marché de sa responsabilité. Peut-être aussi s'illusionnait-il sur ce qu'il avait voulu être. Ce qu'il avait dit à Georges Héon au téléphone lui revint à l'esprit.

Joseph Moreau reprit progressivement son calme. Il entendit un chuintement en provenance de la salle de conférence à l'autre bout du couloir. C'était la voix de Georges Héon qui soufflait dans un micro.

Il arrangea rapidement le noeud de sa cravate et tira sur ses manchettes de chemise enfoncées dans son veston. Voilà, il était prêt. Il eut l'idée de passer aux toilettes pour vérifier la mine qu'il faisait. Seulement, comme il se sentait mieux, cela le convainquit que c'était inutile. Il passa une main dans ses cheveux, ramenant dans sa coiffure la mèche qui lui tombait sans cesse sur le front. «Allons-y!» «

Un jour à Vaudor , 1987, p. 103-104.

«Tête d'oeuf», sans cesser de regarder Joseph Moreau dans les yeux, se cala dans son fauteuil. Il pesa ses mots :
- Nous avons pris l'habitude néfaste de tout mesurer, de tout ramener à l'échelle humaine, ce qui est grand comme ce qui est petit. C'est ce qu'il y a de plus trompeur. Il nous faut, au contraire, tout évaluer à l'échelle de Dieu. Le néant, c'est cela : l'étalon de mesure humain. L'homme n'est pas la mesure de toutes choses. Quand il croit l'être, le merveilleux s'enfuit, le monde se vide, des fantômes apparaissent et la vie devient un cauchemar. Nos prétentions ont tout rapetissé à l'échelle de nos piètres rêves. Cela vous surprend? Réfléchissez! Que sommes-nous donc? Des êtres en équilibre sur une corde raide, ayant sous nous l'infiniment petit et au-dessus de nos têtes l'infiniment grand. Que voyons-nous? Qu'attendons-nous? Notre regard, comme dans le goulot d'étranglement d'un entonnoir, contemple l'abîme qui est en haut et le puits abyssal qui est en bas. Ne serions-nous qu'un point insignifiant entre deux infinis? Non. Un carrefour. Notre conscience est ce carrefour où se croisent les routes de deux royaumes : celui de l'esprit et celui de la matière, le ciel et l'enfer comme disent certains, l'illimité dans un sens, le démesuré dans l'autre. Dieu nous y a peut-être mis pour indiquer à la création les chemins qui s'offrent à elle. C'est cela, je crois, que nous devons accepter. Nous ne sommes rien de moins, mais rien de plus. Il faut renoncer à jouer les démiurges. La conscience humaine est un veilleur de nuit au milieu de l'obscurité où le monde est plongé.

Un jour à Vaudor , 1987, p. 356-357.

ASCENSEUR POUR L'AU-DELÀ

Le moteur de l'ascenseur central ronronnait doucement dans la cage oblongue s'étirant du troisième sous-sol au trentième étage de la tour de verre. George-Etienne Lefort, les mains croisées derrière le dos, les yeux levés sur la série de voyants lumineux au-dessus de la porte dans le corridor, perçut clairement le passage du contrepoids. Il tapa du pied. L'ascenseur fit un arrêt au vingt et unième étage. Le «grand Jules» sourit; ses yeux pétillèrent. Quelques instants après, les câbles d'acier grincèrent sur la poulie de déflexion, le déclic de l'interrupteur de fin de course se fit entendre et la porte s'ouvrit sur la cabine... Son sourire élargit sa bouche exsangue. Il entra, pressa le bouton du panneau de contrôle actionnant la montée au dernier étage. Puis, il poussa à plusieurs reprises sur celui commandant la fermeture rapide de la porte.

Lumières, éblouissements, étincelles. Halètements et palpitations. L'échelle. Il escalade le ciel. Les rats vont le rattraper. Y parviendra-t-il? «Qu'est-ce qui nous prend?» Son pouls bat dans ses tempes au point qu'elles vont exploser sous la pression. Il lui faut se ressaisir. Cela n'a pas de sens. Sa dignité en souffre. «À un moment pareil!» Le temps s'est arrêté comme une image sur un écran. Sa main presse furieusement le bouton d'arrêt d'urgence. La porte se rouvre, une ombre —la sienne? —file en courant dans le corridor et disparaît derrière la porte de l'escalier de service. On dirait qu'elle a peur de lui. L'image fond dans l'écran. «C'est fini...»

La porte se referma sur lui. Comme un noyé qui refait surface. George-Étienne Lefort aspira l'air à pleins poumons et haleta bruyamment. Il s'appuya contre la paroi du fond de l'ascenseur, les bras écartés. Il se remit rapidement. Que lui arrivait-il donc? Venait-il de rêver? Il réfléchit. «Non, non, c'est impossible! Pourtant...» Il éprouvait trop d'émotions à la fois, probablement.

Les minutes filaient. Son regard fixa avec anxiété les numéros s'illuminant tour à tour, sous leur rondelle en plastique transparent, chaque fois que l'ascenseur gravissait un étage. Il entendait distinctement l'effort mécanique de la poulie d'entraînement; les câbles de suspension tiraient la cage vers le haut. Vingt-sept. Vingt-huit.

George-Étienne Lefort transpirait abondamment... Les instants qu'il vivait n'étaient-ils pas les plus importants de toute son existence?

Toutes les actions de sa vie convergeaient vers cette montée au sommet de la tour de verre. Vingt-neuf. Plus qu'un étage à grimper. Il lui avait fallu être un fin politique pour parvenir jusque-là - ce qui n'excluait pas les compromissions nécessaires, les bassesses sournoises, les alliances contre nature -; il n'ignorait pas qu'il lui faudrait déployer encore plus d'ingéniosité pour s'y maintenir. Excité, il retint son souffle de peur que l'estomac ne lui remontât dans la gorge quand l'ascenseur ralentirait sa course. Il baissa les yeux, avança un pied vers la porte et...

Soudain, George-Étienne Lefort chancela. Au même moment, il lui sembla que la cabine de l'ascenseur tanguait sur elle-même. Un roulis métallique aux accents stridents se répercuta le long des parois de la cage oblongue et se perdit dans le vide, trente étages plus bas. Il plia involontairement les genoux et agrippa des deux mains le cadre de la porte.

-Bon Dieu, l'ascenseur!

Un engrenage dans le treuil avait dû céder, entraînant inévitablement la chute dans le vide de la cabine, pensa-t-il rapidement. Des sueurs froides envahirent son visage. Il appuya furieusement sur le bouton d'arrêt d'urgence. Le mécanisme resta muet.

L'ascenseur ne tomba pas. Au contraire... Une poussée vertigineuse étreignit la cabine et la souleva comme une plume. Le «grand Jules» crut un moment que ses jambes allaient traverser le plancher. Incrédule, il leva des yeux troublés vers la rangée de numéros emprisonnés au-dessus de la porte et faillit perdre la raison. Devenait-il fou? Une vision surréaliste s'offrait à son regard éberlué. Sous la rondelle contenant le numéro trente, d'autres numéros apparaissaient puis disparaissaient à la vitesse de l'éclair : trente et un , trente-deux, trente-trois...

Dans la cabine, la poussée fut telle que George-Étienne Lefort s'écrasa de tout son long sur le sol. La foudre éclata dans sa poitrine. «C'est insensé!» hurla-t-il. Une peur atroce le raidit complètement et il suivit effrayé, impuissant, la cavale des numéros vers l'infini. Contre toute logique, l'ascenseur continuait de s'élever... mais où au juste?

Combien de temps dura l'ascension de l'engin, George-Étienne Lefort ne le sut jamais. Alors que sous la dernière rondelle lumineuse scintillait un numéro astronomique, sitôt remplacé par un plus grand, il perdit la notion du temps et sombra dans une sorte d'inconscience chaotique où des pans entiers de sa vie, remontant de l'oubli, affluaient en désordre dans sa tête, se heurtaient dans une sarabande infernale, grossissaient puis rapetissaient comme des visages s'approchant puis s'éloignant devant un miroir concave. Les rats! Les rats grignotaient le plancher de la cabine de l'ascenseur... Ils allaient l'envahir, le submerger, le dévorer... Pour la première fois de sa vie, Georges-Étienne Lefort éprouvait une épouvante désespérée, mortelle. Enfin, la pression démesurée eut raison de lui et il sombra dans le néant.

A. M. GUÉRINEAU

JEAN-PAUL BEAUMIER

Né le dix-huit juillet 1954, Jean-Paul Beaumier est bachelier ès arts en études françaises (linguistique) de l'Université Laval. Collaborateur à la revue *Nuit blanche* depuis 1984, membre fondateur des éditions L'instant même à Québec, il a réalisé plusieurs émissions radiophoniques, entre autres sur la littérature fantastique et sur l'histoire de la Louisiane. De juillet 1980 à octobre 1982, il fut membre du comité de rédaction de la revue *estuaire*. Ses principales collaborations : *estuaire, Imagine, XYZ, Liberté, Brèves.*

BIBLIOGRAPHIE

L'aventure, la mésaventure (nouvelles en collaboration) Montréal, Éd. Quinze, 1987.

L'air libre (nouvelles), Québec, Éd. L'instant même, 1988, 168 p.

En une ville ouverte (nouvelles en collaboration), Québec, Éd. L'instant même, 1990, 208 p.

EXTRAITS DE LA CRITIQUE

(à propos de *L'air libre*) « Je ne connais pas Jean-Paul Beaumier, mais je parierais qu'il les aime, ses nouvelles. Pas d'un amour admiratif, mais d'une sorte de tendresse. De toute évidence, il les a soignées et polies; ça ne trompe pas ce léger reflet. Chacune a sur sa surface bien ronde ce petit carré luisant où converge la lumière. Une phrase, un mot, une idée, un détour imprévisible. Vingt-neuf nouvelles brèves comme un flash, qui saisissent les éclats d'un morceau de temps brisé pour les recoller sous nos yeux. Vingt-neuf nouvelles comme des photographies, ou comme ces images qui surgissent en rêve et vous aspirent pour vous plonger dans l'infini d'une fraction de seconde. Une écriture tissée bien serré, où le rêve revient en un motif régulier qui égare le regard, privé de perspective, un peu comme ces dessins en trompe-l'oeil qui montrent deux images distinctes.»

> Marie-Claude Fortin, *Voir*, vol 2, n° 36, du 11 au 17 août 1988.

« Jean-Paul Beaumier pratique une sorte de contorsionnisme qui lui est pourtant naturel : on entre dans sa phrase comme si elle allait de soi et on se retrouve dans la perception inédite d'une situation parfaitement banale. L'effet de réel reste ironiquement en deçà de l'écriture qui le désigne cependant par un détour. Curieusement c'est un livre dont on ne peut citer, il me semble, que les titres. Toute phrase extraite de son contexte rendrait immédiatement un son étrange, écho de l'imposture de la citation. »

> Réjean Beaudoin, *Liberté,* n° 179, oct. 1988, p. 83.

« Dans toutes les nouvelles de Jean-Paul Beaumier, quelque chose de très léger, par exemple le chiffre des minutes basculant sur le réveille-matin, ceux d'une adresse connue permutant méchamment dans une mémoire qui s'affole, vient restituer à toute chose son essentielle instabilité. L'effet est hallucinant. Un autre mot insidieux que l'on emploie pour discréditer la perception de celui qu'on dit halluciné. Pourtant, toutes ces hallucinations sont bien familières et c'est ce vertige que Jean-Paul Beaumier décrit avec une respectueuse exactitude. »

> Jean-Roch Boivin, «De l'autre côté du miroir : l'insoutenable indifférence de la réalité», in *le Devoir*, 3 sept. 1988, p. C-9.

EXTRAITS DE L'OEUVRE

L'APPEL

À la hauteur du centre commercial, son regard quitte la route une fraction de seconde. C'est maintenant une habitude, un besoin : vérifier l'heure à l'immense horloge au quartz en bordure de l'autoroute. S'il lui arrive, pour quelque raison que ce soit, de ne pouvoir s'adonner à ce rituel, sa journée s'en trouve irrémédiablement changée, bouleversée. Pierre redoute même quelque chose de fâcheux - un accident?- lorsqu'un tel empêchement survient. Il se découvre superstitieux et cela l'irrite.

Depuis quelques jours Pierre assiste, impuissant, à une course effrénée contre le temps : l'horloge en bordure de l'autoroute qui ponctue ses allers et retours, cinq jours par semaine et quarante quelques semaines par année, est détraquée. Dès qu'un chiffre apparaît dans la case allouée aux minutes, il est aussitôt remplacé, repoussé par le suivant : 21 : 12, 21 : 13, 21 : 14, 21 : 15, 21 : 16, 21 : 17 pour revenir quelques secondes plus tard accompagné d'une nouvelle décimale 21 : 20, 21 : 21, (la répétition des mêmes chiffres représente un présage heureux pour Pierre et fait en quelque sorte contrepoids à l'impression défavorable qu'il ressent depuis son réveil) 21 : 22, 21 : 23, 21 : 24.

Les yeux à nouveau rivés sur la chaussée, tantôt celle qui dévale derrière lui tantôt celle qui se projette devant, Pierre s'engage sur une sortie qui lui fait faire un demi-cercle complet pour le diriger sur une autre autoroute, semblable à la première mais qui se déroule vers le sud cette fois. À l'aller, il emprunte les voies qui vont de l'est à l'ouest, puis du nord au sud; au retour, il fait exactement l'inverse. Pierre y voit quelque chose d'exact et d'absurde, une voie qu'il ne peut quitter sans risquer de défoncer le décor.

Défoncer le décor... L'idée ne lui déplaît pas, le séduit même. De plus en plus, l'irréversible l'attire et chaque fois qu'il s'engage sur cette sortie, qu'il contourne ce bosquet — îlot de verdure initialement prévu au plan d'aménagement routier — il décélère plus que la prudence ne le recommande, scrute l'intérieur de ce groupe d'arbres épargnés par souci d'esthétique, sans savoir ce qu'il cherche à y découvrir. Il n'y a probablement rien au milieu de ces quelques arbres, rien d'autre que des arbres entourés d'arbustes, mais c'est justement ce qui l'attire, ce qui exerce sur lui une incompréhensible fascination.

L'air libre, 1988, p. 29-30.

L'AIR LIBRE

Pourquoi a-t-il épinglé ces deux mots au-dessus de sa table de travail? Faut-il y voir un sens secret? Un message codé? À moins qu'il ne s'agisse d'une devise, d'un mot d'ordre. Une sorte de pensée qui doit sans cesse le ramener à l'essentiel, l'empêcher d'oublier ce qui, sans ce rappel épinglé à hauteur du regard, sombrerait comme le reste dans l'oubli.

Vous aurez sans doute remarqué qu'en transcrivant ces deux mots, il a eu soin qu'aucune lettre ne se touche, sans pour autant altérer la lisibilité du message. Il ne s'agit pas, soyez-en assurés, d'une simple coïncidence. Il faut d'emblée éliminer toute notion d'imprévu ou de hasard avec ces gens. Ils utilisent leur cerveau comme d'autres se servent d'une arme, il ne faut rien prendre à la légère avec eux. Observez l'espacement entre chacune des lettres, comme si la coupure grammaticale initiale s'était répercutée sur toutes les lettres, entraînant dans sa suite un espacement minimum dicté par la main, elle-même répondant à un ordre d'une instance autre. Il s'agit sûrement d'un code.

L'air libre, que peuvent donc receler ces deux mots en apparence inoffensifs? *L'air libre* ... libre comme l'air... Et s'il ne s'agissait que de cela. Il ne faut pas écarter l'hypothèse qu'il ait simplifié le message dans le but explicite de nous induire en erreur, de nous lancer sur de fausses pistes. On ne transcrit pas ainsi sans raison des mots aussi chargés de sens, aussi explosifs.

Ou bien il s'agit d'un acte d'une inconscience inqualifiable ou bien se trouve transcrit devant nous l'un des messages les plus subversifs qui soient. Quant à moi, et je m'y connais, je penche plutôt pour la seconde hypothèse. Je crains qu'il ne nous faille intervenir avant qu'il ne soit trop tard. Nous sommes en présence d'un agitateur aguerri, il aura cru nous berner en masquant par l'élision son message subversif, mais il avait compté sans notre vigilance, messieurs. Heureusement nous sommes là pour veiller au respect et au maintien des lois de ce pays. Sans quoi, où irions-nous? où irions-nous messieurs? je vous le demande.

L'air libre, 1988, p. 111-112.

PIÉGÉ

D'un trait il vide son verre, comme pour mater cette colère sourde dont il n'arrive plus à se débarasser en sa présence. Le moindre de ses gestes l'irrite et, au moment de prendre congé l'un de l'autre, à peine supportera-t-il le contact de sa main sur son épaule, la légère pression qu'exerceront ses doigts en signe d'affection comme autrefois.

«Je reviens dans une seconde», lui dit-il. Et lui, il se contente de lever les yeux, d'esquisser un sourire, de reporter à cette seconde sa réponse.

Il traverse la salle avec le regard de l'autre braqué dans le dos. Pourquoi s'empêtrent-ils chaque fois dans des discussions stériles? se demande-t-il en se faufilant entre les tables d'où fusent éclats de rires et bruits de conversation de toutes sortes. Il ressent soudainement une immense fatigue, une profonde lassitude et, en apercevant la sortie à travers la fumée, il souhaiterait être ailleurs, quitter ces lieux et se retrouver à l'air libre. L'autre ne s'en étonnerait pas lorsqu'il le verrait se diriger vers la sortie et pousser la porte sans se retourner. Il s'en trouverait peut-être même soulagé, libéré.

La question lui a échappé avant qu'il n'ait pu la retenir, la contourner. Elle lui a glissé de la bouche, maladroitement, brisant le pacte de silence tacitement convenu entre eux. Il en a été le premier étonné - il s'était pourtant juré de ne pas même rôder autour du sujet - comme le surprend la longueur de l'escalier devant lui. Il s'agrippe à la rampe et descend lentement les marches sans comprendre la raison de la crainte subite qui s'empare de lui. La bière lui fait un drôle d'effet ce soir et il se dit qu'il lui vaudrait peut-être mieux rentrer chez lui.

Au bas de l'escalier, il se retourne et s'étonne à nouveau : «Il doit bien y avoir plus de cinquante marches», se dit-il comme si cela avait quelque importance. Il les comptera au retour, histoire de voir. Le corridor dans lequel il s'engouffre est mal éclairé et il songe un instant à revenir sur ses pas, à se rapprocher des rires et des bruits de voix dont il ne perçoit plus qu'un écho lointain. Mais la douleur au bas du ventre est de plus en plus présente, de plus en plus désagréable. Il ne va quand même pas se laisser impressionner par un corridor mal éclairé. Décidément, la bière ne lui va pas ce soir. À moins qu'il ne couve une grippe; ce ne serait pas étonnant avec ce sale temps qui dure depuis plus d'une semaine.

Sitôt poussée la porte, la lumière crue des néons le cloue sur place. Au lieu des toilettes exigües qu'il s'attendait à trouver, une pièce toute en longueur s'ouvre devant lui. Dès l'entrée, une rangée de lavabos se succèdent de chaque côté où des hommes, tête baissée, se lavent les mains à grande eau. Lentement, s'obligeant même à se sortir de cette soudaine léthargie, il avance et se dirige vers les urinoirs tout au fond de la pièce en ayant soin de ne pas prêter attention aux autres occupants de l'endroit. Et bien qu'aucun d'eux ne relève la tête pour le dévisager dans l'immense glace, il se sent observé, épié, piégé. Si ce n'était du bruit de l'eau qui s'échappe des robinets et qui confère aux lieux une apparence de réalité, de banalité, il en serait aussitôt ressorti.

Lorsqu'enfin il s'immobilise devant un urinoir et s'apprête à se soulager, il sent une présence dans son dos, un regard qui ne lâche pas prise. L'autre l'a sans doute suivi sans qu'il s'en soit rendu compte. Dans un moment ils échangeront une mauvaise blague, de celles qu'on dit de circonstance, et cela aidera à détendre l'atmosphère entre eux. Une main se pose alors sur son épaule, des doigts se raidissent contre sa clavicule au moment où il voudrait appeler à l'aide, crier afin qu'on vienne à son secours, mais personne ne se retourne, personne ne tient à se mêler de ce qui ne le regarde pas. Tous continuent à se laver les mains à grande eau comme si de rien n'était, personne ne prête attention au nouveau venu qui déjà s'étonne de la longueur de la pièce baignée d'une lumière aussi crue, du nombre de lavabos qui se font face, de l'emplacement des urinoirs si loin de l'entrée.

Et l'autre qui continue d'attendre en haut, qui tranquillement mijote sa réponse.

AUTOPORTRAIT.

SERGE
MONGRAIN

Serge Mongrain est né à Trois-Rivières le quinze janvier 1948. Diplômé en mathématiques, il évolue principalement en photographie et en poésie. Il a aussi illustré des livres d'art. Il a collaboré à diverses revues et à des catalogues d'expositions.

BIBLIOGRAPHIE

L'oeil de l'idée, Trois-Rivières, les Écrits des Forges, 1988.

En collaboration comme illustrateur:

Lis : Écris! (avec Yves Boisvert), Trois-Rivières, Éditions Sextant, 1981.

L'Image titre (avec Louis Jacob et André Jacob), Trois-Rivières, Éditions Sextant, 1982, s.p.

Agrestes (avec Eugène Guillevic), Trois-Rivières, les Écrits des Forges, 1988.

EXTRAITS DE LA CRITIQUE

« *L'Image titre* est un beau livre à lire et à voir (...). »

Claude Beausoleil, *le Devoir,* octobre 1982.

« (...) belle surprise, *l'Oeil de l'idée* de Serge Mongrain (...) comme quoi tout est à redire encore. »

Claude Beausoleil, *estuaire,* n° 51, p. 69.

« (...) *l'Oeil de l'idée* est un recueil achevé qui se laisse lire souvent et où pas un mot n'est de trop. La langue parle à la tête, aux yeux, au coeur et au corps. »

Gilbert Drolet, *la Gazette populaire,* 11 mai 1988.

EXTRAITS DE L'OEUVRE

D'AUTRES DESTINS PHOTOGRAPHIÉS

À gauche de la fenêtre
d'immenses bâtiments multipliés
combinés à d'autres
s'assemblent à d'immenses bâtiments
soudés au néant des briques.

Et ton souffle
collé à l'infini du sexe
et ton sexe boursouflé du bulbe
trébuche attire l'écorce du rein
et dévoile.

À gauche de la fenêtre
d'immenses bâtiments multipliés
s'ajoutent à l'absolu du rêve.

L'oeil de l'idée, 1988, p. 26.

LE CINÉMA AFFIRME QU'UN TRAIN SE DÉPLACE

De la fenêtre de mon train
une cuisse me colle d'un oeil bon marché.
Einstein dans sa chaloupe attend.
Le conducteur ralentit
la cuisse se déplace
et le savant digère l'arête d'un menhir aérien.
Ma voisine se parfume
les pendus pendent aux arbres
et les poteaux répondent aux appels anonymes.
La carcasse d'un saxophone s'allonge
entre la queue d'un cheval et le sel d'une vache.
Un poisson nage entre Montréal et Baie-Jolie
et l'électricité se cultive.

L'oeil de l'idée, 1988, p. 47.

INÉDIT

Jadis tu avais des spasmes.
J'avais appris
à maîtriser tes hanches
à calculer ta fièvre
chaque contraction de ton bas ventre
portait atteinte à l'ordre établi
tes reins étaient bien là
de chaque côté de la colonne vertébrale
j'y circulais de bas en haut
nos tremblements nous ravageaient
nous détruisaient.

Ce matin-là
nous étions bons catholiques.
Depuis le bas du corps
jusqu'au creux de l'estomac
ton corps remplissait une fonction
c'était élémentaire.
Tous nos membres inférieurs
ne formant qu'un avec le tronc
l'orgueil nous culbutait.
Loin de la curie romaine

397

du paradis et de ses pompes
nous naviguions en choeur
dans une très petite chambre.
Les mouches ne nous agaçaient plus
tu avais des marées d'équinoxes.

PIERRE MILOT

Né à Trois-Rivières le deux février 1951, Pierre Milot a fait ses études primaires au Jardin de l'Enfance et à l'École St-Philippe, ses études classiques au Séminaire St-Joseph et à la Polyvalente de La Salle, puis ses études collégiales en philosophie et en lettres françaises au Cegep de Trois-Rivières. Il entreprend des études universitaires, au module de Recherche culturelle, à l'Université du Québec à Montréal en 1974, et par la suite, il poursuit une maîtrise et un doctorat en Sciences politiques, toujours à l'Université du Québec à Montréal. Il commence à enseigner la sociologie politique à l'Université de Sherbrooke en 1983, puis devient agent de recherche au département d'Études littéraires de l'Université du Québec à Montréal pendant trois ans (1985-1987). Il enseigne actuellement à l'Université de Sherbrooke mais continue d'habiter Montréal.

Pendant ses années d'études collégiales, Pierre Milot a fait paraître trois plaquettes de poésie aux petites éditions artisanales du Mouvement Parallèle : *Catharsis* (1971), *Matériau décousu* (1973) et *Mathématique brisée* (1973). L'année suivante, juste avant son départ pour Montréal, il devient co-fondateur et co-directeur de la revue *Champs d'application* (1974-1977) dans laquelle il publie des poèmes et des essais. Par la suite, il collabore à divers journaux et revues, dont *Voix et images*, et participe à différents colloques (entre autres, le colloque sur «l'institution littéraire», tenu à l'Université Laval au printemps 1985). En 1986, il publie deux essais dans un ouvrage collectif, *l'Avant-garde culturelle et littéraire des années 70 au Québec* , édité par le Département d'Études littéraires de l'UQAM. Et en 1988, il fait paraître ce qu'il considère comme son premier livre, *la Camera obscura du postmodernisme*, recueil d'essais paru aux Éditions de l'Hexagone.

BIBLIOGRAPHIE

La camera obscura du postmodernisme (essais),Montréal, Éd. de l'Hexagone,1988, 93 p.

EXTRAITS DE LA CRITIQUE

(à propos de *la Camera obscura du postmodernisme*) « Ma responsabilité est d'écrire sans me laisser prendre aux images qu'il me propose. Car Milot, «l'homme en noir» comme je l'appelle, est un excellent tentateur. »

> André Beaudet, *Interventions du parlogue 2* , Montréal, revue les Herbes Rouges, n° 166-167, 1988.

« Mais qu'est-ce donc que le postmodernisme? Cette question hante sûrement vos cauchemars d'intellectuels puisqu'il semble bien qu'aucune réponse satisfaisante n'y ait encore été apportée. Heureusement, l'Hexagone publiait récemment *la Camera obscura du postmodernisme* de Pierre Milot. »

> Catherine Bergeron, *Continuum*, semaine du 3 octobre 1988, p. 17.

« Pierre Milot a l'oeil exercé, l'esprit vif et la plume acide (...) mais clame bien haut qu'il s'agit d'un travail «sociologique» sérieux. »

> Lori Saint-Martin, *le Devoir*, 19 novembre 1988, p. D4.

« À la mollesse des écoliers, scribouilleurs et arrivistes qui tour à tour sont intervenus dans les débats de et sur l'avant-garde au Québec, Pierre

Milot oppose donc le rationalisme indéfectible du penseur immunisé contre la terrible tentation du «style». »

François Bilodeau, *Liberté*, n° 180, décembre 1988, p. 120.

« Le recours à une telle sociologie chargée d'objectiver les rapports de concurrence et les dispositifs discursifs des agents de ce champ est certes louable, d'autant que Milot connaît bien ce dont il traite (...). Une fois épinglés sur le tableau institutionnel comme des papillons amorphes, les conflits prennent un air de chicane de famille, de querelles plus ou moins insignifiantes. »

Michel Biron, *Spirale*, n° 84, décembre 1988, p. 7.

« Plusieurs écrivains qui ne savaient pas, me semble-t-il, ce qu'ils faisaient dans l'avant-garde littéraire québécoise, ont été embarqués de force par Milot dans la galère de l'institution. Eh bien! qu'ils y restent. Quant à l'auteur de *la Camera obscura*, s'il n'y est pas déjà, il le sera bientôt, et ce sera pour longtemps. »

Joseph Bonenfant, *Lettres québécoises*, n° 53, printemps 1989, p. 57-58.

« Voilà un petit livre qui donne à réfléchir et qui vaudra à son auteur, j'en suis persuadé, une sensible argumentation de son capital symbolique! »

François Gallays, *Voix et images*, n° 42, printemps 1989, p. 506.

EXTRAIT DE L'OEUVRE

Le présent essai est une esquisse sociologique : il s'agit ici de construire l'espace social dans lequel s'est déployée l'avant-garde littéraire des années 70 au Québec. Ce travail analytique a donc pour objet un *ensemble flou* constitutif de la logique même du phénomène analysé, soit la génération des écrivains qui ont émergé à travers les revues dites de «la nouvelle écriture» : *la Barre du jour /la Nouvelle*

Barre du jour et *les Herbes rouges* , pour ne nommer que les deux revues d'avant-garde dont le capital symbolique est le plus élevé dans l'institution littéraire québécoise.

Un tel travail de construction, par les opérations de délimitation et de classification qu'il engendre, vise précisément à la structuration d'un univers dont l'une des propriétés les plus récurrentes est de chercher à brouiller toute objectivation : ce brouillage constant est au principe même du statut d'écrivain d'avant-garde, et c'est là qu'on peut saisir le dispositif stratégique de sa relation à l'institution littéraire.

Les objections et les résistances à un tel projet sont connues : réductionnisme analytique, sociologisme évacuant l'autonomie littéraire, induction de la raison contre la passion, etc. Il est évident que la construction sociologique opère à partir de ses propres procédures d'investigation et que les hypothèses qu'elle soulève, tout comme les résultats auxquels elle en arrive, participent d'une autre logique que celle qui préside à la valeur littéraire, que cette dernière soit instituée ou instituante. Car construire l'espace des positions d'un ensemble d'agents (les auteurs) et de leurs productions (les oeuvres), à travers les événements qui les ont mis en relation dans le processus de constitution d'une avant-garde, et dont l'aboutissement sera la consécration par l'institution de la valeur du groupe et de ses objets, c'est risquer de subir les dénégations de ceux qui s'y considéreront mal représentés, ou le déni de ceux dont la fonction est de participer à la légitimation de l'avant-garde dans l'institution littéraire.

Précisons toutefois que la crainte de l'objectivisme désincarné n'est pas dénuée de fondement : la rigidité structuraliste tout comme la réduction marxiste ont par le passé opérationnalisé des modèles d'analyse qui n'ont pas été sans opérer un certain terrorisme intellectuel. Mais cette peur expérimentée d'un sociologisme évacuant les auteurs et leurs oeuvres pour leur substituer des codes structuraux et des déterminismes sociaux ne doit pas conduire à penser que le subjectivisme soit la seule alternative à la connaissance de la valeur littéraire et du monde social dans lequel elle s'institutionnalise. D'autant plus que la lutte que mènent entre eux les agents sociaux pour imposer l'autorité de l'objectivisme ou pour célébrer le subjectivisme est elle-même le résultat pratique d'une stratégie de transgression ou de normalisation pouvant varier selon l'état du marché de la production littéraire.

Certains agents, on le verra lors du passage de l'avant-garde au postmodernisme, entreprennent ou bien d'amalgamer objectivisme et subjectivisme ou bien de les permuter à partir du principe de reconversion dont procède la trajectoire fluctuante de leur carrière littéraire.

AVANT-GARDE ET INSTITUTION

Lorsqu'une avant-garde s'est institutionnalisée, et c'est l'hypothèse que nous soulevons en ce qui concerne l'avant-garde littéraire des années 70, on cherche inévitablement à lui trouver un fondement, un principe fondateur par lequel l'ensemble des agents et de leur production seront inscrits dans l'histoire du champ littéraire. On entreprend donc de dresser la liste des noms consacrés, d'établir le corpus des oeuvres qui définissent le mieux les règles du genre et les procédés rhétoriques, de même que la périodisation qui a marqué l'avènement et le développement du «nouveau style», de la «nouvelle génération», et surtout du nouveau type d'énonciation auquel sera accroché un titre de valeur générique : le «formalisme», la «nouvelle écriture».

Ce travail d'institution procède de l'institué (la tradition) et de l'instituant (les nouveaux entrants) dans une sorte de complicité qui relève de la logique structurante du champ littéraire, c'est-à-dire du système spécifique de relations pratiques qu'entretiennent entre eux les écrivains, les critiques, les spécialistes de la littérature et les éditeurs, à travers les diverses stratégies de conflits et d'alliances, de concurrence et de coopération, qui assurent la régulation et la pérennité de l'institution littéraire. Ce qui distingue la stratégie d'émergence de l'avant-garde, c'est qu'elle s'inscrit d'entrée de jeu dans le champ littéraire comme corps conducteur de subversion et qu'elle conteste par le fait même les normes et les valeurs de succession imposées aux héritiers en attente de promotion. De sorte qu'au moment de son accession à l'institution, l'avant-garde doit déployer toute la maîtrise de son pouvoir symbolique pour légitimer sa nouvelle position, compte tenu des stratégies agressives et des conduites de rupture qui avaient été au fondement de son entrée en scène et qui s'étaient traduites par des anathèmes, des exclusions et des excommunications réciproques.

Cependant, ce travail d'institution ne peut se faire sans une opération de reconversion inhérente à toute normalisation symbolique qui a pour fonction de ressouder l'intérêt générique du champ littéraire comme discours et comme pratique. Puisque notre hypothèse de travail postule qu'il y a eu institutionnalisation de l'avant-garde littéraire des années 70 au Québec, il convient donc que nous examinions le principe de reconversion postmoderne sur lequel s'est édifié ce processus, étant bien entendu que les motivations des agents sociaux entraînés dans une telle conduite de détournement ne relèvent pas d'un calcul cynique chevillé à la mauvaise foi, mais de la pratique désintéressée d'un ensemble d'agents chez qui l'intérêt porté aux fluctuations de la valeur littéraire a stimulé un sens du placement bien compris.

«L'avant-garde : processus institutionnel et conflits de légitimité», in *la Camera obscura du postmodernisme*, 1988, p. 13-15.

INÉDIT

LA GÉNÉRATION ENFIROUAPÉE

La notion de «contre-culture» continue d'activer ses prédicateurs tout autant que ses détracteurs. Dans un essai cursif rédigé il y a quelques années, j'avais cherché à montrer comment cette notion vague avait pu être transformée en paradigme par un essayiste voulant discréditer les poètes de *la Barre du jour / la Nouvelle barre du jour*. Avoir raison n'étant jamais moins qu'avoir de son côté ceux dont les raisons ont les conditions sociales de leur entendement, la thèse de l'essayiste en question (un certain Larose) avait paru légitime aux yeux de ceux qui font *l'actualité* tout en accomplissant leur *devoir*. Mais voilà que Lucien Francoeur*, prenant prétexte d'une préface anthologique, ramène à la discussion la notion réifiée, mais cette fois utilisée comme défense et illustration des poètes de... dirait-on *Mainmise*.

(...) Le problème avec cette préface d'anthologie , ce sont les poèmes qui suivent. Si Francoeur n'avait sélectionné que les textes de Patrick Straram, Denis Vanier, Josée Yvon, Louis Geoffroy et Paul Chamberland, cela aurait pu constituer une sorte de reliquaire reflétant fort justement les propos contenus dans sa préface. Mais il n'en est rien. Francoeur y amalgame à peu près tous les écrivains de la génération dite de la «nouvelle écriture» (de Brossard à Charron en passant par Beausoleil, de Bellefeuille, Des Roches, etc.) dont les poèmes sélectionnés auraient pu paraître dans une anthologie de la poésie formaliste du début des années 1970. (...) Et quant à l'assertion voulant que les anciens poètes de la rue soient devenus «les poètes dont on entend parler aujourd'hui dans les classes de Cegep où enseigne habituellement un de ces poètes», c'est-à-dire des fonctionnaires «sans rémission»(p. 9), c'est là un euphémisme institutionnel qui explique bien pourquoi, de Mai 68, Francoeur n'a retenu que le *jingle* des «profs jouant de la guitare sur les barricades avec leurs étudiants».

(...) Qu'est-ce à dire? Que Charron n'est que le rejeton du formalisme *telquelien* plutôt qu'un enfant du «flower power»? Et que tous les autres poètes formalistes québécois dont on pourrait ainsi homologuer les textes en liaison avec ceux des Denis Roche, Maurice Roche, Marcelyn Pleynet et Philippe Sollers ne sont que des sous-produits du parisianisme plutôt que de l'américanisme? Ou des deux à la fois? Les choses ne sont pas aussi simples, elles sont en fait beaucoup plus complexes, sans pour autant être trop compliquées. Il existe, dans le champ littéraire comme dans le champ intellectuel en général, des modes : elles commencent par être en vogue auprès d'un public captif (et la plupart du temps composé d'écrivains quand il s'agit d'avant-garde), puis se normalisent et intègrent un dispositif anthologique. C'est là qu'apparaît la distinction entre maîtres penseurs et *fashion victims*. Les premiers, comme ils sont les plus ingénieux, peuvent aussi reconvertir une mode en son contraire, entraînant les seconds dans leur reconversion. Mais une ancienne «nouvelle tendance» (le formalisme) peut continuer de subir la concurrence d'une *autre* ancienne «nouvelle tendance» (la contre-culture).

(...) Ce qu'il faut comprendre, c'est qu'en 1978 la contre-culture n'était plus ce qu'elle avait été, et cela désole à ce point le poète-chantant qu'il entraîne dans ses lamentations les vingt-cinq poètes choisis pour illustrer la décennie 1968-1978. D'ailleurs, la quatrième page de couverture de ce volume anthologique en dit plus long et est de loin plus pertinente sur les conditions de possibilité de cette «nouvelle écriture» que toute la préface de Francoeur, qui réalise peut-être ainsi un gain de capital mais qui, du même coup, risque de dévaluer le crédit des poètes de sa génération. Moins qu'à une génération perdue, on a plutôt affaire ici à une génération enfirouapée.

Vingt-cinq poètes québécois 1968-1978 , Montréal, Éd. de l'Hexagone, 1989, 193p.

**LOUIS
HAMELIN**

Louis Hamelin est né le neuf juin 1959 à St-Séverin de Proulxville. Il a obtenu son diplôme d'études collégiales au Cegep Bois-de-Boulogne. Après des études universitaires au collège Macdonald, faculté d'agriculture de l'Université McGill, il abandonne en 1986 sa Maîtrise en sciences de l'environnement pour une Maîtrise en Lettres à l'UQAM.

Tour à tour laborantin, moniteur de camps d'écologie, agronome, reboiseur et chercheur, Louis Hamelin a fait de nombreux voyages en Grèce, au Mexique, à Vancouver, au Texas et en Arizona où, dit-il, «devant un cactus en forme de fourchette, j'ai pris la décision de devenir romancier».

Il a collaboré à *The Harvest,* journal dont il fut le rédacteur en chef. Il a également collaboré à *Voix et Images.* Louis Hamelin a obtenu, en 1988, la bourse PAFACC de l'Université du Québec à Montréal. Il a également reçu, en 1990, le Prix du Gouverneur général pour son premier roman, *la Rage.*

BIBLIOGRAPHIE

«Petite conversation de taverne» (entretien), in *Voix et images,* (dossier : Jack Kerouac et l'imaginaire québécois), vol. XIII, 3, n ° 39, printemps 1988, p. 380-387.

La rage (roman), Montréal, Éd. Québec / Amérique, Coll. Littérature d'Amérique, 1989, 405 p.

EXTRAITS DE LA CRITIQUE

« (...) Ce nouvel écrivain - dont nous allons entendre parler longtemps s'il n'a pas l'impolitesse de quitter un métier qu'il possède déjà de façon presque effrontée - sait forcer l'attention, même quand il a l'air de se perdre dans ce qu'on appellerait, chez d'autres que lui, des longueurs impardonnables.

« (...) De ce premier roman, on retiendra qu'il révèle une connaissance profonde et précise du français. On retiendra moins sans doute l'étonnant vocabulaire de M. Hamelin, puisqu'on n'a pas le goût, pour savoir de quoi il parle dans le détail, à chaque page d'aller au dictionnaire.

« La nouveauté de ton et de forme de *la Rage,* dans l'ensemble de la production récente au Québec, ne fait aucun doute. En ce sens, ce roman pourrait être une oeuvre charnière. Pas question ici d'une écriture sur l'écriture sur l'écriture. Pas question non plus de reprendre le refrain archi-usé qui tourne autour de la ville, sans lui faire chanter grand-chose. Pas question enfin de céder à ce psychologisme complaisant qui fabrique de gros malheurs autour d'existences, réelles ou fictives, qui sont tout simplement insignifiantes.

« L'entreprise de M. Hamelin est neuve, elle est pour l'instant unique. Elle donne à rêver. À rêver que voici pour les années quatre-vingt-dix un écrivain aussi immense que Jacques Ferron et Victor-Lévy Beaulieu, et qui ne leur doit rien. »

Réginald Martel, *la Presse.*

« Le talent de Louis Hamelin est à proprement parler éblouissant. Devant ses phrases qui ronronnent, rugissent, sifflent et claquent, on se demande bien s'il pourra soutenir un pareil train jusqu'à la pénultième page de sa brique, si on ne s'en sortira pas soûlé, confus et gavé. Mais l'éblouissement dure et l'écrivain courtise tous les abus de style avec la maestria des grands virtuoses. (...)

« Je n'ai pas dit la force remarquable des dialogues qui ne s'imposent pas de jargonner une reproduction phonétique chère à nos auteurs depuis deux décennies. (...) C'est un roman génial. Quant à l'auteur, laissons-le écrire et à la postérité de lui donner du génie. Son roman a toutes les qualités d'un best-seller de qualité. Un voyage de première classe vers de nouvelles frontières morales, en Jumbo-roman. »

Jean-Roch Boivin, *le Devoir.*

« Ce qui fait la grande force et la grande puissance de ce roman, c'est que les vraies valeurs n'y sont pas occultées par de fausses valeurs pseudo-psychologiques. C'est un roman extraordinaire, l'ai-je dit? »

Georges-Hébert Germain, *la Bande des six.*

EXTRAIT DE L'OEUVRE

LA RAGE

Je me suis débarrassé des mots. Je les ai relégués au dictionnaire, là où, plus que partout ailleurs, ils ont l'air et l'art de n'être que des mots. Je ne veux plus qu'ils sortent de là, qu'ils s'agencent comme des soldats sur les lignes ennemies. Pour retrouver le chemin de la sobriété stylistique, je n'ai eu qu'un mot à prononcer. J'ai dit Oui à Baderne. Oui pour la vie, oui pour la biologie. Il veut me convaincre que la vérité scientifique peut être belle, et j'aimerais le croire. J'aimerais croire que la rage peut être un objet d'étude désincarné, et non pas une sombre obsession planant sur ma conscience. Baderne va m'accueillir à l'ombre de ses barbelés, dans son laboratoire au milieu des labours, comme ces créatures blessées qu'il ramasse avec amour pour les remettre sur pattes et du même coup servir la science. Lorsqu'il m'arrive par hasard de rouvrir l'un de mes carnets, je bute sur les mots comme sur des bornes massives alignées entre mes yeux et la réalité. Je ne comprends plus les mots, ils ont acquis durant cette période de froid une texture rêche, une consistance étrangère, ils sont devenus un monde qui me récuse, un monde exotique pour lequel j'ai perdu mon passeport. Je ne vais plus dans les zénanas et les zaouïas, je ne danse plus de zapatéados, je ne joue plus de zarzuelas. Je suis loin des mots et ils s'éloignent lentement, implacablement, comme les gros Jumbos Jets éléphantesquement blancs et vides. Ils sont devenus un luxe.

Pourtant, j'ai un goût amer d'invention dans la bouche. J'ai besoin de nommer ce qui me guette dans l'ombre. Nommer nommer nommer. On ne nomme jamais que des manières de mourir. Je me sens fiévreux, fatigué. Je ne mange plus. Je ne dors plus. J'ai mal à la tête. Ce matin, j'ai eu la nausée et j'ai vomi un peu de bile dans la neige salie qui s'accroche par plaques au sol mouillé, souillé de crottes de chien. Je me sens toujours léthargique, bien que le beau temps soit en train de revenir au galop. Mon hibernation devrait prendre fin, mais on dirait que j'ai pris goût au ralenti.

Je me complais dans des auto-examens malsains : fièvre, fatigue, anorexie, insomnie, céphalée, nausée, léthargie, malaise général, désordres cénesthésiques, lancinements paresthésiques, en voilà des mots! Pour un hypocondriaque, il y a là abondante matière à délectation. Nommer, c'est déjà guérir un peu. Comme Céline dans sa prison danoise, je n'ai rien d'autre à faire que de ressasser, le jour et la nuit, l'accumulation de mes symptômes. La seule blessure concrète que je puisse toucher du doigt, au milieu de ce délire pathologique, c'est la petite cicatrice qui s'ouvre à la base de mon cou, et que mes gros chandails de laine et mes bonnes chemises de flanelle étaient parvenus à occulter durant la saison morte. Juste là, à l'endroit où Christine m'a mordu, quand j'ai voulu la prendre, et où le renard m'a mordu lui aussi, quand j'ai voulu le déprendre. Leurs marques réciproques se chevauchent sur mes chairs. Avec un plaisir masochiste, je palpe cette blessure à mon cou, cette blessure à mon courage. La double morsure se réveille et se rappelle à moi.

Ce qui est arrivé entre le renard et moi, et entre Christine et moi, c'est absolument intime. Je n'ai pas voulu des lumières crues d'un scialityque sur mes petites plaies personnelles. Si Édouard Mallarmé est empoisonné, il mourra comme meurt un roi empoisonné.

La rage, 1989.

COWBOY

FLASH 5

L'horreur, pour la fin. Bien de nature à confirmer les plus sombres pronostics. Réfugiés sous l'une de ces fantomatiques guitounes à l'intérieur desquelles la température tournait à la touffeur, j'aperçus une horrible grosse femme dont seul le visage, éclairé de bas en haut par une lampe à pétrole, émergeait de la noirceur ambiante au fond de la tente, flottant là comme un masque hideux. Dans l'ombre, près de son invisible giron, un enfant pleurait. La femme n'avait pas l'air si vieille, ni si jeune. Seulement terriblement décatie, objet d'une disgrâce sans retour. Il y avait sur sa face jaune et figée l'expression d'une béatitude effrayante, une sorte de satisfaction démoniaque illustrée par un sourire qui était aussi une grimace, un pied-de-nez à toute notion de beauté, au-delà de toute imagination. En fait, les sens sont toujours suspects, peu dignes de foi en face de semblables apparitions. Et j'étais ivre mort. Mais il me sembla, ce soir-là, être venu en contact visuel avec une vraie maudite, la victime d'une malédiction irrémissible, absolue, un être physiquement prégnant des malheurs de la terre. Ça puait curieusement le combustible, là-dessous, et la grosse Indienne agitait spasmodiquement, sous son nez, tout contre sa bouche, un torchon odorant, imbibé de liquide volatil. Ce fut ma première rencontre avec le dieu Naphta. La grosse Indienne planait haut. Elle était en adoration. «Qu'est-ce que c'est que ça?» ne pus-je m'empêcher de crier, couvrant enfin les pleurs de l'enfant négligé qui frétillait sous les effluves. Judith qui, de plus en plus, paraissait me pardonner les incartades frigorifiques de l'épisode Blondinette, me susurra en se coulant contre moi: «Ça, c'est Gisèle. La cousine de Cowboy. Ma mère. Elle était sur le train, elle aussi. Ils lui ont redonné la garde de son dernier enfant, comme tu vois. Le service social.»

J'ai fait «Ooooh...» et j'ai pensé, pour moi tout seul : «Quelle nuit, les amis!»

ROBERT ROY

JEAN PIERRE GIRARD

Né à Sainte-Perpétue le 17 mai 1961, Jean Pierre Girard a remporté le premier prix du XVe concours d'oeuvres dramatiques radiophoniques de Radio-Canada en 1987 avec «Larme de son» et le prix Adrienne-Choquette de la nouvelle 1990 avec *Silences*, son premier recueil. Il a écrit pour la radio, publié des nouvelles dans les revues *Stop*, A.P.L.F. et *Nouvelles fraîches*, et scénarisé/réalisé des courts métrages et des vidéos de commandites. Il détient un Baccalauréat ès Arts - scénarisation cinématographique, création littéraire (UQAM), gérontologie (UQTR) - et poursuit des études de maîtrise en études littéraires, volet création, à l'UQAM. Chargé de cours au collégial, il est pigiste à *Maclean Hunter (Bulletin des Agriculteurs)* et à *Méga-presse*. Il s'intéresse particulièrement à la nouvelle, au roman, au journal intime et au scénario.

BIBLIOGRAPHIE

Silences (nouvelles), Québec, L'instant même, 1990.

On edge (pièce radiophonique), 60 min., Radio-Canada, 1989.

Larme de son (pièce radiophonique), 60 min., Radio-Canada, 1987.

413

EXTRAITS DE LA CRITIQUE

(à propos de *Silences*) « (...) des nouvelles très différentes par le rythme et par le ton, comme si l'auteur arrivait toujours à choisir admirablement ce qui convient le mieux à son propos. (...) une succession d'images d'une extrême efficacité. »

Lucie Côté, *la Presse*, 5 mai 1990.

« (...) un prix littéraire au Québec qui ne déçoit jamais, croyez-le ou non, ça existe, c'est le prix Adrienne-Choquette. »

Jean-François Chassay, «En toutes lettres», Radio-Canada FM, 8 mai 1990.

« Ce qui m'a vraiment frappé, et intéressé, et impressionné, c'est la diversité des tons et des approches. L'auteur laisse une sorte d'espace aux gens qui lisent et qui leur permet, à eux, d'écrire l'histoire. Il y a de quoi respirer pour les lecteurs là-dedans. Un très beau recueil de nouvelles. Un superbe livre. »

Robert Chartrand, «Petits bonheurs d'occasion», CIBL-FM, 19 mai 1990.

« Situer des personnages, créer une intrigue, assurer son dénouement, tout ça en quelques pages, voilà le vrai défi de la nouvelle, défi que l'auteur relève avec aisance (...). La parole prend doucement toute la place dans *Silences* avec, toujours en filigrane, une douce satire des travers, folies et lubies de notre époque. »

Serge L'Heureux, *le Nouvelliste*, 2 juin 1990.

« Il est des silences qui se limitent à l'absence de parole; d'autres, plus lourds, à l'isolement. Ceux-là s'accomodent de tous les bruits, *bang*, de toutes les violences. Le recueil de nouvelles que signe Jean Pierre Girard aux éditions L'Instant même, sous ce titre *Silences,* est plutôt à classer dans la deuxième catégorie. »

Anne-Marie Voisard, *le Soleil*, 2 juin 1990.

« Le lecteur ne manquera pas d'être surpris par la richesse de la palette de ce jeune écrivain qui s'attaque à tous les sujets, et avec brio (...)

L'oeuvre d'un véritable explorateur de l'écriture qui permet les plus grandes attentes. »

Michel Laurin, *le Devoir*, 9 juin 1990.

EXTRAIT DE L'OEUVRE

L'ÉTAT DE CHOC

Eva sursaute au moment de la première détonation. L'avant-bras d'Al lui tord le cou pour vrai. Elle dit arg. Il ne fait plus semblant, il serre. Elle trouve que tout se passe très vite. Elle regarde par terre et s'étrangle davantage. D'horreur. Sa jupe jaune est rouge du sang du genou. Elle sursaute à nouveau au moment de la seconde détonation. Elle craint de ne jamais s'habituer aux détonations. Le type de la chambre forte reçoit la balle explosive en pleine poitrine. Encore du sang. L'homme reste une seconde suspendu dans les airs - Eva pense à un ralenti - et s'affaisse enfin, raide mort. Al s'appuie sur elle. Les autres hurlent, se réfugient sous les tables de la salle de conférence sans fenêtre. Un type, du dehors, par la vitrine un peu sale de la façade, constate ce qui se passe, file en toute hâte, crie au meurtre. Al pense à la lune et à l'inspecteur Clouzot. Il estime le gars de la chambre forte très bien cadré dans la porte de la chambre forte. Il admet qu'un plan américain, ici, soutiendrait fort habilement la musique extradiégétique. Lui, il rajouterait un filtre et un pan vertical, quitte à rogner ensuite dans les séquences de la fin. Il couperait même la dernière, en extérieur, pour traiter celle-ci avec justesse, et peut-être avec brio. (Vient un moment où couleur et ton revêtent une importance capitale. Al sent que voici ce moment.)

L'état de choc, on n'en parle pas souvent dans les films. On reçoit des balles plein la gueule et on lutte pour sa survie sans compresse d'eau froide, sans beaucoup de liquide, sans beaucoup de repos, sans s'étendre sur le dos, sans élever les jambes de douze pouces. Al trouve dommage qu'on en fasse si peu de cas. Il dit *on sous-estime ça, l'état de choc.*

Eva entend Al grogner. Il parle de panne et d'un tas de chocs. Elle se demande si elle ne devrait pas prendre les choses en main. Elle chuchote *au diable la couverture.* Al n'entend rien de rien. Eva répète sans plus de succès puis réfléchit à son affaire et conclut *non, plutôt*

415

préserver la couverture, poursuivre, aller jusqu'au bout, ce type est un raté, fini. Elle voit la tôle sur les murs de la banque. Elle parierait qu'Al va se faire piquer.

L'Algérie et le Népal. Kato, Al Mundy et le gentleman cambrioleur sur les plages de Cartagena. Le gros party. Kato porte une cravate noire sur son asiatique torse blanc et nu, un plateau plein et luisant, des gants blancs et du brandy. On s'échange les *Ray-ban*. Tout le monde rit d'Agatha Christie. Le soleil plombe.

Al perçoit des voitures à cerises devant la façade de la banque. Il tire fort sur Eva qui «arg»de nouveau et des gouttes de sueur roulent dans la bouche d'Al.

Eva voit les voitures de police. Elle dit *la police*. Al dit *la police*. Eva tente de se dégager. Il dit *tu vas tout faire rater*. Elle dit *tout est raté*. Elle dit *tu peux encore m'innocenter*. Il dit *t'innocenter*. Elle tente de se dégager. Al pense aux dieux de l'Olympe. Il imagine un travelling sur n'importe quelle musique classique : un plan séquence à la Angelopoulos. Sa promesse apparaît dans le désert de la banque : « Pas de tôle Eva, juré, un coup sûr... » Al dit *juré, juré..., juré. Le mirage s'étire dans sa tête comme un long plan séquence d'Angelopoulos.

Eva parvient à se dégager. Elle se retourne vers Al, étonnée par la liberté. Elle reçoit la balle au-dessus de l'oeil gauche. Son front fend, sa vue se brouille, elle tombe à la renverse, peut-être au ralenti.

L'hystérie sous les tables.

Silences, 1990.

LA PENDERIE

J'ai entendu un déclic. Je pense qu'il a pris l'habitude de se lever la nuit, en silence, et de diriger sa caméra vers la penderie. Je pense que cette ordure commence à avoir des doutes et qu'il ignore comment réagir.

Je devrai peut-être changer de cachette.

Pourtant, la penderie me plaît. C'est très sombre, c'est vrai, exigu, mais j'y suis à mon aise, je peux m'asseoir ou m'étirer, voilà tout ce que j'exige, et l'éclairage me convient. D'autant que maintenant, je connais très bien mes murs : je les touche du bout des doigts, les parcours, et quand j'y mets assez de ferveur, j'ai un peu l'illusion de caresser un copain en larmes, comme si j'y pouvais quelque chose.

Mes affaires sont roulées dans le haut, dans le coin, là où il ne va jamais. Ses bras sont trop courts. Mes affaires sont en sûreté dans cet espace qu'il ne peut rejoindre.

Il fixe la penderie avec tant d'insistance depuis quelques jours... Il doit s'inquiéter, soupçonner le mouvement derrière l'immobile, deviner ma présence.

Je crains de le voir surgir au beau milieu de la nuit. J'ai peur qu'il cède à la curiosité, au besoin de savoir. Je crains qu'il me surprenne assoupie, sans défense, livrée.

Si j'émigre, ce sera sous le lit ou dans le vieux coffret du coin, là où s'empoussièrent les vieilles bobines de 8 mm et les carnets. Je verrai.

* * *

Ils ont fait l'amour. Encore. Il s'est enhardi, s'est mis à lui chuchoter des choses à l'oreille, assez haut pour que je saisisse quelques bribes. Une ordure comme je ne croyais pas qu'il en existât.

D'abord, ils ont louvoyé sur le lit. J'ai un moment cru qu'ils rampaient, mais d'ici, je suis un peu trop éloignée pour me faire une idée juste. Ils se sont par la suite stabilisés. L'un sur l'autre, elle dos à moi, lui sous elle, face à la penderie, son menton à lui sur son épaule à elle qui doucement montait, descendait, remontait, cherchait la cime ou le passage pour y accéder. Ce calme va-et-vient, tel une lame qu'on glisserait sur le corps mutilé, m'interdisait de bouger, comme si cautionner ces gestes relevait de moi. Il lui parlait à l'oreille et ses halètements à elle s'amplifiaient, toujours, de plus en plus saccadés, insupportables. Et puis elle s'est tue, s'est profondément détendue et puis subitement cabrée, puis elle a joui dans un long râle brûlant et ses ongles ont dû entrer dans la peau du dos, là où la rose noire et l'épine tatouées saillent. Sa tête est retombée en arrière. Cette femme était belle, mon Dieu, si belle.

Alors, j'en suis presque sûre, son regard à lui a croisé le mien, s'est durci, et il a donné un grand coup de rein pour enfin se répandre en elle, à son tour. C'est tout à fait ce que je pense, vraiment ce que je veux dire : un regard très dur suivi d'un grand coup de rein, puis en elle, à son tour.

Je me suis évanouie.

**PAUL
ROUSSEAU**

Paul Rousseau est né à Grand-Mère en 1956. Diplômé en éducation de l'Université du Québec à Montréal, il détient aussi un certificat en journalisme de l'Université Laval. Depuis près de dix ans, il travaille comme journaliste à Radio-Canada, métier qui l'a amené à établir temporairement résidence tantôt en Gaspésie, à Toronto, dans l'Ouest canadien, sans oublier Québec et Montréal.

Son premier recueil de poèmes, *Micro-textes,* a remporté le prix Octave-Crémazie en 1990. Ce prix est accordé à un auteur de la relève en poésie. Paul Rousseau travaille présentement à un roman.

BIBLIOGRAPHIE

Micro-textes (poésie), Trois-Rivières, Les Écrits des Forges, 1990, 58 p.

EXTRAITS DE LA CRITIQUE

(à propos de *Micro-textes*) « La planète refoule et nous sommes affectés par l'idée de globalisation. Si le train ne traverse plus le pays «coast to coast», l'avion réunit les pôles. C'est tous azimuts que l'on bouge et notre poésie témoigne aussi de ce point de vue planétaire. Ainsi le premier livre de Paul Rousseau, qui a remporté le prix Octave-Crémazie 1990, nous promène de Los Angeles à Shanghaï, avec escales aux pôles et ailleurs.»

> Jocelyne Felx, «Glissements vers l'enfance», in *Lettres québécoises,* no 59, automne 1990, p. 36.

« *Micro-textes* se nourrit de la rudesse même du décor urbain, où règne l'anonymat autant que la violence. «Je suis jeune et nickelé / bardé de frais et de rock rouge / blindé de blouson à clous...» Intitulé *17 ans*, ce poème, que pourrait revendiquer tout motard, donne un peu le ton du recueil. En moto, en auto ou bien à cheval, par voie de mer ou dans les airs («jette le ciel Boeing / par les hublots bleus / sonique la vie super»), chacun court à sa perte. «L'avenir (c'est tout dire) est une cigarette.» Point final d'un poème, *Au bar*, qui montre assez comment demain offre peu à espérer. Et bien sûr, on sent la contestation. L'auteur en a surtout contre l'indifférence, «sans lever le petit doigt», on voit des «corps qui tombent»... «mourir à la télévision». »

> Anne-Marie Voisard, «Deux mondes qui se rejoignent dans la poésie», in *le Soleil*, 26 mai 1990, p. D-10.

EXTRAITS DE L'OEUVRE

ROULER LA NUIT

Taxi 30 troue la nuit Texaco
des cris ras sous les roues
de la vie rapide aux vitres
dans le petit matin ruelle
celui des enfants mal famés
balayés sur le pare-brise
oubliés rouges au rétroviseur
lumineux dans un monde lampadaire

le chauffeur a de longs phares soyeux
et une angoisse toute allure
le soir bouffi sous les yeux
avec une cigarette pincée
et une bouche qui dérape
vers les sommets zigzags
les rêves des routes bleues
l'asphalte à finir

sur la banquette délicate
une jeune fille posée
avec son blond au plafond
comme une étoile passagère
cloutée de cuir molesquine
avec une main au genou
un frisson sur la lèvre
un doigt peint sur une détente brève

un revolver qui rutile
bijou d'acier dans sa paume
menace de fer sur la nuque du chauffeur.

LES PUNKS

La rue ramène ses mohicans nouveaux
torturés d'aube par un matin d'acier
beaux et rouges dans leurs cuirs sauvages
aigles des allées profondes
à guetter le pied léger des passants
et leurs visages pâles au tranchant

et parfois une jeune vie chevauchée
dans un mustang monté
pur sang

L'URSSE

Trotskie très dure amourée
aux seins coupoles dressées
mousmée dans Moscou glacé
a un coeur qui martèle

faux cils sur fard rouge
et beauté peu commune
une chaîne à son cou libre
son prolétariat dandinant
52 étoiles dans les yeux
pour un rêve d'América
ou de perestroïka

Russe jeune fille

Micro-textes, 1990, p. 42

INÉDIT

BEYROUTH

Inch Allah au Holiday Inn
sous l'azur démoli
des grands hôtels martyrs
avec vue sur l'horreur
l'horizon Kalachniké
la mer en otage de la plage
la mitraille du sable
dans le port aux palaces

le soleil est un avion syrien
en piqué sur les rêves
des barbus de quinze ans
leur enfance semi-automatique
sans jamais de parents au salon
le bonheur comme un canon de 450
précis à découper les gâteaux
pour ma fête un cratère
entends la France
dans le cha cha des tchadors
des femmes bombardées au marché
vedettes de la vie piégée
leurs cuisses no man's land
en mal de milices
le sourire chrétien des carabines
les hezbollah de l'amour
la guerre mosaïque